Turkish Tutor

Grammar and Vocabulary Workbook

Emine Çakır and Berna Akça

First published in Great Britain in 2018 by Hodder and Stoughton. An Hachette UK company.

British Library Cataloguing in Publication Data: a catalogue record for this title is available from the British Library.

Library of Congress Catalog Card Number: on file.

9781473625259

1

Typeset by Cenveo® Publisher Services.

Printed and bound in Great Britain by CPI Group (UK) Ltd., Croydon, CR0 4YY.

John Murray Learning policy is to use papers that are natural, renewable and recyclable products and made from wood grown in sustainable forests. The logging and manufacturing processes are expected to conform to the environmental regulations of the country of origin.

Carmelite House
50 Victoria Embankment
London EC4Y 0DZ
www.hodder.co.uk

CONTENTS

SCOPE AND SEQUENCE OF UNITS

UNIT	CEFR	TOPIC	LEARNING OUTCOME	
UNIT **1** **Haydi tanışalım** pages 1–12	A2	*Personal details*	• Introduce yourself • Describe your personality and hobbies	
UNIT **2** **Herkesin günü farklı** pages 13–25	A2-B1	*Daily routine*	• Describe daily routines • Describe the weather	
UNIT **3** **Ailem** pages 26–35	B1	*Family*	• Describe family members	
UNIT **4** **Ah o eski günler!** pages 36–44	B1	*Generation gap*	• Describe past experiences and talk about feelings	
UNIT **5** **Bugün alışverişe gideceğiz** pages 45–54	B1	*Shopping*	• Can understand and make future plans • Describe shopping for different types of produce	
UNIT **6** **Eğitim önemli** pages 55–66	B1	*Education*	• Describe locations of items and places in relation to each other • Understand statements about educational institutions	
UNIT **7** **Nerede yiyelim?** pages 67–77	B1	*Food and drink*	• Discuss food • Make request and give orders in a restaurant	
UNIT **8** **Bu ürün daha iyiymiş** pages 78–89	B2	*Advertisements*	• Give opinions • Comparing products • Expressing ideas and dealing with problems regarding a product	
UNIT **9** **Sağlam kafa sağlam vücutta bulunur** pages 90–100	B2	*Well-being*	• Discuss how to deal with stress, healthy living and fitness	

LANGUAGE		SKILLS	
GRAMMAR	**VOCABULARY**	**READING**	**WRITING**
Personal suffixes: to be Case endings Possessives VAR/YOK	Basic vocabulary to introduce yourself	A text about people introducing themselves on the first day of an online course	Developing a paragraph: introducing yourself
Present Continues Tense Time expressions Past Tense	Vocabulary to describe routine actions in a day Days of the week Seasons and the weather	Texts about a person's daily routine A travel blog describing a tour of a region in Turkey	Write a letter / email about daily routine
Possessive compounds Imperative form Compound verbs The Aorist Tense	Basic vocabulary to introduce a family/person	An email to a friend introducing family members	Write an email to a friend introducing members of the family
İKEN/-(Y)KEN: *while* -ki suffix as a qualifier	Childhood Past events and experiences Celebrations	A personal blog about a family celebration	Write a personal blog about a family celebration
Future Tense Future Perfect Tense Converbs: -(y)IncE, -(y)Ip	Shopping for groceries, clothing and other items	A blog about street markets in İstanbul	Write a blog about a local street market
Postpositional phrases for description of place Time related postpositional phrases and sentence connectors	Terminology for education	Student reviews of educational institutions	Write a review about a course, school or university
Optative Modality: ability, possibility	Food Restaurant Understanding a menu and dietary restrictions	A restaurant review	Write a restaurant review
Comparatives Superlatives The reported past: MIŞ Past Perfect	Comparing products	Read part of an official website on consumer rights and online complaints of customers	Take part in an online discussion, and make a complaint about a product / service asking for advice on what to do next
Verbal nouns with infinitive -mEK and short infinitive -mE lazım/gerek 'necessary' Adverbial clauses: -mEk üzere, -mEk için, -mEktEnsE -(y)Iş, -(y)E rağmen	Vocabulary related to health and well-being	Read a well-being test in a health magazine	Write what you do about well-being with suggestions for change or improvement

LANGUAGE		SKILLS	
GRAMMAR	**VOCABULARY**	**READING**	**WRITING**
Subject / Object participles	Vocabulary to talk about famous personalities and key people in your life	Read an article about people in different professions who were inspired by other people or an event	Write a short article about a person who has had an impact on your life
The passive	Current affairs Signs and public notices	Newspaper headlines and short newspaper extracts	Write a short article for a newspaper's additional section
Converbs: -(y)Ip, -(y)E...-(y)E, -(y)ErEk, -(y)IncE Conjunctions	Talking about hobbies and leisure activities	A blog entry about choosing hobbies and advice on how to make a choice for that	Write an email to a blog page describing your preferred hobby or leisure activity
Direct and indirect speech	Setting targets retirement, career	Life stories of different people	İnterview a friend and write his/her answers in indirect speech
Adverbial clauses with participle forms	Cinema and books Adjectives describing characters	Read a book summary and a film review	Write a book or film review
Expressions of obligation and necessity Quantifiers and partitive structures	Technology Social media and smart phones	Read a blog on technology, social media and their impact on daily life	Write a blog page stating your ideas and personal experiences in using technology and social media
Different forms of the conditional: ise/-(y)sE -sE	Travelling	Read a letter about travel plans	Write a letter about your next visit with details of dates, where you plan to go and why
Reflexive verbs and the reflexive pronoun Forms and uses of the causative	Vocabulary relating to moving house, renting, contracts	A letter from an estate agent	Write a letter of complaint about the short-comings of a rental property

UNIT	CEFR	TOPIC	LEARNING OUTCOME
UNIT **18** **Çevremizi koruyalım!** pages 191–202	B1	*Global/environmental issues*	• Write a presentation on a global issue
UNIT **19** **Kariyer ve mesleğiniz** pages 203–211	B2	*Career and profession*	• Describe skills and abilities • Discuss Challenges and success
UNIT **20** **Daha iyi bir dünya için çalışmaktayız** pages 212–221	B2	*Social responsibilities*	• Make a convincing argument

LANGUAGE			SKILLS	
	GRAMMAR	VOCABULARY	READING	WRITING
	Adverbial clauses formed with ki Diye / Demek	Climate change, global/environmental issues	Read a presentation on how to protect our environment	A presentation on an environmental issue
	Reciprocal verbs and pronouns Word formation	Vocabulary for career and professional life	Read a CV and a covering letter	Write a covering letter for a job application
	Progressive verb form -mEktEDIr Word formation with -sEl, -GIn, -(y)Icl	Social work, voluntary work, charity projects	Read a blog about a social project	Write a blog about a social responsibility project or charity work that interests you

I was born in Germany and brought up bilingual, speaking German at school and Turkish at home. When I was 15, my family decided to move back to Turkey, and Turkish became the language I had to use fluently at school. It meant that I had to re-learn my mother tongue Turkish. This experience made me keenly aware of the challenges of learning Turkish and led me to take up language teaching as a career. I have been teaching languages for more than twenty years having completed my PhD in Applied Linguistics in 2004. Starting off teaching English, German and Turkish as a Foreign Language in Turkey, I then focused on teaching Turkish when I joined SOAS – School of Oriental and African Studies – University of London in 2007. Since 2013, I have been teaching all stages of the language from elementary to advanced level at the University of Oxford.

The unusual features of Turkish like vowel harmony and the building up of words and grammatical forms by adding suffixes can look daunting initially, but it is a systematic language with very few exceptions, so once you learn the rules, you will be able to see yourself progressing step by step. In fact, you'll see that in some ways it gets easier as you go along because you come to understand how the language builds up. Enjoy!

Emine Çakır

I have come to language teaching through a combination of different routes: teaching psychology and sociology at secondary school level in Turkey, working in communication and press relations in the corporate world in London and studying Turkish literature for an MA at the School of Oriental and African Studies, University of London. The effect of psychological processes on language, the importance of language in the business environment and researching how writers explore different modes of language in their work inspired me to take up language teaching as my ultimate career. I have been teaching Turkish at all levels at SOAS, University of London since 2006.

Turkish can initially be a challenging language: we don't have a verb 'to have', so 'I have a dream' becomes 'my dream exists'. The word order is so different that instead of saying 'I am going to the cinema' you say 'To cinema go I'. But I find my students quickly learn to think in a Turkish way – and they are relieved to find there are no gender distinctions in grammar, and no irregular verbs and nouns. I suggest you don't worry about making mistakes and try to use Turkish at every opportunity without being self-conscious about it. It will provide you with an exciting mental exercise and lead you to explore a different and colourful culture.

Berna Akça

Acknowledgements

The preparation of the *Turkish Tutor* has been an exciting time for us. It has also required concentrated work, and at times, we have had to put it above everything else in our lives. We are grateful for the support and understanding we had from our families, and in particular, from Melodi and Mert Mesut. We would also like to thank our students, because it is through teaching them that we have been able to increase our awareness of how to make this challenging language easier to understand. Frances Amrani guided us throughout the writing of the book, providing important insights and exercising great patience. Emma Green supported us in the preparation of it; to both we extend our grateful thanks. Above and beyond all, we are indebted to our friend and mentor Bengisu Rona who has inspired and encouraged us throughout.

HOW TO USE THIS BOOK

If you have studied Turkish before but would like to brush up on or improve your grammar, vocabulary, reading and writing skills, this is the book for you. The *Turkish Tutor* is a grammar workbook which contains a comprehensive grammar syllabus from advanced beginner to upper intermediate, and combines grammar and vocabulary presentations with over 200 practice exercises.

The language you will learn is presented through concise explanations, engaging exercises, simple infographics, and personal tutor tips. The infographics present grammar points in an accessible format while the personal tutor tips offer advice on correct usage, colloquial alternatives, exceptions to rules, etc. Each unit contains reading comprehension activities incorporating the grammar and vocabulary taught as well as freer writing and real-life tasks. The focus is on building up your skills while reinforcing the target language. The reading stimuli include emails, blogs and social media posts using real language so you can be sure you're learning vocabulary and grammar that will be useful for you.

You can work through the workbook by itself or you can use it alongside our *Complete Turkish* course or any other language course. This workbook has been written to reflect and expand upon the content of *Complete Turkish* and is a good place to go if you would like to practise your reading and writing skills on similar topics.

Icons

 Discovery

 Vocabulary

 Writing

 Reading

 Personal Tutor

THE DISCOVERY METHOD

There are lots of philosophies and approaches to language learning, some practical, some quite unconventional, and far too many to list here. Perhaps you know of a few, or even have some techniques of your own. In this book we have incorporated the Discovery Method of learning, a sort of awareness-raising approach to language learning. This means that you will be encouraged throughout to engage your mind and figure out the language for yourself, through identifying patterns, understanding grammar concepts, noticing words that are similar to English, and more. This method promotes language awareness, a critical skill in acquiring a new language. As a result of your own efforts, you will be able to better retain what you have learnt, use it with confidence, and, even better, apply those same skills to continuing to learn the language (or, indeed, another one) on your own after you have finished this book.

Everyone can succeed in learning a language – the key is to know how to learn it. Learning is more than just reading or memorizing grammar and vocabulary. It's about being an active learner, learning in real contexts, and, most importantly, using what you've learnt in different situations. Simply put, if you figure something out for yourself, you are more likely to understand it. And when you use what you've learnt, you're more likely to remember it.

As many of the essential but (let's admit it!) challenging details, such as grammar rules, are introduced through the Discovery Method, you'll have more fun while learning. Soon, the language will start to make sense and you'll be relying on your own intuition to construct original sentences independently, not just reading and copying.

Enjoy yourself!

BECOME A SUCCESSFUL LANGUAGE LEARNER

1 **Make a habit out of learning**
- Study a little every day, between 20 and 30 minutes is ideal.
- Give yourself **short-term goals**, e.g. work out how long you'll spend on a particular unit and work within this time limit, and **create a study habit.**
- Try to **create an environment conducive to learning** which is calm and quiet and free from distractions. As you study, do not worry about your mistakes or the things you can't remember or understand. Languages settle gradually in the brain. Just **give yourself enough time** and you will succeed.

2 **Maximize your exposure to the language**
- As well as using this book, you can listen to radio, watch television or read online articles and blogs.
- Do you have a personal passion or hobby? Does a news story interest you? Try to access Turkish information about them. It's entertaining and you'll become used to a range of writing and speaking styles.

3 **Vocabulary**
- Group new words under **generic categories**, e.g. *food, furniture*, **situations** in which they occur, e.g. under *restaurant* you can write *waiter, table, menu, bill*, and **functions**, e.g. *greetings, parting, thanks, apologizing.*
- Write the words over and over again. Keep lists on your smartphone or tablet, but remember to switch the keyboard language so you can include all accents and special characters.
- Cover up the English side of the vocabulary list and see if you remember the meaning of the word. Do the same for the Turkish.
- Create flash cards, drawings and mind maps.
- Write Turkish words on sticky notes and attach them to objects around your house.
- **Experiment with words**. Look for patterns in words and word families.

4 **Grammar**
- **Experiment with grammar rules**. Sit back and reflect on how the rules of Turkish compare with your own language or other languages you may already speak.
- Use known vocabulary to practise new grammar structures.
- When you learn a new verb form, write the conjugation of several different verbs you know that follow the same form.

5 **Writing**
- Practice makes perfect. The most successful language learners know how to overcome their inhibitions and keep going.
- When you write an email to a friend or colleague, or you post something on social media, pretend that you have to do it in Turkish.
- When completing writing exercises see how many different ways you can write it, imagine yourself in different situations and try answering as if you were someone else.

- Try writing longer passages such as articles, reviews or essays in Turkish; it will help you to formulate arguments and convey your opinion as well as helping you to think about how the language works.
- Try writing a diary in Turkish every day, this will give context to your learning and help you progress in areas which are relevant to you.

6 Visual learning

- Have a look at the infographics in this book, do they help you to visualize a useful grammar point? You can keep a copy of those you find particularly useful to hand to help you in your studies, or put it on your wall until you remember it. You can also look up infographics on the Internet for topics you are finding particularly tricky to grasp, or even create your own.

7 Reading

The passages in this book include questions to help guide you in your understanding. But you can do more:

- **Imagine the situation.** Think about what is happening in the extract/passage and make educated guesses, e.g. a postcard is likely to be about things someone has been doing on holiday.
- **Guess the meaning of key words before you look them up.** When there are key words you don't understand, try to guess what they mean from the context.

If you're reading a Turkish text and cannot get the gist of a whole passage because of one word or phrase, try to look at the words around that word and see if you can work out the meaning from context.

8 Learn from your errors

- Making errors is part of any learning process, so don't be so worried about making mistakes that you won't write anything unless you are sure it is correct. This leads to a vicious circle: the less you write, the less practice you get and the more mistakes you make.
- Note the seriousness of errors. Many errors are not serious as they do not affect the meaning.

9 Learn to cope with uncertainty

- Don't over-use your dictionary.
- Resist the temptation to look up every word you don't know. Read the same passage several times, concentrating on trying to get the gist of it. If after the third time some words still prevent you from making sense of the passage, look them up in the dictionary.

The Turkish script and its sound system

Turkish has been written in the Latin alphabet since 1928. Before that, during the time of the Ottoman Empire, the script used was Arabic although the two languages are not related. Turkish still retains a large number of words borrowed from Arabic and Persian but they have been adapted to the sound system of Turkish and would not necessarily be recognized as Arabic or Persian by those who do not speak these languages.

The alphabet has 29 letters: 8 vowels and 21 consonants.

1 Pronunciation of vowels

a like the 'u' in *cup* or *but:* sat (*sell*), at (*horse*), yap (*do*)

e as in *get*: el (*hand*), et (*meat*), mert (*brave*)

i as in *sit*: bin (*thousand*), git (*go*), isim (*name*) (capital **İ** is always written with a dot over it)

ı like the -er ending in some English words (*cleaner*): kız (*girl*), zıt (*opposite*)

ö like the vowel sound in *surf* or *church:* gör (*see*), göl (*lake*), dört (*four*)

o as in *odd:* ot *grass*, kol (*arm*), on (*ten*)

ü as in München (town in Germany): kül (*ashes*), süt (*milk*)

2 Pronunciation of consonants

Most consonants in Turkish are pronounced as you hear them in English. The following are different.

c as the letter 'g' in the word *gin* or 'j' in *jam:* ceviz (*walnut*), ceket (*jacket*)

ç as the 'ch' sound in *chain*: çekiç (*hammer*), geç (*late*), seç (*choose*)

g as in *go* and *good:* genç (*young/youth*), gel (*come*)

ğ this letter called 'soft g' in English just indicates lengthening of the previous vovel: ağ (*net*) is pronounced just as a long a, dağ (*mountain*) is d+long a.

k as in *kettle* or *car*: kedi (*cat*), kadın (*woman*)

ş as the 'sh' sound in *shoe*: şans (*luck*), şeref (*honour*)

The letters q, x and w do not exist in the Turkish alphabet. In words like *taxi* and *express* which have come into Turkish via English 'ks' is used to represent the sound of 'x'.

3 Vowel harmony

Turkish builds up words by adding endings called suffixes to a base word; these suffixes either have a grammatical function or bring about a change in the meaning of the base word. Harmonizing the vowels in a given word is a unique feature of Turkish, and an overall harmony between the endings and the base is maintained by using vowels that have similar qualities, like pairing like with like. The vowels that occur in the endings are of two types: I type and E type. Within themselves these two types have alternative forms to create harmony with the base to which they are attached. The alternative forms of I are ı, i, u, ü and the alternative forms of E are e and a.

In this book capital I, E, D, K and G have been used to denote any changes required in the forms added to the words according to the harmony or alternative spelling conventions: I (i, ı, ü, u), E (e, a), D (d, t), K (k, ğ) and G (g, k).

Final vowel in the base	I type suffix	E type suffix
a or ı	ı	a
e or i	i	e
o or u	u	a
ö or ü	ü	e

In native Turkish words two vowels do not come together within the same word, therefore if the last sound of the base word is a vowel and the first sound of the suffix is also a vowel then -y- is inserted between the two vowels and this -y is shown as part of the suffix: ev + e gives ev**e** (*to (the) house*), but sinema + e gives sinema**ya** (*to (the) cinema*).

There are just a few endings which do not harmonize with the base and these are pointed out when they are introduced in the relevant units of this book.

4 Consonant harmony

In terms of sound harmony, the 'like goes with like' principle is also observed for consonants. If the base ends with voiceless consonants **p, t, k, ç, s, ş, f** or **h**, and the suffixes to be added to the base with **d, g** or **c**, then the initial sound of the suffix becomes **t, k** and **ç** respectively:

Git + -DI = gitti (*he/she went*), as + -GI = askı (*hanger*), süt + -CI = sütçü (*milkman*)

Turkish words do not normally end in the voiced consonants b, d, g and c. However there are some nouns and adjectives where you find these consonants as base final if they are followed by a vowel in the suffix: şarap + -(y)I = şara**bı** (*the wine*), dert + -Im = der**di**m (*my problem*), ağaç + -(Y)E = ağa**c**a (*to (the) tree*), renk + -(y)I = ren**gi** (*the colour*). When the same bases have no ending or have a suffix beginning with a consonant after them, then they end in p, t, ç and k: şara**p**, der**t**, ağa**ç**, ren**k**.

There is a set of nouns and adjectives of more than one syllable ending in k. In such words the final k changes to ğ if followed by a vowel: soka**k** (*street*) but soka**ğ**a (*to the street*).

This change of k to ğ is also seen in a few words of one syllable like ço**k** (*much/many*) which becomes ço**ğ**u when followed by a vowel, but most of them keep the k: çe**k** (*cheque*) and çe**ki**.

5 Stress

Turkish is a lightly stressed language and usually the stress is on the last syllable of the sentence. However the negative ending -mE and the question particle MI shift the stress to the syllable that come before them. Place names are usually stressed on the first syllable, **An**kara, but Istanbul is a notable exception where the stress is on the middle syllable, İs**tan**bul.

Haydi tanışalım

Let's get to know each other

In this unit you will learn how to:

- Use the personal suffixes *'to be'*
- Use case endings and possessive

CEFR: Can understand texts about people introducing themselves (A2); Can write personal letters/emails introducing himself/herself in some detail (A2).

Ayşe'yi gördüm.
Gazete nerede?
Okuldan geldik.
Benim köpeğim var.
Ali'nin ablası evli.
Ben öğrenciyim.

Meaning and usage

Personal suffixes – Present tense *'to be'* – Non-verbal

-(y)Im   - sIn   -(DIr)   -(y)Iz   -(y)Iz   -sInIz   -DIr(lEr)

1 Personal suffixes have the function of *'to be'* in English and are added to the end of the nouns or adjectives as *'to be'* is not a full verb in Turkish.

Ben öğrenci**yim**.	(*I am a student.*)
Sen öğretmen**sin**.	(*You are a teacher.*)
O İngiliz**(dir)**.	(*She/He is English.*)
O ıslak**(tır)**.	(*It is wet.*)
Biz tembel değil**iz**.	(*We are not lazy.*)
Siz doktor**sunuz**.	(*You are a doctor.*)
Onlar küçük**türler**.	(*They are small.*)

How to form personal suffixes

These suffixes reflect the person and number of the subject and so, when used with or without the personal pronoun, the meaning still remains the same. When non-verbals are used in the negative form, the personal suffix moves to the negative particle *DEĞİL*.

Hazır değil**im**.   (*I am not ready.*)

Pronoun		Noun/adj.	Affirmative suffix	negative
Ben	*I*	öğrenci	**-(y)Im** (-yım, **-yim**, -yum, -yüm)	öğrenci değil**im**
Sen	*You*	öğretmen	**-sIn** (-sın, **-sin**, -sun, -sün)	öğretmen değil**sin**
O	*She/He/It*	İngiliz	**-(DIr)** (-dır, **-dir**, -dur, -dür)	İngiliz değil**(dir)**
		ıslak	(-**tır**, -tir, -tur, -tür)	ıslak değil(dir)
Biz	*We*	tembel	**(y)Iz** -yız, -yiz, -yuz, -yüz	değil**iz**
Siz	*You*	doktor	**sInIz-** sınız, -siniz, **-sunuz**, -sünüz	değil**siniz**
Onlar	*They are*		**(DIr)(lEr)-** dirler, -dırlar, -durlar, -dürler	değil
		küçük	-tırlar, -tirler, -turlar, **-türler**	değil(dir)**ler**

2 The personal pronoun referring to the subject is often not used in colloquial speech, but is used when the speaker wants to emphasize the person.

İyiyim. (*I am well.*) You can also say **Ben** iyiyim. There is no difference in meaning but the personal pronoun may put more emphasis on the person or contrast the subject with another person:

Ben iyiy**im**, **sen** nasıl**sın**? (*I am fine, how are* **you**?)

The third person ending -DIR is often left out but it is used to add emphasis, make a contrast or to indicate that you are assuming something about the person in question.

İstanbul güzel bir şehir**dir**. (*Istanbul is a beautiful city.*)

Ahmet bu saatte evde**dir**. (*Ahmet is at home at this hour.*) (I assume Ahmet is at home at this hour.)

Remember in Turkish endings that are attached to a word normally conform to vowel harmony with the base word: **at – atlar – atlı, ev – evler – evsiz.**

Demonstratives

1 **Bu** (*this*) **Şu** (*that/this*) **O** (*that*) **Bunlar** (*these*) **Şunlar** (*these/those*) **Onlar** (*those*)

The three demonstratives in Turkish are; bu (*this*), şu (*this/that*) and o (*that*). They can either be used as adjectives or as pronouns in place of a noun. Şu is used to make a gesture towards something which is close or to refer to something that is going to be mentioned. When used as adjectives, even if the modified noun is plural, demonstratives stay in the singular.

Bu çocuklar biraz yorgun. (*These children are a little tired.*)

Şu ev büyük ama eski. (*That house is large but old.*)

O bankacı.	(*He is a banker.*)
O kadın kim?	(*Who is that woman?*)
Bu**n**lar ucuz, o**n**lar pahalı.	(*These are cheap, those are expensive.*)

The demonstrative pronoun remains in singular and the noun it modifies takes the plural ending **-lEr** (-ler,-lar) .

Bu adam**lar** kim?	(*Who are these men?*)
Onlar Amerikalı turistler.	(*They are American tourists.*)

*Remember the **-LI** suffix can be used to indicate where people are from and **-CI** suffix indicates occupation.*

Yes/No questions mI (mı, mi, mu, mü)

1 When the question marker **mI** is used, the answer is either yes or no. In non-verbal sentences mI comes before the personal suffixes. MI is written separately from the previous word but it still undergoes vowel harmony.

A Complete the questions with mI.

Example: Ben çalışkan **mı**yım? (*Am I hard-working?*)

1 Sen yorgun __sun? (*Are you tired?*)

Example: Ali çok yaramaz **mı**? (*Is Ali very naughty?*)

2 Zengin __yiz? (*Are we rich?*)

3 Üzgün __sünüz? (*Are you unhappy?*)

Example: Mutlular **mı**? (*Are they happy?*)

2 The question marker **mI** is flexible in the sentence and always follows the word which is being questioned.

Ben mi çalışkanım?	(*Is it me who is hard working?*)
Ali çok mu yaramaz?	(*Is Ali seriously naughty?*) (degree of his naughtiness is questioned)
Ali mi çok yaramaz?	(*Is it Ali who is naughty?*)

3 The question marker mI comes after **değil** *not* except with the third person plural where **-lEr** comes before the question marker.

Güzel değil **mi**yim?	(*Am I not beautiful?*)
Yorgun deği**ller mi**?	(*Are they not tired?*)

B Complete with the correct form of the personal suffixes.

	Present *'to be'*			
	Affirmative	**Negative**	**Affirmative question**	**Negative question**
Ben	zengin**im**	zengin (1)________	zengin **miyim** ?	zengin (2)__________?
Sen	zengin (3)________	zengin **değilsin**	zengin **misin** ?	zengin **değil misin** ?
O	**zengin** (**dir**)	zengin **değil** (**dir**)	zengin (4) ______?	zengin **değil mi**?
Biz	zengin (5)________	zengin (6)________	zengin **miyiz** ?	zengin (7)__________ ?
Siz	zengin**siniz**	zengin **değilsiniz**	zengin (8)_______ ?	zengin **değil misiniz**?
Onlar	zengin(dir)(ler)	zengin (9) _________	zengin**ler mi**?	zengin **değiller mi**?

Meaning and usage

Case endings

In Turkish nouns, pronouns, verbal nouns and noun phrases take case endings instead of prepositions like *'to'*, *'from'*, *'at'*, *'in'* etc. Case endings can be attached directly to a noun that already has a possessive suffix.

Ayşe bir öğretmen.	(*Ayşe is a teacher.*)
Ayşe Londra'**yı** seviyor.	(*Ayşe likes London.*)
Ayşe bugün Oxford'**a** gidiyor.	(*Today Ayşe is going to Oxford.*)
Ali ofis**te** çalışıyor.	(*Ali works in an office.*)
Ali bugün Istanbul'**dan** geliyor.	(*Today Ali is coming from Istanbul.*)
Ali'**nin** bir kızı var.	(*Ali has a daughter.*)

How to form case endings

All case endings can be added to nouns, questions words and demonstrative pronouns.

Cases	Suffix	*Who*	*What*	*Where*	Demonstratives		
Nominative	-	Kim	Ne	Nere	Bu	Şu	O
Accusative	-(y)I ı, i, u, ü	Kimi	Neyi	Nereyi	Bunu	Şunu	Onu
Dative	-(y)e / a	Kime	Neye	Nereye	Buna	Şuna	Ona
Locative	-DE de, da, te, ta	Kimde	Nede	Nerede	Bunda	Şunda	Onda

Ablative	-DEn den, dan, ten, tan	Kimden	Neden	Nereden	Bundan	Şundan	Ondan
Genitive	-(n)In nın, nin, nun, nün	Kimin	Neyin	Nerenin	Bunun	Şunun	Onun

The accusative -(y)I and dative -(y)E case suffixes require a buffer consonant (**-y**) in words ending with a vowel and become -yı, -yi, -yu, -yü and -ye, -ya respectively. This is because in Turkish two vowels cannot come together except in a limited number of loanwords like saat *time, watch.*

Nominative

The nominative form of a noun/adjective is its plain form with no endings except the plural.

Ne uçtu? Bir kuş uçtu. (*What flew away? A bird flew away.*)

Nominative as the indefinite subject.

Ne aldın? Bir taze **ekmek** aldım. (*What did you buy? I bought a fresh (loaf of) bread.*)

Nominative as indefinite direct object.

Accusative -(y)I (- ı,- i, -u,- ü) definite direct object

When the object of the verb is a specific / definite object or if it carries a previous reference then it takes the -(y)I ending.

Gazete okuyorum. (*I'm reading* **some** *newspapers.*)

Nominative as indefinite object.

Gazete**yi** okuyorum. (*I'm reading* **the** *newspaper.*)

Accusative as definite direct object.

Bu kitabı dün aldım. (*I bought* **this** *book yesterday.*)

Ne**yi** aldın? Taze ekme**ği** aldım. (*What did you buy? I bought* **the** *fresh bread.*)

Remember that there are some words in Turkish which end in the consonants p, t, k, ç and, if these consonants are immediately followed by a vowel, they become b, d, ğ and c.

ekmek ekmeği – sokak sokağı – çocuk çocuğu

kitap kitabı – araç aracı – damat damadı

There are some exceptions:

at atı – ip ipi – çöp çöpü

Proper nouns always take the -(y)I suffix as they are always specific.

Kim**i** gördün? Ayşe'**yi** gördüm. (*Who did you see? I saw Ayşe.*)

Dative -(y)E -(y)e/a; *to, towards, for*

It indicates a motion through or towards an object or a person.

Nere**ye** gidiyorsun? Oku**la** gidiyorum. (*Where are you going? I am going to school.*)

Kim**e** hediye aldın? Ayla'**ya** hediye aldım. (*Who did you buy a present for? I bought a present for Ayla.*)

Spor**a** başladılar. (*They have started (doing) sports.*)

Locative -DE (-de, -da, -te, -ta); *at, in, on*

This ending explains where an action takes place or where a person or thing is located.

Nere**de** yaşıyor? Paris'**te** yaşıyor. (*Where does he live? He lives in Paris.*)
Bu akşam ev**de** misin? (*Are you at home tonight?*)

Ablative -Den (-den, -dan, -ten, -tan); *from, out of, off*

This suffix corresponds to *from, out of, off* in English

Nere**den** geldin? Okul**dan** geldim. (*Where did you come from? I came from school.*)

Şarkıcılar**dan** kimi seviyorsun? Şarkıcılar**dan** Tarkan'ı seviyorum. (*Out of (all) the singers, who do you like? Out of (all) the singers, I like Tarkan.*)

Koşmak**tan** nefret ediyorum. (*I hate running.*)

Tahta**dan** masa yaptım. (*I made a table out of wood.*)

Some verbs have to be used with particular case endings. For example, **nefret etmek** to hate, **hoşlanmak** to be fond of, **korkmak** to be scared of *go with the ablative,* **kalmak** to stay with the *locative,* **binmek** to get on / to ride, **başlamak** to start, **inanmak** to believe *with the dative.*

Genitive -(n)In *'s, of*

The noun that takes this ending is the possessor of something or someone. Its use in English approximates to *'s* .

After bases ending in consonants, the genitive is -in, -ın, -ün, -un:

ev**in house's**, adam**ın man's**, çocuğ**un child's**, üzüm**ün grape's**

After bases ending in vowels, the genitive is -nin, -nın, -nün, -nun:

Kedi**nin cat's**, yumurta**nın egg's**, ütü**nün iron's**, kutu**nun box's**

Hasta köpek kimin? Hasta köpek Ayşe'**nin**. (*Whose is the sick dog? The sick dog is Ayşe's.*)
En zor iş Ali'**nin**. (*The most difficult task is Ali's.*)

C Complete the questions and answers using case endings.

1 Ayşe nere**de** doğdu? Londra'___.
2 Kim____ en çok seviyorsun? Annemi.
3 Ayşe nere**ye** gitti? Adana'____.
4 Evi nere ___ yakın? İşine.
5 Bu kalem kim____ ? Ali'nin.
6 Ne**den** kutu yaptı? Karton____.

D Change the following sentences into questions using question words.

Example: **İşimi** iyi yaptım. Neyi iyi yaptın?
1 Ayşe **okula** gitti. ____________________
2 **Bu kitaptan** hoşlanmadılar. ____________________
3 Mehmet **okulda**. ____________________
4 **Orhan'ı** aradım. ____________________

Personal pronouns and case endings

	I	You	He/She/It	We	You	They
Nominative	ben	sen	o	biz	siz	onlar
Accusative	beni	seni	onu	bizi	sizi	onları
Dative	bana	sana	ona	bize	size	onlara
Locative	bende	sende	onda	bizde	sizde	onlarda
Ablative	benden	senden	ondan	bizden	sizden	onlardan
Genitive	benim	senin	onun	bizim	sizin	onların

E Underline the personal suffixes, pronouns and case endings.

Benim adım Yağmur. 2011'de Ankara'da doğdum. Öğrenciyim. Veteriner olmak istiyorum çünkü hayvanları çok seviyorum. Biz bir apartmanda yaşıyoruz. Üst katta annemin arkadaşı Zeynep teyze oturuyor. Onun bir oğlu var. Adı Cenk. Dün sokakta bir yavru kedi bulduk. Ona kutudan bir yuva yaptık. Kutuya yumuşak bir yastık koyduk. O şimdi uyuyor.

F Complete with the correct case endings.

1 Dün güzel bir konser ________ gittim.
2 Anneannem biz_____ hediye aldı.
3 Ayşe ev_____ mi?
4 Onlar________ çocukları biraz yaramaz.
5 Osman'_____ kütüphanede gördüm.

The possessive

The possessive suffix indicates that the word to which it is added is 'possessed by' or 'belongs to' some other person or thing mentioned earlier in the sentence. That earlier word is referred to as the 'possessor' and it carries the genitive suffix.

Semra'**nın** çanta**sı** büyük ama hafif. (*Semra's bag is big but light.*) (*lit. Semra's her bag is big, but light.*)

Çetin'**in** palto**su** kahverengi. (*Çetin's coat is brown.*)

Ev**in** kapı**sı** açık ama odaları**n** kapı**ları** kapalı. (*The door of the house is open but the doors of the rooms are closed.*)

How to form possessive structures

1 The possessive suffix is a form of person ending and reflects this:

		Examples
benim	-(I)m	benim eşim (*my partner / wife / husband*)
senin	-(I)n	senin anneannen (*your grandmother*)
onun	-(s)I(n)	onun işi (*his / her job*)
		onun arabası (*his / her car*)
Ali'nin		Ali'nin kardeşi (*Ali's sibling*)
Zeynep'in		Zeynep'in nişanlısı (*Zeynep's fiancée*)
bizim	-(I)m(I)z	bizim evimiz (*our house*)
sizin	-(I)n(I)z	sizin adresiniz (*your address*)
onların	-l(E)r(I)(n)	onların çocukları (*their children*)

The genitive and the possessive suffixes are used together to indicate the relationship between the possessor and the possessed.

masa**nın** üst**ü** (*the top of the table*)

kadını**n** koca**sı** (*the husband of the woman*)

When using the third person possessive suffix -(s)I(n), **'s'** is included if the word which will take the possessive ends in a vowel, araba – araba**sı**, but 's' is not used when the possessive is added to a word that ends in a consonant, ev – e**vi**.

If the possessive suffix is followed by a case ending, then the **'n'** in the third person singular possessive suffix is put before the case ending: masanın üst**ü**n**de** (*on the top of the table*), kadının kocası**na** (*to the husband of the woman*).

İrfan'ın babası**na** telefon ettim. (*I rang İrfan's father.*)

Londra'nın park**larını** çok seviyorum. (*I love the parks of London.*)

Evimizin arkasında büyük bir bahçe var ve bu bahçenin içinde bir havuz var. (*There is a large garden at the back of our house and inside this garden there is a pool.*)

G Complete with possessive structures.

1. Ben_____ kız_____ öğrenci.
2. O_____ abla_____ mühendis.
3. Sen____ baba_____ Amerikalı mı?
4. Onlar____ ev_____ büyük.
5. Çiğdem______ arkadaş_____ ressam.
6. Okul______ kütüphane____ çok güzel.

2 The possessive ending can be used to express having or not having something when used with **var** and **yok**.

Para**m yok.**	(*I have no money.*)
Benim bir kızkardeş**im var**.	(*I have a sister.*)
Senin teyze**n var** mı?	(*Do you have an aunt?*)
Çocuğ**unuz var** mı?	(*Do you have children?*)
Onların şans**ı yok**.	(*They have no luck/chance.*)

When used without the possessive, var and yok indicate the presence or absence of something:

Var (*there is/there are*), yok (*there isn't/there aren't*)

Londra'da çok güzel parklar var.	(*There are many lovely parks in London.*)
Evde kimse yok.	(*There is no one in the house.*)
Kırmızı çantada para var mı?	(*Is there (any) money) in the red bag?*)
Sende para yok mu?	(*Is there (no) money on you?*)

*Although there may be no possession, sometimes var and yok are translated as '*have*' and '*have not*' when the sentence refers to a person having or not having something on them, but this is a restricted use:*

Bende para yok. (There is no money on me. / I have no money).

H Complete the var / yok sentences with genitive / possessive endings.

1. Bizim bir çocuk_______ var.
2. Siz_____ biletiniz var mı?
3. Senin kitap_____ yok mu?
4. Orhan'nın zaman_______ var mı?
5. Onlar_____ problemi yok.
6. Benim çok para_____ var.

Vocabulary

I Find the professions for each definition and write it below.

avukat	öğretmen	ahçı	mimar
postacı	doktor	ressam	tarihçi

1 Hastanede hastaları tedavi ediyor. ____________________.
2 Mahkemede savunma yapıyor. ____________________.
3 Okulda ders veriyor. ____________________.
4 Tarihi olayları araştırıyor. ____________________.
5 Resim yapıyor. ____________________.
6 Restoranda yemek yapıyor. ____________________.
7 Ev planı çiziyor. ____________________.
8 Evlere mektup ve paket dağıtıyor. ____________________.

J Match the words with their opposites.

1	evli	a	çirkin
2	zor	b	bekar
3	ağır	c	hafif
4	güzel	d	büyük
5	sakin	e	hareketli
6	küçük	f	kolay
7	doğru	g	yeni
8	eski	h	yanlış

Reading

K Read the first part of the text and answer the questions.

In a Turkish online distance course, the teacher introduced herself first and then asked the learners to introduce themselves.

1 Nesrin işini seviyor mu? ____________
2 Pelin Nesrin'in arkadaşı mı? ____________

Merhaba, ilk dersimize hoşgeldiniz. Benim adım Nesrin. Soyadım Korkmaz. Ankara'da doğdum. 1995' te Londra'ya geldim. Wimbledon'da oturuyorum. SOAS'ta Türkçe öğretiyorum. İşimi çok seviyorum.

Bir kızım var, adı Pelin. 25 yaşında. Sussex Üniversitesinde master yaptı. Özel bir şirkette çalışıyor. Brighton'ı çok seviyor. Londra güzel ama benim en sevdiğim şehir İstanbul.

L Now continue reading and complete the questions in the table.

A. SELİN: Benim adım Selin. Ben yarı Türk yarı İngilizim. Annem Türk babam İngiliz. Londra' da doğdum. Putney'de oturuyorum. Ben bankacıyım. Bir Türk bankasında çalışıyorum. Benim işim çok ağır. Bekarım. Bir köpeğim var, adı Moli. Moli çok akıllı bir köpek.

Marmaris'i çok seviyorum çünkü anneannem Marmaris'te yaşıyor. Ben tatilde hep Marmaris'e gidiyorum. Orada arkadaşlarım var ama Türkçem iyi değil.

B. JOHN: Benim adım John. Ben mimarım. İtalyanım. Venedik'te doğdum. Şu an New York'ta yaşıyorum. Uluslararası bir mimarlık firmasında çalışıyorum. İşimi çok seviyorum.

Bir kız arkadaşım var . Adı Linda. O Amerikalı ve ressam . Evden çalışıyor. Modern resim yapıyor. Mayıs'ta bir sergisi var. Biz bu yaz kız arkadaşım Linda'yla Venedik'e gitmek istiyoruz. Ben Venedik'i çok seviyorum.

C. DOROTA: Benim adım Dorota. Polonyalıyım. Lubnin'de doğdum. Ben avukatım. Üniversiteyi Paris'te okudum. Bir hukuk bürosunda çalışıyorum. Ben mesleğimi seviyorum ama avukatlık zor. Evliyim. Eşim İrlandalı. Adı Harry. O doktor. Eve yakın bir hastanede çalışıyor. Lubnin çok güzel bir şehir ama haraketli değil. Ben Dublin'i çok seviyorum.

D. MICHAEL: Benim adım Michael. Fransızım ama Berlin'de doğdum. Ben ahçıyım ve ünlü bir lokantada çalışıyorum. İşimi seviyorum ama çok yoruluyorum. Benim nişanlım Türk. Adı Aylin. O tarihçi. Aylin'e Türk yemekleri pişiriyorum. Şimdi Türkçe öğreniyorum. Benim en sevdiğim şehir Nice. Türk yemeklerini çok seviyorum. İstanbul'da bir lokanta açmak, Fransız ve Türk mutfağından yemekler yapmak istiyorum.

Kim?	Nerede doğdu?	Nereli?	Mesleği ne/Ne iş yapıyor?	Nerede çalışıyor?	Evli mi? Bekar mı? Nişanlı mı?	Nereyi çok seviyor?	İşi nasıl? İşini seviyor mu?
Selin							
John							
Dorota							
Michael							

Writing

M Write a paragraph to introduce yourself by answering the questions in the table. Write about 100–120 words.

Self-check

Tick the box which matches your level of confidence.

1 = very confident 2 = need more practice 3 = not confident

Aşağıdaki kutuları yeterlilik düzeyinize göre işaretleyin.

1 = çok yeterli 2 = daha çok alıştırma lazım 3 = yetersiz

	1	2	3
Use the personal suffixes (*to be*)			
Use case endings and the possessive			
Can understand texts about people introducing themselves (CEFR A2)			
Can write personal letters/emails introducing himself/herself in some detail (CEFR A2)			

2 Herkesin günü farklı

Everyone has a different routine

In this unit you will learn how to:

- Use the present continuous tense
- Use the simple past tense
- Use weather vocabulary

CEFR: Can understand texts regarding simple and detailed routine activities (B1); Can write personal emails describing routine events (B1).

Dün hava
güneşliydi.
Parka gittim.

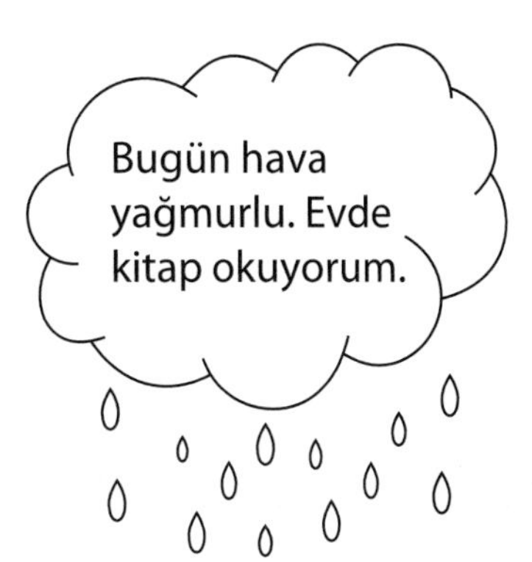
Bugün hava
yağmurlu. Evde
kitap okuyorum.

Meaning and usage

The present continuous tense

This tense is used to indicate actions going on at the time of happening, for habitual actions and sometimes for future actions.

1 In Turkish the infinitive endings -mek or -mak are replaced with tense marker endings according to context and meaning.

iç**mek**	**to** *drink*
çalış**mak**	**to** *work*
oku**mak**	**to** *read*
gör**mek**	**to** *see*

For the present continuous tense, the tense ending **-(I)yor** is used to express action that is taking place currently at a given time.

Orhan arkadaşına cep telefonundan uzun bir mesaj yaz**ıyor**.	(*Orhan is writing a long message to his friend on (lit. from) his mobile phone.*)
Çay iç**iyorum** ama sütlü değil, limonlu.	(*I am drinking tea but not with milk, (it is) with lemon.*)
Ne yap**ıyorsunuz**?	(*What are you doing?*)

2 This tense (**-(I)yor** suffix) is also used to refer to future as in English, usually using a future time expression:

Gelecek yaz Fransa'ya gid**iyoruz**.	(*We are going to France next summer.*)
Bu akşam ne yi**yoruz**?	(*What are we eating this evening?*)
Yarın toplantıda ne konuş**uyorlar**?	(*What are they discussing at the meeting tomorrow?*)

3 It can also be used for the simple present tense in English, that is, to refer to actions that take place all the time, habitual actions and routines.

Her yıl yaz tatilinde İtalya'ya gidiyoruz. (*We go to Italy every year in the summer holidays.*)

It is the most versatile of tenses in Turkish and can help you to express actions done over a varied range of time. The sentence Kahve içiyorum. could mean:

I drink coffee. (her gün *every day.*)

I'm going to drink coffee. (birazdan *in a little while.*)

I am drinking coffee. (şimdi *now.*)

A Read the following text and identify ten verbs then list the infinitive in the first column of the table below. Write all the time expressions in the second column.

ALİ'NİN GÜNÜ

Ali kütüphanede çalışıyor ve işini çok seviyor. Her sabah saat 7'de uyanıyor ve hemen yataktan kalkıyor. Duş yapıyor ve giyiniyor. Sonra kahvaltı ediyor. Kahvaltıda genellikle limonlu çay içiyor ve bir tost yiyor. Asla kahve içmiyor. Kahvaltıdan sonra, saat 8'de evden çıkıyor. İşe genellikle otobüsle gidiyor ve otobüste zaman zaman gazete okuyor. Bazen arkadaşı Elif onu evden alıyor ve beraber işe gidiyorlar. Kütüphanede yeni kitapları kaydediyor ve onları düzenliyor. Akşam saat 5'te işi bitiyor ve tekrar otobüsle eve dönüyor. Bazen önce markete uğruyor ve alışveriş yapıyor. Akşamları televizyon izlemiyor, genellikle bilgisayarda çalışıyor. Ara sıra arkadaşları onu ziyaret ediyor. Çoğunlukla akşam saat 11'de yatıyor.

	Verbs	Time expressions
1	çalışmak	Her sabah
2		
3		
4		
5		
6		
7		
8		
9		
10		

It is practical to learn some verbs as compound verbs such as **gazete okumak** to read newspapers, **şarkı söylemek** to sing a song, **film izlemek** to watch a film, **çay içmek** to drink tea, **ders çalışmak** to study. *Adjectives and nouns can also be turned into verbal expressions by using them with verbs like* **olmak** to be, **etmek/yapmak** to do *and* **kalmak** to stay/keep*:*

hazır olmak	(to be ready)	**kahvaltı etmek**	(to have breakfast)
rahat etmek	(to be comfortable)	**alışveriş yapmak**	(to do shopping)
geç kalmak	(to be late)	**ziyaret etmek**	(to visit)
hasta olmak	(to be ill)	**teşekkür etmek**	(to thank)

How to form the present continuous tense

1 When forming a verb in the present continuous tense in the affirmative, the tense ending **-(I)yor** comes after the verb base (that is the verb minus the infinitive ending) and is followed by personal endings, that is the ending that indicates who is doing the action.

Ben her sabah saat yedide kalk**ıyorum**. *(Every morning I wake up at 7 o'clock.)*

Note that only the first vowel (-I) of the present continuous ending undergoes vowel harmony with the verb base and **-yor** always stays the same. Any other ending that follows **-(I)yor** like the personal ending and the question marker harmonizes with –yor.

Bil**i**yor**u**m. *(I know.)* Bil**i**yor m**u**s**u**nuz? *(Do you know?)*

Gör**ü**yors**u**n**u**z. *(You see.)* Gör**ü**yor m**u**s**u**n**u**z? *(Do you see?)*

Note that the third person plural ending comes after the tense ending and is then followed by the question marker:

Anlıyorlar. *(They understand.)* Anlıyor**lar** mı? *(Do they understand?)*

2 The negative ending **-mE** (**-me, -ma**) comes *before* the tense ending.

Although the negative ending is **-me** or **-ma** depending on vowel harmony with the base, when it comes before - **(I)yor** it loses its vowel **e** or **a** and these are replaced by **i** or **ı**:

Gitm**i**yorum. (not gitmeyorum) (*I am not going.*)

Konuşm**u**yoruz. (not konuşmayoruz) (*We are not talking.*)

Gelm**i**yorlar. (not gelmeyorlar) (*They are not coming.*)

In the one syllable verb roots **de-** to say *and* **ye-** to eat, *the vowel becomes* **-i** *before the present continuous ending. This is because the y of* **-yor** *makes the preceding vowel become a close vowel for ease of producing the sound. Therefore it is* **yiyorum** *(not* **yeyorum***),* **diyorsun** *(not* **deyorsun***).*

3 Some verb stems that end in **-t** change into **-d** such as git- *to go*, et- *to do*, tat- *to taste*, seyret- *to watch*. This rule, however, does not apply to all the verbs ending in **-t**.

Hafta sonları çocuklar çizgi film seyre**d**iyorlar. (*The children watch cartoons at the weekends.*)

Kardeşim araba sa**t**ıyor. (*My brother sells cars.*)

B Complete with the correct present continuous tense form.

	Affirmative (+)	Negative (-)
1	seviyorum	sevmiyorum
2	konuşuyorsun	konuşmuyorsun
3	izliyor	
4	anlıyoruz	
5		beklemiyorsunuz
6	gidiyorlar	

	Present continuous tense -(I)yor			
	Affirmative	Negative	Affirmative question	Negative question
ben	gel-iyor- **um**	gel-mi-yor-um	geliyor **muyum**?	gel**mi**yor **muyum**?
sen	gel-iyor- **sun**	gel**mi**yorsun	geliyor **musun**?	gel**mi**yor **musun**?
o	gel-iyor	gel**mi**yor	geliyor **mu**?	gel**mi**yor **mu**?
biz	gel-iyor- **uz**	gel**mi**yoruz	geliyor **muyuz**?	gel**mi**yor **muyuz**?
siz	gel-iyor- **sunuz**	gel**mi**yorsunuz	geliyor **musunuz**?	gel**mi**yor **musunuz**?
onlar	gel-iyor- (**lar**)	gel**mi**yor/lar	geliyor**lar mı**?	gel**mi**yor**lar mı**?

Time expressions Adverbs of frequency	her zaman	*always*	her gün	*every day*
	genellikle	*often*	her hafta	*every week*
	bazen	*sometimes*	her ay	*every month*
	ara sıra	*from time to time*	her yıl	*every year*
	zaman zaman	*occasionally*	her Pazartesi	*every Monday*
	arada sırada	*once in a while*	Salı	*Tuesday*
	sık sık	*often*	Çarşamba	*Wednesday*
	nadiren	*rarely*	Perşembe	*Thursday*
	asla	*never*	Cuma	*Friday*
	çoğunlukla	*mostly*	Cumartesi	*Saturday*
	hep	*all the time*	Pazar	*Sunday*
	yarın	*tomorrow*	hafta sonu	*weekend*
	gelecek hafta	*next week*	önce	*firstly*
	ay	*month*	-DEn önce	*before something*
	yıl	*year*	sonra	*later/next*
	birazdan	*in a little while*	-DEn sonra	*after something*

The YES/NO question form **mI** *is always* **mU** *for the present continuous tense as the final vowel in* **-(I)yor** *is fixed.*

C Complete the sentences with an appropriate verb from the box in the correct -(I)yor form.

oynamak	**gitmek**	**izlemek/seyretmek**	**söylemek**
çalışmak	**içmek**	**öğrenmek**	**ders çalışmak**

1 Biz her sabah Üniversiteye arabayla ______________________.
2 Arkadaşım boş zamanlarında tenis ______________________.
3 Bence siz çok televizyon ______________________.
4 Ben Tarih Bölümünde ______________________.
5 Sen sık sık kütüphanede ______________________.
6 Sabahları onlar asla çay ______________________.
7 Elif çok güzel şarkı ______________________.
8 Bu yıl Ali Almanca ______________________.

D Complete the personal email with the correct –(I)yor forms.

From: Barış Yurtsever

To: Mustafa Yurtsever

Subject: Londra

1 Mayıs, 2018

Sevgili Anneciğim ve Babacığım,

Bu mesajı size kütüphaneden yaz ________(1). Size Londra'daki rutin bir günümü anlatmak istiyorum. Her sabah saat altı buçukta uyan________(2) ve duş alıyorum. Duştan sonra mutlaka kahvaltı et________(3). (Anne, merak etme, sağlığım çok iyi.) Sonra yurttan çık________(4) ve üniversiteye git________(5). Genellikle metroyla gidiyorum çünkü daha hızlı. Derslerim saat 9.30'da başla________(6) ve 16.30'da bit________(7). Haftada 3 saat İtalyanca dersim var. Sınıfımda iki Meksikalı öğrenci var. Onlarla çok iyi anlaş________(8).

Şimdilik haberler böyle.
Herkese selamlarımı gönderiyorum,
Hoşça kalın.
Barış

Meaning and usage

The past tense

1 The past tense is used to report past actions and is formed by adding the tense ending **-DI** to the verb base. It then takes a personal ending to show the doer of the action implied by the verb base:

Bütün gün ders çalış**tım**.	*(I studied all day.)*
Hafta sonu arkadaşım beni müzeye götür**dü**.	*(My friend took me to the museum at the weekend.)*
Zeynep eve geç gel**di**.	*(Zeynep came home late.)*

2 In the negative form of the past tense, the negative ending **-mE** is placed after the verb base and before the past tense ending.

Bütün gün ders çalış**ma**dım.	*(I did **not** study all day.)*
Dün akşam erken yat**ma**dım.	*(I did **not** go to bed early last night.)*
Arkadaşlarım sinemaya gitti, ben git**me**dim.	*(My friends went to the cinema, I did **not**.)*
Çok bekledim ama telefon et**me**din.	*(I waited a long time but you **didn't** call.)*

3 The question form of the past tense is different from other tenses in that both in the affirmative and negative, the question marker comes **after the personal endings** and right at the end of the verb form.

Bütün gün ders çalıştı **mı**? *(Did he / she study all day?)*

Hasta çocuğu annesi doktora götürdü **mü**? *(Did the sick child's mother take him / her to the doctor?)*

Bütün Avrupa'yı gezdim ama Türkiye'ye gitmedim, sen gittin **mi**? *(I went all over Europe but I did* **not** *go to Turkey, did you?)*

Bu kitabı oku**ma**dın mı, çok sattı? *(Did you* **not** *read this book? It sold a lot.)*

Pencereleri aç**ma**dınız mı, oda çok sıcak? *(Did you* **not** *open the windows? The room is very hot.)*

4 The past tense of *to be* is **idi**, but like its present form, it is normally attached and used as an ending: **-(y)DI.** The -(y) only follows after vowels. In negative sentences, the -(y)DI goes to the **değil** particle.

Filiz hasta**ydı** ama şimdi iyi. *(Filiz was ill but she is well now.)*

Dün akşam televizyonda güzel bir dizi var**dı**. *(There was a good serial drama on TV last night.)*

Dizideki adam polis **idi.** *(The man in the serial drama was a police officer.)*

Dizideki adam öğrenci değil**di**, bir polis**ti**. *(The man in the serial drama was not a student, he was a police officer.)*

Ali dün evde mi**ydi**? *(Was Ali at home yesterday?)*

E Complete the sentences with the -(y)DI form and add a time expression. Think about what type of other time expressions you can use in place İki yıl önce.

	Affirmative (+)	Negative (-)
Example:	İki yıl önce ben öğrenciydim.	İki yıl önce ben öğrenci değildim.
1	İki yıl önce sen pilot ________.	İki yıl önce sen pilot değildin.
2	İki yıl önce o zengindi.	İki yıl önce o zengin ________.
3	İki yıl önce biz Almanya'da ________.	İki yıl önce biz Almanya'da değildik.
4	İki yıl önce siz nerede ________?	İki yıl önce siz nerede değildiniz?
5	İki yıl önce onlar emekli ________.	İki yıl önce onlar emekli ________.

How to form the past tense

	Simple past tense (-DI)			
	Affirmative	Negative	Affirmative question	Negative question
ben	gel-di- **m**	gel-**me**-dim	gel-di-m **mi**?	gel-me-di-m **mi**?
sen	gel-di- **n**	gel**me**din	geldin **mi**?	gelmedin **mi**?
o	gel-di	gel**me**di	geldi **mi**?	gelmedi **mi**?
biz	gel-di- **k**	gel**me**dik	geldik **mi**?	gelmedik **mi**?
siz	gel-di- **niz**	gel**me**diniz	geldiniz **mi**?	gelmediniz **mi**?
onlar	gel-di-(**ler**)	gel**me**diler	geldiler **mi**?	gelmediler **mi**?
Time expressions	dün	*yesterday*	5 saat önce	*5 hours ago*
	bu sabah	*this morning*	2 gün önce	*2 days ago*
	bu öğlen	*noon today*	1 hafta önce	*a week ago*
	bu akşam	*this evening*	3 ay önce	*3 months ago*
	bu gece	*tonight*	4 yıl önce	*4 years ago*
			geçen hafta	*last week*
			geçen Pazartesi	*last Monday*
			yıllar önce	*years ago*

F **Complete the sentences with the correct form of the verb in brackets (+ affirmative form / - negative form).**

Example:

4 yıl önce ben üniversitede öğrenci ydim. (olmak / +)

Biz dün bütün gün kütüphanede ders çalışmadık. (çalışmak / -)

1 Arkadaşım geçen hafta bir konserde çok iyi gitar _______________. (çalmak / +)
2 Geçen hafta Alman takımı çok iyi futbol _______________. (oynamak / +)
3 Dün siz saat 7'den sonra nerede_______________? (olmak/ +)
4 1 hafta önce biz o filmi _______________. (izlemek/ -)
5 Biz iki gün önce bahçede piknik _______________. (yapmak / +)
6 Sen bu sabah o haberi _______________? (duymak / -)
7 Ben dün alışveriş merkezinden bir kitap _______________. (almak / +)
8 Dün saat 2'de siz derste ödevlerinizi _______________?(teslim etmek -)

*Remember the (y) in –***(y)DI** *has to follow any word ending in a vowel.*

G Complete the text about Ayşe with -(I)yor, -DI and -(y)DI forms and where needed the negative.

Merhaba! Benim adım Ayşe Yılmaz. Ben bir lisede öğretmenim. 26 yaşındayım ve evli değilim.

Her sabah çok erken kalkıyorum çünkü derslerim erken başla (1)____________. Hafta sonları lisede dersim yok. Pazar günleri genellikle hemen yataktan çık (2)____________ ve yatakta biraz kitap okuyorum. Sonra duş alıyorum ve giyin (3)____________. Güzel havalarda balkonda kahvaltı ediyorum. Genellikle bir tost ye (4)____________ ve çay içiyorum. Dün tatil (5)____________ ve arkadaşım Suzan geldi. Önce biraz sohbet et (6)____________ ve televizyonda bir tenis maçı izledik. Maç çok keyifli (7)____________, biraz sıkıldık. Sonra akşam beraber yemek pişir (8)____________ ve birlikte yedik. Yemekten sonra Suzan saat 10'da eve gitti. Ben sonra biraz kitap okudum ve yattım.

Meaning and usage

Converbs: -Den sonra /-Den önce; -DIktEn sonra/ -mEdEn önce

To say *after something* you put -DEn sonra to the noun or pronoun it refers to:

Yemek**ten sonra** sinemaya gittik. *(After the meal, we went to the cinema.)*

Nisan'**dan sonra** Mayıs. *(After April it is May.)*

Sırada sen**den sonra** kim var? *(Who is (there) in the queue after you?)*

When you want to say *after something happens, something else happens*, then you put -**DIktEn sonra** on the verb base:

Yemek ye**dikten sonra** sinemaya gittik. *(After eating, we went to the cinema.)*

Kapıyı aç**tıktan sonra** içeri girdim. *(After opening the door, I went inside.)*

Yarım saat koş**tuktan sonra** yoruldun mu? *(Did you get tired after running for half an hour?)*

Similarly, to say *before something* you put -**DEn önce** after the noun or pronoun it refers to:

Yemek**ten önce** şarap içmedik, cin tonik içtik. *(We did not drink wine before the meal, we drank gin and tonic.)*

Hediyemi ablam**dan önce** aldım. *(I got my present before my (elder) sister.)*

When you want to say *something happens before something else happens*, then you put -**mEdEn önce** on the verb base:

Konuş**madan önce** iyi düşün. *(Think carefully before you speak.)*

Eve gel**meden önce** markete uğradım. *(Before coming home, I dropped by the supermarket.)*

Meaning and usage

-lI -sIz *with and without*

The ending **-lI (lı, li, lu, lü)** indicates that the noun it is used with refers to either being from a place, like Londralı *(from London)*, Amerikalı *(from America (an American))* or it indicates that the noun it is added to is *with* something, contains something:

tuz**lu** *salty (contains salt)*

süt**lü** *with milk (it has milk in it)*

The **–lI** suffix is also used a lot to talk about the weather:

Bugün yağmur**lu**.	(*It is rainy today.*)
Erzurum'da kış ayları kar**lı**dır.	(*Winter months have snow (are snowy) in Erzurum.*)
Hava kar**lı**, eksi beş (-5) derece.	(*It is snowy, minus five (-5) degrees.*)

H Write the adjective form of the given nouns.

	Noun		Adjective	
1	güneş	*sun*	güneşli	sunny
2	sis	*fog*		
3	yağmur	*rain*		
4	rüzgar	*wind*		
5	kar	*snow*		

The ending **-sIz** indicates lack of something and, in that sense, it is the opposite of **-lI**, but remember we cannot add the suffix **-sIz** to every noun or adjective to state the opposite meaning. It will help, though, if you recognize this suffix in reading texts.

Yaşlı adam kalp hastası onun için yemeklerini tuz**suz** yiyor. (*The old man has heart disease (lit. he is a heart patient), so he is having his meals* **without** *salt.*)

Kızım ben**siz** plaja gitmiyor. (*My daughter does not go to the beach without me.*)

Vocabulary

I Write the weather forecast for the countries according to the information provided. You can use either form used in the example.

Example: Spain: 25°C, sunny — İspanya'da hava 25 derece ve güneşli.
İspanya 25 derece ve güneşli.

1 **Germany:** 16°C, rainy ____________________.
2 **England:** 13°C, cloudy ____________________.
3 **Italy:** 20°C, windy ____________________.
4 **Poland:** -4°C, snowy ____________________.

J **Add the missing words.**

1 Çarşamba, Perşembe, ______________, Cumartesi
2 sabah, öğle, akşam, ______________
3 ______________, yaz, sonbahar, kış
4 saniye, ______________, saat
5 gün, hafta, ______________, yıl

Reading

K **Read the following weather forecast and answer the question.**

Haftalık hava durumuna göre hangi günler Karadeniz Bölgesinde piknik yapmak için uygundur?

____

Karadeniz Bölgesi için Hava Durumu

Pazartesi	Salı	Çarşamba	Perşembe	Cuma	Cumartesi	Pazar
20°C az bulutlu zaman zaman güneşli	18°C çok bulutlu ve ara ara yağmurlu	14°C sağanak yağışlı ve rüzgarlı, gök gürültülü fırtına	22°C çoğunlukla bulutlu ve sisli	24°C parçalı bulutlu ve kısmen güneşli	28°C açık ve güneşli	32°C bol güneşli ve sıcak

L **Now continue reading Ahmet's blog and answer the following questions.**

Blog

Merhaba, benim adım Ahmet. 28 yaşındayım ve Ankara'da kardeşimle yaşıyorum. Bir şirkette mühendisim ve boş zamanlarımda bloğumda gezi notları yazıyorum. Gezmeyi çok seviyorum ve 2 hafta önce Karadeniz Bölgesine gittim. Şimdi bu gezim hakkında yazmak ve sizlere ipuçları vermek istiyorum. Toplam 7 günüm vardı onun için çok iyi bir program hazırladım.

Yolculuktan önce o haftanın hava durumunu inceledim çünkü Karadeniz Bölgesinin havası çok değişken ve her türlü sürprize hazır olmak lazım. Pazartesi hava 20 derece ve az bulutluydu ve zaman zaman güneşliydi. Onun için açık havada aktiviteler yaptım: Akçaabat'ta köfte yedim ve Trabzon'da Sümela Manastırı'na gittim. Hava durumuna göre

Salı ve Perşembe günleri çoğunlukla bulutlu, ara ara yağmurlu ve sisliydi onun için o iki gün daha çok merkezde dolaştım, alışveriş yaptım ve çay fabrikasına gittim. Çarşamba günü sağanak yağışlı, rüzgarlıydı ve fırtına vardı. Ama bu beni durdurmadı. O gün Kaçkar dağlarına çıktım. Hafta sonu çok şanslıydım. Hava inanılmaz güneşliydi ve sıcaktı. Bunu fırsat bildim ve civardaki şelaleleri ve yaylaları dolaştım. Ayrıca Karadeniz pidesi ve muhlama yedim. Karadeniz'i tavsiye ediyorum. Başka bir gezide buluşmak üzere☺

1 Ahmet'in mesleği nedir?

____

2 Ahmet boş zamanlarında ne yapıyor?

____

3 2 hafta önce Ahmet nereye gitti ve yolculuktan önce ne inceledi?

____

4 Hangi günler kapalı yerleri gezdi ve neden?

____

5 Cumartesi ve Pazar günü hava nasıldı ve o günlerde Ahmet ne yaptı?

____

Remember you can suspend the **-(y)DI** *suffix and add it to the second or even third noun / adjective but have to translate it into English as Past Tense.* **Dün hava çok güneşli ve sıcaktı.** Yesterday it was very sunny and hot.

M Find the words and phrases in the Reading that match these definitions.

1 Cumartesi ve Pazar ______________
2 faydalı bilgi vermek ______________
3 çok yağmur ______________
4 dışarı aktiviteleri ______________
5 şanssız olmak (zıt anlamı) ______________

Writing

N Write a letter /email describing your daily routine and the weather in your area. Write about 100–120 words.

- Sizin için rutin bir gün nasıldır?
- Hafta içi neler yapıyorsunuz?
- Hafta sonu neler yapıyorsunuz?
- Dün neler yaptınız?
- Hava nasıldı?

____

____

____

____

____

____

____

____

____

____

Self-check

Tick the box which matches your level of confidence.

1 = very confident 2 = need more practice 3 = not confident

Aşağıdaki kutuları yeterlilik düzeyinize göre işaretleyin.

1 = çok yeterli 2 = daha çok alıştırma lazım 3 = yetersiz

	1	2	3
Use the present continuous tense			
Use the simple past tense			
Use weather vocabulary			
Can understand texts regarding simple and detailed routine activities (CEFR B1)			
Can write personal emails describing routine (CEFR B1)			

Ailem

My family

In this unit you will learn how to:

- Use compounds
- Use the imperative and the aorist tense

CEFR: Can understand texts with simple and detailed descriptions of family members. (B1); Can write personal letters / emails describing family in some detail. (B1).

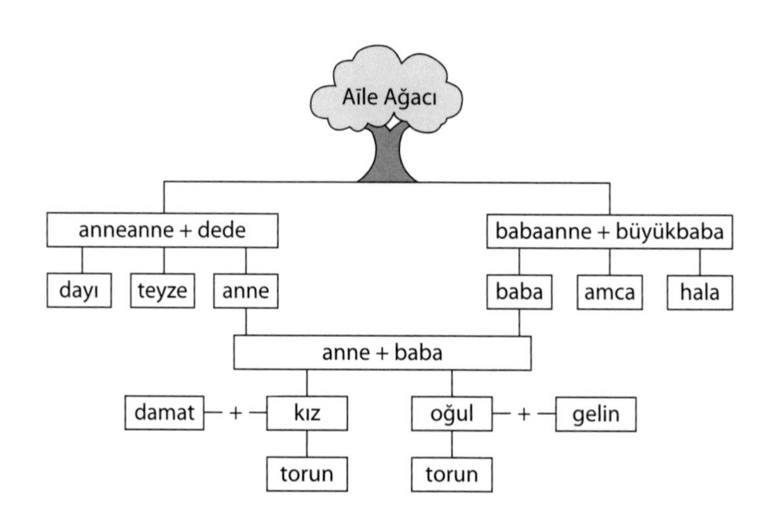

Meaning and usage

Possessive compounds (Compound nouns)

Possessive compounds are combinations of two nouns in which the first one describes the second. The compound noun represents an item different in meaning from its constituent parts and the relationship between them is descriptive rather than possessive.

ceviz ağacı	(*walnut tree*)
yüzme havuzu	(*swimming pool*)
Ege denizi	(*Aegean Sea*)
elma çay**ı**	(*apple tea*)
el bagaj**ı**	(*hand luggage*)

How to form possessive compounds

1 In English neither noun takes an ending, whereas in Turkish the second noun takes the third person singular possessive ending **-(s)I(n)** to give the compound its meaning.

If the noun which takes the possessive ends in a vowel, then 's' in -(s)I(n) is used:

yatak oda**sı** (*bedroom*)
kahve tepsi**si** (*coffee tray*)
bulaşık makina**sı** (*dishwasher*)

2 A compound noun can be possessed by another noun or pronoun. To add possessives to compound nouns, first the third person possessive must be dropped from the second noun and the necessary possessive suffix added to it.

sırt çanta**sı** (*backpack*)
Ali'nin sırt çanta**sı** (*Ali's backpack*)
onun sırt çanta**sı** (*his/her backpack*)
benim sırt çanta**m** (*my backpack*)
bizim sırt çanta**mız** (*our backpack*)

We have also the chain genitive-possessive compounds as in:

Benim kardeşimin sırt çantasının rengi (my sibling's backpack colour *or* the colour of my sibling's backpack)

Senin doğum günü pastanın şekli (your birthday cake's shape *or* the shape of the cake for your birthday)

3 If the compound noun is to be in the plural, then it takes the third person plural possessive ending.

at arabaları (*horse-drawn carriage*)
yemek masaları (*dining tables*)

4 When the two nouns are not used to describe a different object but indicate that the first possesses the second or, in other words, that the item described by the second noun belongs to the first, then the first noun takes the genitive ending **-(n)I(n)** and the second noun takes the possessive ending **-(s)I(n)**.

sokak ismi (*street name* (a name given to streets))
sokağ**ın** ism**i** (*the name of the street* (the name that belongs to the particular street))
masa örtüsü (*table cloth*)
masa**nın** örtü**sü** (*the cloth that belongs to that table*)

If the first noun describes the material of the second noun, then there is no ending at the end of the second (possessed) noun. In this case the first noun acts as an adjective.

cam masa	(glass table (a table made of glass))
gümüş saat	(silver watch)
arka kapı	(back door)
altın yüzük	(gold ring)

A Complete the sentences with one of the compound nouns from the box and the necessary ending.

sırt çantası	**çalışma odası**	**deniz gözlüğü**
kara kalem	**kahve fincanı**	**doğum günü**

1 Senin yeni ________________çok geniş, bütün kitaplarını alıyor.
2 O, ____________________ ile resim yapıyor.
3 Bu evde misafir odası var ama _________________ yok.
4 Denize girmek istiyorum ama bir _________________ bulamıyorum.
5 Ali'ye pasta yaptım çünkü bugün onun _______________
6 Ben kahve içmeyi seviyorum. Çok ___________________ var.

Meaning and usage

Compound verbs

1 A large number of Turkish verbs are formed by adding the verb **etmek** to nouns:

yardım (*help*)	yardım etmek (*to help*)
teşekkür (*thanks*)	teşekkür etmek (*to thank*)
ziyaret (*visit*)	ziyaret etmek (*to visit*)
dikkat (*attention*)	dikkat etmek (*to pay attention*)
seyahat (*travel*)	seyahat etmek (*to travel*)
telefon (*telephone*)	telefon etmek (*to telephone*)
takas (*exchange*)	takas etmek (*to exchange*)

2 Some of the nouns undergo a change when used in a compound and, in such cases, the compound verb is written as a single word.

af (*forgiveness*)	affetmek (*to forgive*)
sabır (*patience*)	sabretmek (*be patient*)
kayıp (*loss*)	kaybetmek (*to lose*)
his (*feeling*)	hissetmek (*to feel*)

Some nouns/ adjectives are combined with the verb olmak (*to be, to become*)

kaybetmek (*to lose*) kaybolmak (*to be lost*)

memnun etmek (*to please*) memnun olmak (*to be pleased*)

B Write the compound nouns in column 1 and the compound verbs in column 2.

Cumartesi günleri bizim sokak çocuk kitapları ile doluyor. Mahallenin çocukları eski kitaplarını bir el arabasına koyuyorlar. Büyükler onlara yardım ediyorlar, tahta masalar kuruyorlar. Masalarda her çocuğun kitabı oluyor. Çocuklar bu kitaplara bakıyorlar ve kitapları takas ediyorlar. Böylece parasız alışveriş yapıyorlar ve çok memnun oluyorlar. Hiç kimse şikayet etmiyor ve mahallede bir dostluk havası esiyor.

Compound nouns	Compound verbs

Meaning and usage

Possessives with case endings

The possessive endings can be followed by case endings. When a case ending is to be used after the third person possessive –(s)I(n), it is required to join the possessive ending and the case ending with (n).

Onun yeni evi**n**e gittik. (*We went to his new house.*)

Arkadaşımın doğum günü**n**de ona bir eşarp aldım. (*On my friend's birthday, I bought her a scarf.*)

Anahtar masanın altı**n**da. (*The key is under the table.*)

Possessive	Accusative	Dative	Locative	Ablative	Genitive
(Benim) aile**m**	ailem-i	ailem-e	ailem-de	ailem-den	ailem-in
(Senin) aile**n**	ailen-i	alien-e	ailen-de	alien-den	ailen-in
(Onun) aile**si**	ailesi-**ni**	ailesi- **ne**	ailesi-**nde**	ailesi-**n**-den	ailesi-**nin**
(Bizim) aile**miz**	ailemiz-i	ailemiz-e	ailemiz-de	ailemiz-den	ailemiz-in
(Sizin) aile**niz**	aileniz-i	aileniz-e	aileniz-de	aileniz-den	aileniz-in
(Onların) aile**leri**	aileleri-**ni**	aileleri-ne	aileleri-**nde**	aileleri-**nden**	aileleri-nin

C Complete the following paragraph with suitable genitive /possessive cases, case endings and possessive compounds.

Merhaba, adım Selin. Size biraz yeni evimiz (1)___________ anlatmak istiyorum. Bizim yeni evi (2)___________ çok güzel. Üç yatak oda (3)___________ bir salon var. Benim bir kız kardeş (4) ___________ var. Adı Aylin. O (5) ___________ yatak oda (6) ___________ büyük. Benim oda (7) ___________ küçük ama aydınlık . Benim odamda resim masası var çünkü ben resim yapmayı çok seviyorum. Aylin'in oda (8) ___________ müzik aletleri var. O, konservatuar öğrenci (9) ___________. Evimiz (10) ___________ küçük bir bahçesi var. Bahçesi (11) ___________ bir elma ağacı var. Ben yeni evi (12) ___________ çok seviyorum.

Meaning and usage

Imperatives

Imperatives are used to give commands – to order someone to do something. The verb base without the infinitive **-mEK** is the imperative form:

Kapıyı aç.	(*Open the door.*)
Sakin ol.	(*Calm down.*)
Bana gazeteyi getir.	(*Bring me the newspaper.*)

However this is an abrupt way of asking someone to do something although it can be used between those who are close without causing offence. It is better to either use the word **lütfen** (*please*) with it or use the more formal form: **-(y)In** or **-(y)InIz** is added to the verb. It is this formal style you see on public notices:

Pencereyi açınız.	(*Open the window.*)
Kapıyı kapayınız.	(*Close the door.*)
Parayı kasaya ödeyin.	(*Pay at the till.*)
İtiniz.	(*Push.*)
Çekiniz.	(*Pull.*)
Yerinize oturun.	(*Sit down in your place.*)

D Match the signs/ warnings with the places.

1	Konser	**a**	Ekmekleri ellemeyin.
2	Dükkan	**b**	Kemerlerinizi bağlayın.
3	Otobüs	**c**	Pazarlık etmeyin.
4	Park	**d**	Yerlere çöp atmayın.
5	Uçak	**e**	Objelere dokunmayın.
6	Müze	**f**	Gürültü etmeyin.
7	Fırın	**g**	Şoförle konuşmayın.
8	Hastane	**h**	Cep telefonlarınızı kapatın.

Meaning and usage

The aorist tense

The aorist tense is used:

1 to express actions done habitually and to make statements that are valid at all times.
2 to express actions done voluntarily or to indicate a wish or hope to do something,
3 to make a polite request or to offer something. The question form is used in these cases.

The endings added to the verb change depending on the verb base and the number of syllables in the verb. The personal suffixes for the aorist tense are the same as those of the present continuous and the future tenses.

How to form the aorist

1 Verbs ending in a vowel take -r:

Ders saat 9'da **başla-r.** (*The lesson starts at 9.*)
Ben her sabah haberleri **dinle-r-im**. (*I listen to the news every morning.*)
Kahvaltıda peynir, reçel ve ekmek **ye-r-im.** (*I have (eat) cheese, jam and bread at breakfast.*)

2 Verbs ending in a consonant take -Ir or -Er

Güneş doğudan doğar, batıdan batar. (*The sun rises in the east, sets in the west.*)
Annem bana her akşam telefon eder. (*My mum calls me every evening.*)

The choice between -Ir and -Er for verbs ending in consonants depends on the following:

verbs with more than one syllable take the suffix -Ir (-ir, ır, ür, ur)

Benimle biraz konuşur musunuz? (*Can you talk to me for a minute?*)
Sen yarın bu işi bitirirsin. (*You finish this job tomorrow.*)
Hesabı getirir misiniz? (*Would you bring the bill?*)

However there are a set of verbs which are one syllable and yet take -(I)r.

alır (*takes*)	görür (*sees*)	sanır (*thinks*)
bilir (*knows*)	kalır (*stays*)	varır (*arrives*)
bulur (*finds*)	olur (*becomes*)	verir (*gives*)
durur (*stops*)	ölür (*dies*)	vurur (*hits*)
gelir (*comes*)		

3 All the other one-syllable verbs take -(E)r (-er, -ar):

Ali her sabah 6'da kalkar. (*Ali gets up at six each morning.*)
Oya yatmadan önce süt içer. (*Oya drinks milk before she goes to bed.*)
Biz hafta sonu futbol maçına gideriz. (*We go to a football match at the weekend.*)
Annem teyzemden beş yaş büyük, teyzem ona abla der. (*My mother is five years older than my aunt, she calls her 'abla' (elder/older sister).*)

4 When the aorist tense is used with the negative marker, -mE is irregular in that it is -z for the second and third persons but stays as -mE for the first person singular and plural.

	Affirmative	Negative	Affirmative question	Negative question
Ben	dinler**im**	dinle**mem**	dinler **miyim**?	dinle**mez miyim** ?
Sen	dinler**sin**	dinle**mezsin**	dinler **misin**?	dinle**mez misin**?
O	dinler	dinle**mez**	dinler **mi**?	dinle**mez mi**?
Biz	dinler**iz**	dinle**meyiz**	dinler **miyiz**?	dinle**mez miyiz**?
Siz	dinler**siniz**	dinle**mezsiniz**	dinler **misiniz**?	dinleme**z misiniz**?
Onlar	dinler**ler**	dinle**mezler**	dinler**ler mi**?	dinleme**zler mi**?

Babamın erkek kardeşi Erkan benim amcam. O babama hiç benzemez. (*My father's brother Erkan is my uncle. He is not at all like my father.*)

Dedem elektronik müzik sevmez. (*My grandfather does not like electronic music.*)

5 Question form

Ahmet'in ağabeyi Sinan, Ahmet'e derslerinde yardım eder mi? (*Does Ahmet's older brother Sinan help Ahmet with his school work (lessons)?*)

Mustafa'nın dayısı gelin ve damat için limozin kiralar mı? (*Would Mustafa's maternal uncle hire a limousine for the bride and the groom?*)

Yemekleri servis eder misiniz lütfen? (*Would you please serve the food (the dishes)?*)

6 Negative question form

Babaannenden özür dilemek istemez misin? (*Wouldn't you like to apologize to your grandmother?*)

Biraz daha çorba istemez misiniz? (*Wouldn't you like some more soup?*)

E Complete the sentences with one of the verbs and the aorist tense.

istemek	**almak**	**yemek**	**okumak**	**kızmak**	**kalkmak**

1 Annem ve babam akşamları hep gazete __________.
2 Biraz dinlenmek __________ misin? Çok yoruldun.
3 Oğlum resim yapmayı seviyor, Nejat ona hep boya kalemi __________.
4 Kardeşim her sabah 6'da __________.
5 Kızım çok yaramaz ama dedesi ona hiç __________.
6 Ben üzümlü kek __________ çünkü üzüm sevmem.

F Combine the group of words below to make meaningful sentences.

1 Ali hep trenle
2 Geç kaldım
3 Bu parayı lütfen

a özür dilerim
b bir kaç kitabımı taşır mısın?
c seyahat eder.

4 Bu kitaplar çok ağır,
5 Ayşe hastahanede,
6 Çantanı

d bankaya yatırınız.
e ne zaman kaybettin?
f ziyaret ettin mi?

Vocabulary

G Match the words with their opposites.

1 hafta başı
2 yazlık ev
3 dalgalı
4 dolu
5 uslu
6 neşeli

a dalgasız
b yaramaz
c kışlık ev
d neşesiz
e hafta sonu
f boş

H Complete the sentences with one of the verbs in the box making the necessary changes.

yemek yapmak	dikkat etmek	teşekkür etmek
beklemek	kalmak	seyahat etmek

1 Biz Teoman'ı çok ______________ ama gelmedi.
2 Biz geçen yaz ailemle Marmaris'te çok güzel bir otelde ______________.
3 Annem çok güzel ______________ biz de afiyetle yeriz.
4 Nesrin emekli oldu. Bundan sonra ailesiyle bol bol ______________.
5 Size ______________, bana bugün çok yardım ettiniz.
6 Yerler çok buzlu, ______________ düşme!

I Find the odd one out.

1 anne | arkadaş | baba | kardeş | dede
2 güneş gözlüğü | mayo | havlu | makas | palet
3 gülmek | oynamak | eğlenmek | ağlamak | dans etmek
4 mutlu | durgun | neşeli | hareketli | canlı |

Reading

J Read the email and answer the questions.

1 Ayşe hanım kime mektup yazıyor?

____

2 Ayşe hanımın kızı Oya ve ailesi nerede yaşıyorlar?

____

Gönderen: Ayşe

Kime: Sıla

Konu: Ayşe'den haberler

Sevgili Sıla'cığım,

Benim tatlı arkadaşım. Seni yıllar sonra facebook'tan bulmak ne güzel. Sana hemen kendimi ve ailemi anlatayım.

Benim bir kızım, bir oğlum var. Kızım Oya, damadım George ve minik torunum Ilgın Londra'da yaşıyorlar. Gelecek hafta bizim yazlık evimize geliyorlar. Her yıl Türkiye'ye gelirler ve bizimle iki hafta kalırlar.

K Now read the rest of the text and answer the following questions.

Oya pazarlamacı, George gazeteci. Bütün kış çalışıyorlar, güneşe hasret kalıyorlar. Oğlum Hasan da onları görmek ve yeğeni Ilgın ile oynamak için 4-5 gün yazlık evimize gelir. Hasan mühendis, özel bir şirkette çalışıyor. İşleri çok yoğun. Biz geçen yıl emekli olduk. Yazlık evimizde artık daha uzun kalıyoruz. Ben bu günlerde çok doluyum. Eşim Arif ve ben çocukları bekliyoruz. Çocuklar gelmeden önce temizlik ve yemek yaparım. Benim yemeklerimi özlüyorlar. Kızıma telefon eder, her seferinde 'akşamları serin oluyor hırkanızı unutmayın ve lütfen bir sürü hediye getirmeyin' derim. Onlar yine getirirler.Torunum Ilgın 4 yaşında. Çok neşeli ve çok güzel konuşuyor.

Oya, George ve Ilgın yüzmeyi çok seviyorlar. Hep beraber sabah erkenden plaja giderler. Plajda Ilgın'a 'Yavaş ol, düşersin.' 'Denizden çık artık, üşürsün'. 'Şapkanı tak'. 'Gel, biraz gölgede otur' derler. Ilgın da uslu bir çocuk. Anne ve babasını dinliyor.

Sen neler yapıyorsun ? Lütfen bana hemen cevap yaz ve bir hafta sonu gel. Bizim yazlık ev Ayvalık'ta. Plajımız kum. Deniz çok güzel ve dalgasız. Sen dalgasız deniz seversin. Altınoluk 'ta oturuyorsun değil mi? Altınoluk bize çok yakın arabayla bir saatte gelirsin. Otobüsler de var.

Bekliyorum. Gelirsen çok sevinirim.
Sevgiyle kucaklıyorum.
Ayşe (Dursun) Yiğitoğlu

1 Ayşe hanımın oğlu Hasan ne iş yapıyor?

____

2 Ayşe hanım, kızı gelmeden önce ne yapar?

____

3 Oya ve George Ilgın'a plajda ne derler?

____

4 Ilgın nasıl bir çocuk?

____

5 Ayşe hanımın yazlık evi nerede?

____

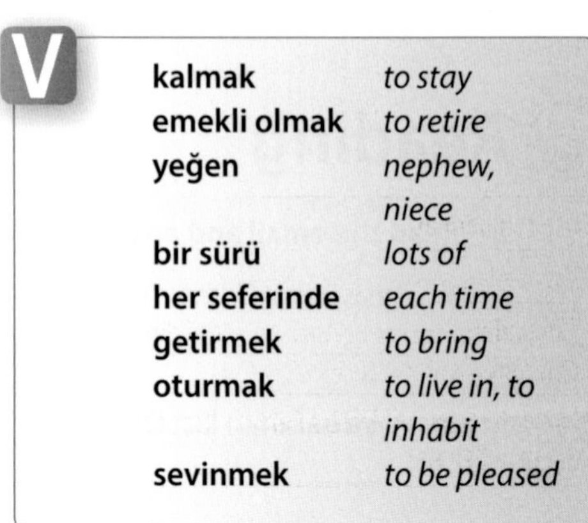
V

kalmak	*to stay*
emekli olmak	*to retire*
yeğen	*nephew, niece*
bir sürü	*lots of*
her seferinde	*each time*
getirmek	*to bring*
oturmak	*to live in, to inhabit*
sevinmek	*to be pleased*

Writing

L **Write an email to a friend. Introduce your family and invite her / him to your home. Try to use the imperative and aorist tense.**

- Ailenizde kimler var? Aile üyelerinizi tanıtın.
- Ailenizle birlikte neler yapıyorsunuz anlatın.
- Arkadaşınızı davet edin.
- Arkadaşınız nasıl gelecek ? -araba -otobüs -tren-uçak

Self-check

Tick the box which matches your level of confidence.

1 = very confident 2 = need more practice 3 = not confident

Aşağıdaki kutuları yeterlilik düzeyinize göre işaretleyin.

1 = çok yeterli 2 = daha çok alıştırma lazım 3 = yetersiz

	1	2	3
Use compounds			
Use the imperative and aorist tense			
Can understand texts with simple and detailed descriptions of family members (CEFR B1)			
Can write personal letters / emails describing family in some detail. (CEFR B1).			

4 Ah o eski günler!

Good old times!

In this unit you will learn how to:

- Use time phrases
- Use the -ki suffix

CEFR: Can understand a blog about past time experiences (B1): Can write a short blog about own past experiences (B1).

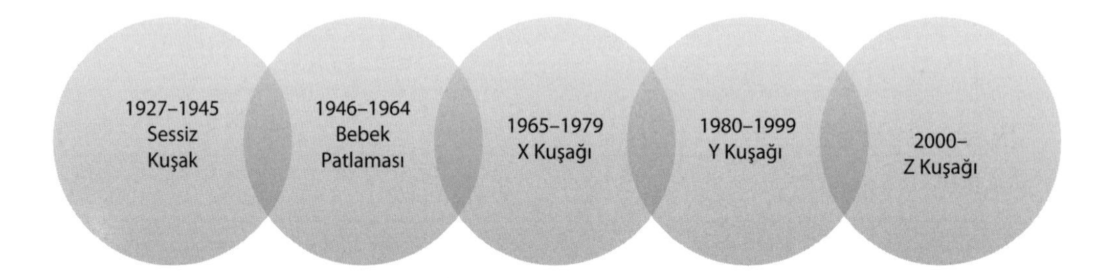

Meaning and usage

Time phrases

There are some time phrases in Turkish which are mostly used with the aorist. These are also referred to as converbs.

-E/Ir…mEz: *as soon as*

1 The sense of immediacy of an action is expressed in Turkish by using the positive and negative forms of the aorist with the same verb base consecutively. The verb does not have a personal ending to show the doer of the action. The personal ending of the main verb of the sentence indicates who is doing the action. If the doer of the action is not the same as the doer of the main verb, there is usually a noun or a pronoun to identify the subject of the clause.

Sabah **kalkar kalkmaz** bir bardak su içerim. (*I drink a bottle of water as soon as I get up in the morning.*)

İşleri **biter bitmez** arkadaşlarıyla buluşacaklar. (*They will meet up with their friends as soon as they finish work.*)

Ben duşa **girer girmez** su kesildi. (*As soon as I got in the shower, the water was cut off.*)

Oya'yı **görür görmez** kitabını verecek. (*As soon as he sees Oya, he will give her her book back.*)

Ali eve **gelir gelmez** ben çıkacağım. (*As soon as Ali comes home, I will leave.*)

A Complete the sentences using -E/Ir......mEz (*as soon as*) with one of the verbs.

öğrenmek	bitmek	evlenmek	izlemek
giymek	içmek	görmek	girmek

1 Sınıf arkadaşım Ali'yi yirmi yıl sonra ____________________ tanıdım.
2 Küçük kız sütünü ____________________ uyudu.
3 İşim ____________________ seni arayacağım.
4 Otelde odama ____________________ müzik açıp biraz dinleneceğim.
5 Mehmet ile Zeynep ____________________ balayına çıktılar.
6 Zafer Doğruca'nın son filmini ____________________ çok beğenip arkadaşlarıma tavsiye ettim.
7 Ceketimi ____________________ ısındım.
8 Biraz Rusça ____________________ Rusya'ya gideceğim.

İken /-(y)ken: *while / when*

1 IKEN and its suffix form -(y)ken is used to mean '*while/when*'. It is always non-harmonic.

When used with a full verb, the tense suffix that precedes -(y)ken is mostly the aorist.

Ben mutfakta salatayı yaparken arkadaşım sofrayı kurdu. (*While I was making the salad in the kitchen, my friend laid the table.*)

Çekmecede eldivenlerimi ararken çocukluk fotoğraflarımı buldum. (*While I was looking for my gloves in the drawer, I found my childhood photos.*)

Ata binerken düştüm ve kolumu incittim. (*While I was horse riding, I fell off and hurt my arm.*)

Çimleri sularken ağacın altında bir yavru kirpi gördüm. (*While I was watering the lawn, I saw a baby hedgehog under the tree.*)

Ağzında yemek varken konuşma. (*Don't talk with your mouth full (lit. when you have food in your mouth).*)

When –(y)ken is used following the future ending, the combined form means 'while intending to do something', 'while being about to do something' and the second part of the sentence usually indicates the intention has not been accomplished.

Berlin'e gidecekken olayları duyunca vazgeçtik. (Whilst we were planning to go to Berlin, we gave up (the idea) when we heard about the incidents.)

Yağmur yağacakken güneş açtı. (Whilst it was about to rain, the sun came out.)

2 İken is mostly used in its suffix form -(y)ken.

Ben gençken bilgisayarım yoktu. (*When I was young, I did not have a computer.*)

Siz Ankara'dayken hiç yağmur yağdı mı? (*When you were in Ankara, did it rain at all?*)

Biz evdeyken köpeğimiz havlamıyor ama o evde yalnızken bazen havlıyor. (*Our dog does not bark when we are at home, but when he is alone in the house, he barks sometimes.*)

B Complete the sentences below with one of the words / compound verbs in the box by adding -(y)ken/ -(E)Irken.

yemek yapmak	**çocuk**	**şarkı söylemek**	**çalışmak**
beklemek	**genç**	**batmak**	**gelmek**

1 Ünlü şarkıcı Tarkan ________________ herkes dans etti.
2 Ben ________________ kızım öğrenmek için beni seyrederdi.
3 Güneş ________________ fotoğraf çekmeyi çok seviyorum.
4 Kızım ________________ örümcekten korkmazdı, şimdi 20 yaşında ama korkuyor.
5 Doktoru ________________ dergilere bakmak ister misiniz?
6 Ayşe bize ________________ hep çikolata getirir.
7 Ben ________________ çok spor yapardım.
8 Babanı ________________ rahatsız etme.

Turkish form of *used to / would have*

1 When the past tense suffix -(y)dI is added to the aorist in the main verb, the combined form translates as *used to* or *would have.*

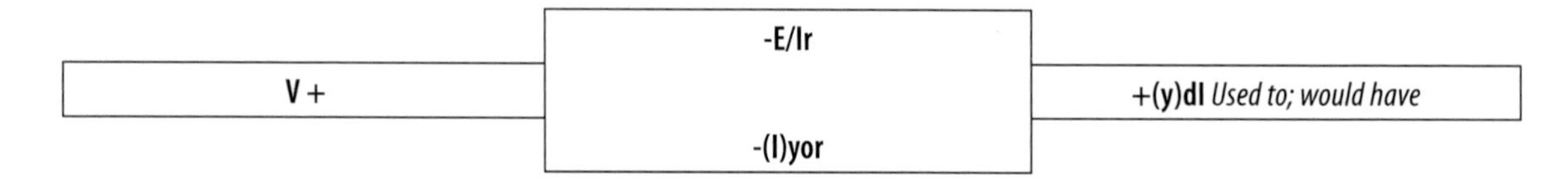

Her Pazar babaannemlere giderdik. (*We used to go to my grandparents (paternal) every Sunday.*)

Ben yüzmeyi sevmezdim ama şimdi seviyorum. (*I used not to like swimming but now I like it.*)

Ali üç yıl önce her sabah iki saat koşardı. (*Ali used to run for two hours every morning three years ago.*)

Kanada'da yaşamak isterdim. (*I would have liked to have lived in Canada.*)

2 Using -(y)dI with the present continuous ending also gives the meaning '*used to …*'

Ben eskiden günde bir paket sigara içiyordum, şimdi içmiyorum. (*I used to smoke a pack of cigarettes a day, now I don't smoke any (lit. none).*)

Her yaz tatil için Mersin'e gidiyorduk, bu yaz memnun kalmadık ve bundan sonra başka yerlere gideceğiz. (*Every summer we used to go to Mersin for holiday, this summer we were not happy with it and from now on (lit. after this) we shall go to other places.*)

C This is 55-year-old Esen's diary. Complete it using E/Ir+dI and the negative, if needed.

5 Şubat, 2018

Bugün aklıma büyükbabam ve babaannem geldi…

Büyükbabam pul koleksiyonu yapardı (yapmak). Pulları dikkatle (1) ____________ (ayıklamak), (2) ____________ (temizlemek) sonra albüme (3) ____________ (dizmek). Pullarla saatlerce (4) ____________ (uğraşmak) ve hiç (5) ____________ (bıkmak). Bu işten çok (6) ____________ (zevk almak). Ben ona sorular (7) ____________ (sormak) o büyük bir sabırla (8) ____________ (yanıtlamak). Bu sırada mutfaktan kurabiye kokuları (9) ____________ (gelmek). Babaannem "haydi biraz ara verin kurabiye ve süt zamanı" (10) ____________ (demek). Büyükbabam sütünü sıcak içmeyi (11) ____________ (sevmek) ama ben sıcak sütü hiç (12) ____________ (sevmek), babaannem de bana bazen soğuk süt bazen vişne suyu (13) ____________ (vermek). Ne güzel günlerdi.

-ki

1 This is a non-harmonic ending which is used with a noun in locative or genitive cases. With nouns in locative case endings, **-ki** helps qualify another noun:

oteldeki turistler (*the tourists (who are) in the hotel*)

masadaki içkiler (*the drinks (that are) on the table*)

Bu resimdeki çocuk sen misin? (*Are you the child in the picture?*)

Saat onbirdeki randevuma geç kaldım. (*I was late for my appointment at 11 o'clock.*)

Otelin karşısındaki pastahanenin dondurması çok lezzetli. (*The ice cream at the patisserie opposite the hotel is really delicious.*)

Okulumuzdaki öğrencilerin çoğu değişik ülkelerden geliyor. (*Most of the students in our school come from different countries.*)

Such forms in -ki can also stand for the noun if there has been a previous reference to the noun qualified by -ki:

Masadaki içkiler alkolsüz, tezgahtakiler alkollü. (*The drinks on the table are non-alcoholic, the ones on the counter are alcoholic.*)

Öndeki sandviçler peynirli, arkadakiler tavuklu. (*The sandwiches at the front are (with) cheese, the ones behind are (with) chicken.*)

2 When used with the genitive case ending, **-ki** stands for the noun rather than as a qualifier and saves repeating the initial noun that has been referred to:

Evin kapısı açık ama odanınki kapalı. (*The door of the house is open but the room's (meaning the door of the room) is closed.*)

All pronouns that take a genitive or a locative case ending can take –ki:

Ben şapkamı buldum. Seninki nerede? (*I found my hat. Where is yours?*)

Onun kız arkadaşı İtalyan, benimki Türk. (*His girlfriend is İtalian, mine is Turkish.*)

If the noun in the first part is in the plural, the plural suffix **-ler** is placed after **-ki** in the second part:

Öndeki arabalar durunca arkadakiler onlara çarptı. (*When the cars in the front stopped, the ones behind (the cars behind) crashed into them.*)

Ayşim'deki anahtarlar onun çantasında, sendekiler cebinde mi? (*The keys that are on Ayşim are in her handbag, are the ones on you in your pocket?*)

3 -**ki** is also used with words that have a time reference:

Yarınki gazetede bu olayın ayrıntılarını okuruz. (*In tomorrow's paper, we'll read the details of this incident.*)

Akşamki parti geç saatlere kadar sürdü. (*Last night's party continued until late.*)

Öğleden sonraki toplantıyı iptal ettiler. (*They cancelled the afternoon meeting.*)

Although -**ki** is non-harmonic, with two time related words it harmonizes with the base and becomes -**kü**.

dünkü kaza (*yesterday's accident*)

bugünkü ders (*today's lesson*)

4 When -**ki** has to be followed by a case ending, the buffer -**n** is added between -**ki** and the case ending:

Bu yılın işsizlik oranı geçen yılki**n**den düşük. (*This year's rate of unemployment is lower than last year's.*)

-**ki** *should not be confused with the conjunction* **ki** *which is always written separately and will be discussed later.*

Kapıyı kapat ki çocuk dışarı çıkmasın. (Close the door so that the child won't go out.)

D Here is 22-year-old Ayla's diary. Complete it in a meaningful way by using *-(y)ken/-E/Irken, used to* and one of the *ki* forms.

Temmuz, 2018

Sevgili Günlüğüm,

Bugün (1) _________ gazeteleri yanıma alıp sahilde (2) _________çay bahçesine gittim.

Sahilde çocuklar köpekleriyle birlikte denize giriyorlardı. Ben onları (3) _________ (seyretmek) elinde gazetesiyle bir arkadaşım geldi. Gazetelerimizi okuduktan sonra eski mahallemize gitmeye karar verdik. Mahallede evimize çok yakın bir bakkal vardı. Büyük kutular içinde renk renk şekerler (4) _________ (satmak). Ben çocuk (5) _________ en çok limonlu şekeri severdim. Bakkal orada duruyordu. Çok sevindim. İçeri (6) _________ (girmek) heyecandan kalbim hızla çarpmaya başladı. Kasada hep bakkal Ali amca (7) _________ (oturmak) ama o yoktu. Onun yerinde oğlu Ercan vardı. Bizi tanıdı. Buyurun, hoş geldiniz (8) _________ (demek) babası gibi güldü. 'Hoş bulduk, Ali amca yok mu?' dedim. 'Babam eskiden her gün (gelmek) (9) _________ ama biraz yaşlandı artık her gün gelmiyor' dedi. Limonlu şekerlerim yoktu. Ben de paketli şekerlerden aldım. Sonra mahallemizde (10) _________ parka gittik. Eskiden bu parka sık sık gider, havuzda (11) _________ balıklara ekmek (atmak) (12) _________. Havuzu ve içinde (13) _________balıkları görünce çok sevindik. Eski mahallemizde çocukluğumuzun izlerini bulmak hoşumuza gitti.

Vocabulary

E Find the adjectives and characteristics that define each generation and put them in the table.

Sessiz kuşak, 1927–1945 arası. Doğumları ekonomik kriz ve savaş dönemine rastlar. Muhafazakar, disiplinli, istikrarlı, kanaatkar ve tedbirlidirler.

'Bebek Patlaması', ('baby boomer')1946–1964 arası. Bu kuşak teknolojiden uzaktır ama çok çalışkan ve işlerine çok sadıktırlar. Kuralcıdırlar. Büyüklere karşı saygılıdırlar.

X kuşağı, 1965–1979 arası. Kurallara uyumlu, otoriteye saygılı, sadık, çalışkan bir kuşaktır. Yaşamak için çalışırlar. Sabırlı ve gerçekçidirler. Pek çok teknolojik değişim yaşadılar. Rekabetçidirler.

Y kuşağı, 1980–1999 arası. Bağımsız olmayı severler, özgürlükçü ve adaletçidirler. Sabırsız ve hırslıdırlar. Bireycidirler, otoriteyi sevmezler ve kurallardan hoşlanmazlar. Sorgulayıcıdırlar. Her şeyi sorgularlar.

Z kuşağı, 2000 yılı ve sonrası. Mobil kuşaktır. İnternet düşkünüdürler. Bu kuşağın en önemli özelliği duygusallıktır. Yaratıcıdırlar. Empati duyguları ve öz güvenleri yüksektir. Çabuk tüketirler. Sabırsızdırlar.

	Kuşaklar	Sıfatlar / özellikler
1	Sessiz kuşak	
2	Baby Bloomer	
3	X kuşağı	
4	Y kuşağı	
5	Z kuşağı	

F Complete the sentences with the verbs in the box.

haber verdi	geç kaldım	çalardım	eğlendik	hazırladım	çekerdi

1 Annemler geliyor. Onlar için dün yatakları ________________ .
2 Saatin alarmını duymadım, bu sabahki toplantıya ________________.
3 Ahmet'in doğum günü partisine gittik. Orada çok güldük ve ________________ .
4 Dedem biz çocukken fotoğraf makinasıyla hep fotoğraflarımızı ________________.
5 Ben gençken çok güzel bateri ________________ ama şimdi çalmıyorum.
6 Bu toplantı çok önemliydi, Ali herkese ________________.

G **Write the opposites.**

1 eski __________
2 küçük __________
3 arkadaki __________
4 yaşlı __________
5 erken __________
6 disiplinli __________

Reading

H **Read the first part of the personal blog and answer the questions.**

1 Doğum günü partisi için hangi şehirde toplandılar?

____

2 Ailenin en küçüğü kim ?

____

Blog

Neslihan Aydın'ın kişisel bloğu:

Bir doğum günü kutlaması…

Bugünlerde kuşaklarla ilgili araştırmalar okuyorum. Size bu blog yazımda ailemde farklı yaştaki kişiler nasıl bir arada eğlendiler anlatmak istiyorum. Geçen hafta teyzemin doğum gününü kutlamak için beş kuşak Ankara'da toplandık. Teyzem seksensekiz yaşına bastı. Ailenin en küçüğü kuzenimin yedi yaşındaki torunu Kerimcandı.

epey	*quite*
hızlandırmak	*to speed up*
uygun	*suitable, favourable*
hazır yiyecek	*ready meal*
gösteri	*show*
saatlerce	*for hours on end*
anı	*memory*
paylaşmak	*to share*

I Now read the rest of the text and answer the questions.

Blog

Partiyi haber vermek:

Doğum günü partisini haber vermek için hemen bir whatsapp grubu kurduk. Grubu kurar kurmaz mesajlar gelmeye başladı. Beş yıl önce e-mail yazardık. Whatsapp işimizi epey hızlandırdı. Partinin yerini ve zamanını haber verdik. Parti kalabalık oldu, aileden herkes geldi.

Hazırlıklar:

Evi balonlar ve çiçeklerle süsledik. Ablam ve ben yiyecekleri hazırlarken kuzenlerim pasta ve içecekleri aldılar. Herkese uygun ve çeşitli yiyecekler koyduk . Yiyeceklerin bir kısmını hazır aldık. Eskiden saatlerce yemek pişirirdik. Ailenin çocukları ve gençleri canlı müzik gösterisi için günlerce prova yaptılar. Fotoğraflardan ve eski şarkılardan bir video gösterisi hazırladılar.

Eğlence:

Kerimcan şiir okudu. 16 yaşındaki Emre gitar çalarken 15 yaşındaki Zeynep şarkı söyledi. Herkes cep telefonuyla resim ve video çeker çekmez sosyal medyada paylaştı. Eskiden cep telefonu yoktu, video kameralarıyla video çekerdik. Fotoğraflarımızı postalardık veya e-mail ile gönderirdik ama anılarımızı, fotoğraflarımızı hep paylaşırdık. Yemekten sonra teyzemle ilgili anılarımızı anlattık. Teyzem çocukluk anılarını anlatırken ailenin çocukları onu dikkatle dinlediler. Teyzemin anılarına çok güldüler. Hepimiz çok eğlendik.

Ailenizle bir araya gelmek ve eğlenmek için önemli noktalar:

Partiyi haber vermek

Çeşitli yiyecekler

Eski ve yeni müzikler

Anıları paylaşmak

Hazırlıklara çocukları ve gençleri katmak.

1 Niçin whatsapp grubu kurdular?

____

2 Ailenin çocukları ve gençleri ne hazırladılar?

____

3 Eskiden nasıl kayıt yaparlardı?

____

4 Partide nasıl eğlendiler?

____

5 Ailenizle bir araya gelmek ve eğlenmek için neler önemli?

____

Writing

J Write a short blog about a happy memory / celebration experienced in the past in100-120 words. Try to use **used to** and **İKEN/-(y)ken** forms.

- Kutlamaya kimler katıldı?
- Hazırlıklar nasıldı?
- Eski kutlamalardan farkı neydi?
- Eğlenceli oldu mu? Neden?

Self-check

Tick the box which matches your level of confidence.

1 = very confident 2 = need more practice 3 = not confident

Aşağıdaki kutuları yeterlilik düzeyinize göre işaretleyin.

1 = çok yeterli 2 = daha çok alıştırma lazım 3 = yetersiz

	1	2	3
Use time phrases			
Use the -ki suffix			
Can understand a blog about past time experiences (CEFR B1)			
Can write a short blog about own past experiences (CEFR B1)			

Bugün alışverişe gideceğiz

We are going shopping today

In this unit you will learn how to:

- Use future forms for future plans
- Use converbs

CEFR: Can understand routine tasks requiring more complex structures (B1); Can write a blog on street markets in local area (B1).

Geçmiş Zaman	Şimdiki Zaman	Gelecek Zaman
Dün yeni bir kitap **aldım**.		
	Şu an meyve **alıyorum**.	
		Yarın güzel bir elbise **alacağım**.

Meaning and usage

Future tense

The future tense is used for statements to say something is going to happen in future.

Saat ikide Ali arkadaşıyla buluşacak. (*At 2 o'clock, Ali is going to meet his friend.*)

Ben de onlarla yeni alışveriş merkezine gideceğim. (*I will also go with them to the new shopping centre.*)

Şimdi İstanbul'dasın biliyorum ama Londra'ya ne zaman döneceksin? (*You are in Istanbul now, I know, but when will you return to London?*)

Sevgi işe gelmedi, onu merak ediyorum, telefon edeceğim. (*Sevgi has not come to work, I am worried about her, I shall call her.*)

1 In Turkish, the future tense ending is –(y)**EcEK** (**-ecek, -acak, -yecek, -yacak**) and it takes the same personal endings as –(**I**)**yor**, the present continuous tense. When **-(y)EcEK** is followed by a vowel, k changes into **ğ**.

Although **-(I)yor** *can be used for referring to the future, using* **-(y)EcEK** *implies a greater certainty about the action taking place.*

2 The negative, question and negative question forms follow the same pattern as –(I)yor. Compare the following sets:

Almak (*to buy*)

al-acaksın, al-mayacaksın, al-acak mısın?, al-mayacak mısın?

al-ıyorsun, al-mıyorsun, al-ıyor musun?, al-mıyor musun?

Remember that the vowel in the verbs **de-** *and* **ye-** *becomes* **i** *before the tense ending* **-(I)yor:**

Diyorum *not* **deyorum**, **yiyorsun** *not* **yeyorsun** *in written and spoken Turkish.*

The same change happens with the future ending: diyeceğim not **deyeceğim**, **yiyeceğim** *not* **yeyeceğim.**

Meaning and usage

Future perfect tense

1 The future perfect tense indicates that an action was going to be performed or happen but it did not. It can be translated into English as *'was/were going to'.* This tense can be followed by the past form of *'to be'* **-(y)DI** forming a compound tense in the future perfect.

Denize girecektim ama vazgeçtim, girmedim. *(I was going to go in the sea, but I changed my mind (and) did not go in.)*

Bu kış için yeni bir palto alacaktım ama hepsi pahalı, karar verdim, almayacağım. (*I was going to buy a coat for this winter but they are all expensive, I decided, I won't buy one.*)

Kızkardeşime okul için yeni bir kalemlik alacaktım ama vazgeçtim bir çanta aldım. (*I was going to buy my sister a new pencil case but I changed my mind and I bought her a bag.*)

Akşam sekizde gelmeyecekler miydi? Geç kaldılar. (*Weren't they coming at 8 o'clock in the evening? They are late.*)

How to form the future and future perfect tenses

	Future tense -(y)EcEK			
	Affirmative	**Negative**	**Affirmative question**	**Negative question**
ben	gelece**ğim**	gelmeyeceğim	gelecek miyim?	gel**meyecek miyim**?
sen	gelecek**sin**	gelmeyeceksin	gelecek misin?	gel**meyecek misin?**
o	gelecek	gelmeyecek	gelecek mi?	gel**meyecek mi?**
biz	gelece**ğiz**	gelmeyece**ğ**iz	gelecek miyiz?	gel**meyecek miyiz?**
siz	gelecek**siniz**	gelmeyeceksiniz	gelecek misiniz?	gel**meyecek misiniz?**
onlar	gelecek**ler**	gelmeyecek**ler**	gelecek**ler** mi?	gel**meyecekler mi?**
	Future perfect tense -(y)EcEK +DI			
ben	gelecektim	gelmeyecektim	gelecek miydim?	gelmeyecek miydim?
sen	gelecektin	gelmeyecektin	gelecek miydin?	gelmeyecek miydin?
o	gelecekti	gelmeyecekti	gelecek miydi?	gelmeyecek miydi?
biz	gelecektik	gelmeyecektik	gelecek miydik?	gelmeyecek miydik?
siz	gelecektiniz	gelmeyecektiniz	gelecek miydiniz?	gelmeyecek miydiniz?
onlar	gelecek**lerdi**	gelmeyecek**lerdi**	gelecekler miydi?	gelmeyecekler miydi?
Time expressions	yarın	*tomorrow*	önümüzdeki hafta	*the following week*
	gelecek hafta	*next week*	bir yıl içinde	*within a year*
	ay	*month*	5 dakika sonra	*in 5 minutes*
	yıl	*year*	2030 yılında	*in 2030*
	saat ikide	*at 2 o'clock*	1 Mayıs 2030 tarihinde	*on the 1st May, 2030*

Remember you already know that the aorist tense **-(E/I)r** *and the present continuous tense* **-(I)yor** *can be used in Turkish to say that something will happen in the future.*

In colloquial Turkish and text messaging, you will see that it is common to contract the future ending and shorten the verb. But still a strong /c/ sound is noticeable and the 'ğ' becomes just a lengthening of the previous vowel.

yapacağım	**yap(ı)cam**	(I will / am going to do it.)
yapacaksın	**yap(ı)can**	(You will / are going to do it.)
yapacak	**yap(ı)cak**	(He, she, it will / is going to do it.)
yapacağız	**yap(ı)caz**	(We will / are going to do it.)
yapacaksınız	**yap(ı)canız**	(You will / are going to do it.)
yapacaklar	**yap(ı)caklar**	(They will / are going to do it.)

Another sound that gets dropped like that is 'r' when it comes at the end of -(İ)yor:

Tren çok hızlı gidiyor (*The train is going very fast.*)

Here gidiyor is often uttered as **gidiyo**.

Similarly the word **bir** is often produced as **bi** in colloquial speech and text messaging.

Bana **bi** lira ver. (*Give me one lira.*)

A Complete the sentences with the -(y)EcEK future tense.

1 Yarın sabah arkadaşımla yeni alışveriş merkezine git_____________.
2 Ali eski bir fotoğraf makinası almak için yarın bit pazarını dolaş _____________.
3 Siz mahalledeki pazara saat kaçta git____________?
4 Yarın ben biraz alışveriş yap_____________. Sen de gelir misin?
5 Önümüzdeki hafta mağaza açılışımız var. Sen de gel _____________?
6 Bugün odamın perdelerini yıka_______________ .

Meaning and usage

To be in future tense / Olmak

The use of *to be* in the future tense is done with the verb ol- *to be, to become, to happen.*

Güneşte çok kaldı, hasta olacak. (*He stayed in the sun too long, he will be ill.*)

Televizyon haberlerinde duydum, yarın hava soğuk olacak. (*I heard it on the TV news, the weather will be cold tomorrow.*)

B Write the future or future perfect verb forms depending on the meaning of the 6 sentences.

1 Dün annemle birlikte alışveriş yap _________________ ama annemin misafiri geldi ve gitmedik.
2 Gelecek hafta biz Londra'nın güzel sokak pazarlarını gez_________________.
3 Siz 2020 yılında nerede ol_________________ ?

4 Aslında beş tane ekmek al_______________, ancak size sormadan almadık.
5 Cumartesi günü İzmir'den Bodrum'a uçakla git_______________ ama bütün uçaklar doluydu otobüsle gitti.
6 Ahmet yarın gel_________, hafta sonu gelecek.

If you want to ask for the price of a product, there are various forms you can use such as: **Kaç Lira? Kaç para? Kaça?**, *all indicating* How much?

C **The following people want to go shopping for various items tomorrow. Look at the information and write sentences with the correct future form.**

Kim?	Nereye gidecek?	Ne alacak?	Gidecek mi, gitmeyecek mi?
Özlem	semt pazarı	sebze: soğan ve domates	Hayır Sebep: annesi getirecek
Osman	yeni AVM	kız arkadaşına hediye	Evet Sebep: doğum günü
Tom	bakkal	kahve ve süt	Evet Sebep: misafir gelecek
Alice	kırtasiye	renkli kalem ve silgi	Hayır Sebep: evde buldu
Nihan	süpermarket	meyve ve çerez	Hayır Sebep: arkadaşı getirecek

Example:

Özlem yarın sabah semt pazarına gidecekti ve soğan ve domates alacaktı ama vazgeçti çünkü annesi getirecek.

1 ____________________
2 ____________________
3 ____________________
4 ____________________

Meaning and usage

Converbs: -(y)IncE, -(y)Ip

1 To say *when* in Turkish, the ending **-(y)İncE** is used.

Postacı gel**ince** köpek havlıyor. (*The dog barks when the postman comes.*)
Hava karar**ınca** ışıkları yakıyoruz. (*When it (lit. the air) gets dark, we put the lights on.*)
Param ol**mayınca** kartla ödüyorum. (*When I don't have money, I pay by credit card.*)

The ending **-(y)Ip** is used when you are using more than one verb in the same tense and person and you do not want to repeat the same endings for each of them. Although it is essentially a stylistic device, there is an element of quick succession of the consecutive actions undertaken or planned to be undertaken.

Doktora telefon ed**ip** randevu aldım. (Doktora telefon ettim ve randevu aldım.) (*I rang the doctor* **and** *made an appointment.*)

Hafta sonu AVM ye gid**ince** Ali'yle yemek yiyecektik ama dün ara**yıp** iptal etti. (*Ali and I were going to have a meal together when we would go to the shopping centre at the weekend but he rang and cancelled.)*

To say 'in order to' or 'as', 'so as' you add **-mEk için** *to the verb that expresses your reason for doing something.*

Gelecek hafta arkadaşıma sürpriz yapmak için bir kek yapacağım. (Next week I shall make a cake **in order to** surprise my friend.)

Markete gidince hiç bir şey unutmamak için listeme bakıp alışveriş yapacağım. (When I go to the supermarket, I shall look at my list and do (my) shopping so as not to forget anything.)

Randevuma geç kalmamak için taksiye bindim. (I took a taxi so that I wouldn't be late to my appointment.)

D **Complete the sentences with *-(y)IncE, -(y)Ip* endings and make any necessary changes.**

Example: Biz doğum gününü unut unca annem çok üzüldü.

1 Yazın İstanbul'a git ________ bol bol semt pazarlarına gideceğim.
2 Mağaza 30 dakika sonra kapanacak. Ondan sonra hemen eve git ________ dinleneceğim.
3 Yarın uçaktan in ________ seni arayacağım, merak etme.
4 Bugün projemizi teslim et ________ sinemaya gitmeye karar verdik.
5 Hasta ol ________ dinlenmek lazım.
6 Sütümüz bitti. Markete hemen git ________ alır mısın?

Vocabulary

E **Put the words in the box in the correct shopping category.**

pantolon etek çerez tişört pijama dosya zarf sebze meyve not defteri bisküvi defter makarna ceket peynir pirinç bakliyat çorap çay süt kitap kağıt iç çamaşırı kalem silgi cetvel gömlek bluz sözlük şort

Kıyafet alışverişi	Gıda alışverişi	Kırtasiye alışverişi

F Match the food items with the correct unit of measurement.

Unit of measurement		**Food item**	
1	bir avuç	a	şarap
2	bir demet	b	süt
3	bir kalıp	c	ekmek
4	bir paket	d	peynir
5	bir salkım	e	fındık
6	bir dilim	f	makarna
7	bir kadeh	g	maydanoz
8	bir bardak	h	üzüm
9	bir kutu	i	kola

Reading

G Read the following blog on shopping in Istanbul and answer the question below.

Emre Erdoğan bu blog yazısında hangi konuyu ele almaktadır?

____

Blog

EMRE ERDOĞAN: İSTANBUL'UN ÜNLÜ SEMT PAZARLARINA HOŞ GELDİNİZ

Bu blog yazımda, İstanbul'un binlerce süpermarket ve onlarca alışveriş merkezinin yanı sıra pek bilinmeyen ama ünlü ve eğlenceli semt pazarlarından bahsedeceğim. Tezgâhçıların, '**Gel vatandaş gel**', '**Bunlar en iyisi**' ve '**Bedava**' gibi bağırışları arasında gezerken pazarda en taze, en ucuz veya en kaliteli ürünü bulmak için çalışacağız hatta almadan önce mutlaka pazarlık yapacağız. Ama en önemlisi, ihtiyacımıza göre doğru pazarı seçip oraya gideceğiz ve böylelikle pazar kültürümüzü artıracağız.

H Now continue reading and answer the following questions. Where should they go?

Blog

* **Feriköy Organik Pazarı:** Günlük yaşantınızda özellikle organik ürünler almak için Feriköy'e gidiniz. Feriköy Organik Pazarı'nda birçok sebzeyi ve meyveyi gönül rahatlığıyla alıp, sofralarınızda sunabilirsiniz. Diğer pazarlara göre fiyatları biraz pahalı ancak sağlıklı ürünlerle beslenmek için burasını tercih edin. Burada sadece alışveriş yapılmıyor. Pazara erkenden gelip gözleme yemek, pazarın girişindeki çay ocağında çay içip sohbet etmek de mümkün. Tabii birçok ünlü ismi alışveriş yaparken de görebilirsiniz. Feriköy Organik Pazarı Cumartesi günleri keyifli vakit geçirmek isteyenler için ve özellikle organik ürün alanlar için en ideal mekan.

* **Beşiktaş Semt Pazarı:** Beşiktaş mahallesindeki semt pazarı, İstanbul'un en ünlü sosyete pazarlarından biridir. Cumartesi günü kurulan pazarda birçok ünlü markanın ihraç fazlasını bulabilir, çok ucuz fiyatlara kıyafet alışverişlerinizi yapabilirsiniz. Beşiktaş Pazarı çok kalabalık ,trafik sorunu var onun için arabasız gidin. Ama yine de güzel kıyafet almak için güzel bir seçenektir.

* **Ulus Sosyete Pazarı:** Bu pazar artık Ortaköy'de ve giyim tezgahlarıyla ön plana çıkıyor. Birçok markanın sahte ürünlerinin olduğu tezgahlarda, markasız ve güzel kıyafetler de bulmak mümkün. Çoraptan iç çamaşırına, pantolondan spor malzemelerine, çantadan ayakkabıya kadar her çeşit eşyalar vardır. Ulus Sosyete Pazarı öğle ve akşam saatlerinde oldukça kalabalık olacaktır. Erken saatlerde gitmenizi öneririm.

* **Kastamonu Pazarı:** Pazar sabahları Kasımpaşa'da kurulan Kastamonu Pazarı'nda sertifikalı organik ürünler aramayın, bulamazsınız! Ama burası sağlıklı beslenme ve yerel ürün meraklılarının göz bebeğidir. Kastamonu Pazarı'nda ürünler her hafta taze taze İnebolu'dan geliyor. Kastamonu Pazarı'nda mantardan reçele kadar her türünü bulmak mümkün. Pazarda bir diğer popüler ürün köy ekmeğidir. Erişte, salça, tereyağı, peynir gibi ürünlerin yöreye has versiyonları ile yine Kastamonu bölgesinde yetişen ot ve sebzeler de burada satılmaktadır. Bunların dışında köyden gelen her türlü ürünler bulmak mümkündür.

1 Ali taze köy ürünleri almak istiyor. Ali nereye gidecek?

____

2 Deniz tüm gününü güzel bir pazarda geçirip hem alışveriş yapmak hem de oturup sohbet etmek istiyor. Ünlü birini görmek de güzel olur. Deniz nereye gidecek?

____

3 Elif Cumartesi günü çok ünlü bir sosyete pazarına gitmek istiyor. Arabası yok. Nereye gidecek?

____

4 Mustafa markalı kıyafetler alamıyor çünkü çok pahalılar. Bu yüzden ihraç fazlası kıyafetler almak istiyor. Yarın iki pazara gidecek, hangileri?

____

5 Osman için sağlık çok önemli. Sadece organik ürünler tüketiyor. Onun için sertifikalı organik ürünler alacak. Nereye gidecek?

____

V

binlerce	*thousands of*
semt pazarı	*district bazaar/market*
ihtiyaç	*need, necessity*
sofra	*table, meal*
çay ocağı	*tea/coffee stall*
marka	*brand, trademark*
göz bebeği	*the apple of one's eye, favourite*
yöreye has	*particular to the area*

I Find the words and phrases from the Reading that match these definitions / synonyms.

	Verbs	Definitions / synonyms
1		düzenli yemek
2		tavsiye etmek
	Nouns	
3		dükkanlarda, pazarlarda satıcıların önündeki uzun masa
4		çeşitli sebeplerle üreticinin elinde kalan ürünler
5		ürünün resmi belgesi
	Adjective	
6		eğlenceli
7		gerçek değil
8		yaygın, sevilen

Writing

J Write a blog about a street market in your local area. Try to use the future tense forms. Write about 100–120 words.

- Sevdiğiniz bir pazar var mı?
- Bu pazarı tavsiye eder misiniz? Neden?
- Bu pazarın özellikleri nedir?
- Sık sık bu pazara gidiyor musunuz?
- Bu pazara tekrar ne zaman gideceksiniz?

Self-check

Tick the box which matches your level of confidence.

1 = very confident   2 = need more practice   3 = not confident

Aşağıdaki kutuları yeterlilik düzeyinize göre işaretleyin.

1 = çok yeterli   2 = daha çok alıştırma lazım   3 = yetersiz

	1	2	3
Use future forms for future plans			
Use converbs			
Can understand routine tasks requiring more complex structures (CEFR B1)			
Can write a blog on street markets in the local area (CEFR B1)			

6 Eğitim önemli

Education is important

In this unit you will learn how to:

- Use prepositions
- Use postpositional phrases to form complex sentences

CEFR: Can understand fairly complex texts about education (B1); Can write an informative text (review) and express opinion (B1).

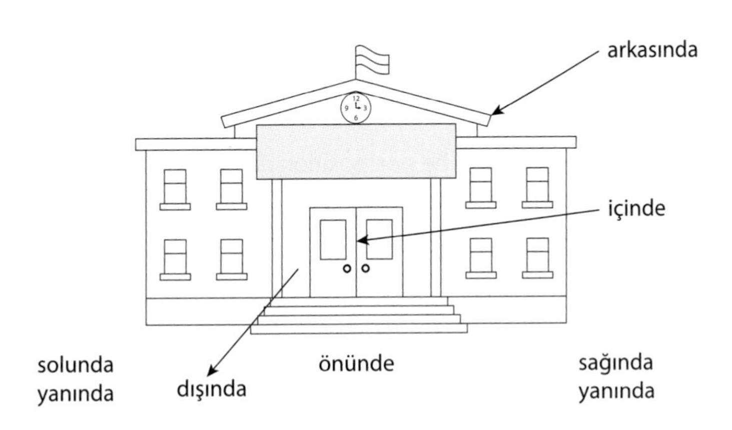

Meaning and usage

Prepositions / Postpositions

Turkish is different from English in that it has no prepositions. In Turkish some of these functions are performed by case endings;

Dün kütüphaneye gittim. (*Yesterday I went* **to** *the library.*)

or by postpositions which either have fixed forms or require a certain case ending:

Otel**in** arka**sı** otopark. (*The back of the hotel is a car park.*)

Üniversite**nin** karşı**sında** bir otobüs durağı var. (*Opposite the university, there is a bus stop.*)

How to form postpositional phrases

1 Postpositions in Turkish are usually formed within a genitive and possessive relationship: the noun that the postposition refers to takes the genitive case ending and the postposition itself takes the possessive ending.

masa+**genitive** alt+**possessive** masa**nın** altı (*the underside of the table*)
oda+**genitive** orta+**possessive** oda**nın** orta**sı** (*the middle of the room*)

yol**un** sağ**ı** (*the right-hand side of the road*)
sınır**ın** öte**si** (*the far side of the border*)

In the examples, note that the English translation has 'of'. This is because in Turkish what is signified is that the postposition 'belongs to' or 'is possessed by' the noun that goes with it.

2 When the noun that goes with the postposition does **not** have the genitive ending, the relationship between them is one of association or description of position:

masa üst**ü** (*table top*) masa**nın** üst**ü** (*top of the table*)
sokak orta**sı** (*street centre*) sokağ**ın** orta**sı** (*the centre of the street*)
diz üst**ü** bilgisayar (*laptop computer*) (*lit. knee-top computer*)

Here is a list of postpositions:

Noun / Adj.	Meaning	Postposition + locative form for 3rd person sg	Meaning
alt	*bottom*	altında	*under*
üst	*top*	üstünde	*on, on top of*
ön	*front*	önünde	*in front of*
arka / ard	*back*	arkasında / ardında	*behind*
yan	*side*	yanında	*beside*
orta	*middle*	ortasında	*in the middle*
iç	*interior*	içinde	*in, inside*
dış	*exterior*	dışında	*outside*
ara	*interval, gap*	arasında	*between, among*
karşı	*opposite part*	karşısında	*opposite*
taraf	*side*	tarafında	*by the side*
etraf /çevre	*surrounding*	etrafında / çevresinde	*around*
öte	*far side*	ötesinde	*beyond*
sağ	*right*	sağında	*on the right*
sol	*left*	solunda	*on the left*

In the third column of the table, the postpositions are given in the third person possessive but all of these can be used with any of the personal pronouns in the genitive case:

Ending in consonant		Ending in vowel	
Benim yanı**mda**	*next to me*	Benim arka**mda**	*behind me*
Senin yanı**nda**	*next to you*	Senin arka**nda**	*behind you*
Onun yanı**nda**	*next to him/her/it*	Onun arka**sında**	*behind him/her/it*
Bizim yanı**mızda**	*next to us*	Bizim arka**mızda**	*behind us*
Sizin yanı**nızda**	*next to you*	Sizin arka**nızda**	*behind you*
Onların yanı**nda**	*next to them*	Onların arka**sında**	*behind them*

A Complete the postpositional phrases with suffixes describing location / position.

1 sizin yan__________
2 onların karşı__________
3 benim sağ__________
4 Ali ile Ayşe'__________ ara__________
5 bizim bahçe__________ orta__________
6 kütüphane__________ sol taraf__________
7 üniversite__________ çevre__________
8 öğrenciler__________ ara__________

3 Depending on the main verb, other **case endings** can be added to the postposition after personalizing it with a possessive ending.

Yeni öğrenci yanı**ma** oturdu. (*The new student sat next to me. (lit. to my side: yan-ım-a)*)

Trende çantamı ön**ümde** tutuyorum. (*I hold my bag in front of me on the train.*)

Sokak köpeğine sandöviçimin yarısını verdim, şimdi benim arka**mdan** geliyor. (*I gave the stray dog (lit. street dog) half of my sandwich, now he is following me. (lit. coming from behind me)*)

B Complete the following sentences with the correct suffixes.

1 Bütün kitaplarımı dolabımın iç______ yerleştirdim.
2 Okulun ilk gününde öğrenci kimliğini mutlaka yan______ al!
3 Sınıfımızın sol taraf______ bir laboratuvar var.
4 Her sabah okula giderken o ünlü heykelin ön______ geçiyorum.
5 Park yerinde yer yoktu onun için okul binasının karşı______ park ettim.
6 Kampüsün etraf______ birçok özel yurt var. Fiyatları çok uygun.
7 Benim karşı______ yeni bir öğrenci taşındı. Henüz onunla tanışmadım.
8 Üniversite bizim ön______ çok fırsatlar sunuyor.

4 The postpositions **yan** and **ara** have some variations in meaning depending on how they are used.

Yanımda kimse yok. (*There is no one* **beside me**. *(lit. by the side of me)*)

Yanıma para almadım. (*I did not take (any) money* **with me**.)

Uçağa binerken yanıma kalın bir kazak alıyorum, çünkü uçağın içi bazen soğuk oluyor. (*I take a thick jumper* **with me** *when I get on a plane because sometimes it is cold in the plane. (lit. the inside of the plane)*)

Onların yanında bu konuyu tartışmayacağız. (*We shall not discuss this matter (subject)* **in their** *presence.*)

Yazın iki hafta Marmaris'te arkadaşlarımızın yanında kalıyoruz. (*For two weeks in summer we stay* **with** *our friends in Marmaris.*)

Tiyatroda perde arasında bir şey içmek ister misin? (*Would you like to drink something in the interval in the theatre? (lit.between curtain(s))*)

When there are two pronouns or nouns linked through a postposition, the possessive ending of the postposition following them agrees with the person of the pronoun that comes immediately before it.

Seninle benim aramda bir sorun yok.	(There isn't a problem between you and me.)
Pencerelerle kapının arasına küçük bir masa koymak istiyorum.	(I want to put a small table between the windows and the door.)

Postpositional phrases that do not require case endings:

	Meaning	Examples	Examples with pronouns
gibi	*like*	Ali gibi *like Ali*	senin gibi *like you*
kadar	*as…as*	Ayşe kadar başarılı *as successful as Ayşe*	bizim kadar çalışkan *as studious as us*
için	*for*	öğrenciler için *for the students*	sizin için *for you*
hakkında	*about*	bu konu hakkında *about/on this topic*	benim hakk**ım**da *about me* senin hakk**ın**da *about you*
ile -(y)lE	*with*	kimlik ile / kimlikle *with an ID*	onunla *with him/her* onlarla *with them*

Eğitim su **kadar** önemlidir. (*Education is as important as water.*)

Ali **gibi** mühendis olmak istiyorum. (*I want to become an engineer like Ali.*)

Senin **gibi** çalışkan öğrenciler başarılı olur. (*Students (who are) hard-working like you become successful.*)

Öğrencilerim**le** üniversite tanıtım fuarına gittik. (*I went with my students to the university exhibition.*)

Onlarla bizim aramızda sorun yok. (*There is no problem between them and us.*)

5 The general rule is that the word before the above postpostions remains bare unless it is a personal pronoun. In that case the genitive form is used. Remember that **ile** is often attached to the noun as **-(y)lE** and to genitive pronouns.

ile		-(y)lE	pronouns
araba ile	*by car*	arabayla	benimle
tren ile	*by train*	trenle	seninle
öğrenciler ile	*with the students*	öğrencilerle	onunla
başarı ile	*with success*	başarıyla	bizimle
			sizinle
			onlarla

The 3rd person plural pronoun does not become **onlarınla** *but* **onlarla.**

C **Complete the following sentences with one of the postpositions (use each twice).**

kadar	ile	hakkında	için

1 Yeni müdürümüz ____________ ne biliyorsun?
2 Maalesef o konser ____________ biletimiz yok.
3 Eve ____________ yürüdüm çünkü otobüs gelmedi.
4 Bu kitap ____________ çok güzel şeyler duydum.
5 Üniversiteye girmek Ali ____________ biraz zor değil mi?
6 Seni bir saat ____________ bekledim ve sonra gittim.
7 Maria'nın e-mail adresini kaybettim, bu yüzden o____________ haberleşemedik.
8 Danışmanım ____________ birlikte yeni bir makale yazacağız.

Postpositional phrases that require *the* -(y)e/a:

	Meaning	Examples
-(y)e/a göre	*according to*	Uzmanlara **göre** doğru kariyeri seçmek çok önemli. (*According to experts, choosing the right career path is very important.*)
	compared with	Geçen yıla **göre** daha çok çalışıyorum. (*Compared to last year, I am studying harder.*)
	suitable for	Doktorluk mesleği bana **göre** değil. (*Being a doctor is not for me.*)
-(y)e/a kadar	*until / by*	Yarın saat 6'**ya kadar** ödevi teslim etmemiz lazım. (*We have to submit the assignment by 6 tomorrow.*)
	as far as / up to	Kütüphane**ye kadar** Ayşe'yle yürüdüm. (*I walked up to the library with Ayşe.*)
-(y)e/a doğru	*towards*	Beni tebrik etmek için arkadaşım ban**a doğru** koştu. (*My friend ran towards me to congratulate me.*)
	around	Dün akşam saat 7'**ye doğru** projemizi bitirdik. (*We finished our project yesterday around 7 o'clock.*)
-(y)e/a karşı	*opposite / facing*	Pencere**ye karşı** oturma, üşürsün. (*Do not sit facing the window, you'll be cold.*)
	towards(attitude) / against	Bu araştırmacının görüşleri**ne karşı**yım. (*I am against the views of this researcher.*)
-(y)e/a rağmen/karşın	*in spite of / despite*	Geç kalma dedim, buna **rağmen** gece saat onbirde geldi. (*I told her not to be late, but despite that she came at eleven at night.*)
-(y)e/a ilişkin	*with regards to*	Bu konu**ya ilişkin** hiç bir şey duymadım. (*I haven't heard anything regarding this subject.*)
	with respect to	
	regarding	
-(y)e/a ait	*related to*	Öğrenciler**e ait** bilgileri bilgisayara yükledik. (*We uploaded information about the students on the computer.*)
	belonging to	

Postpositional phrases that require -DEn:

	Meaning	Examples	Examples with genitive constructions
-DEn sonra	*after*	dersten sonra *after the lesson*	derslerimizden sonra *after our lessons*
-DEn önce/evvel	*before*	sınavdan önce *before the exam*	sınavınızdan önce *before your exam*
-DEn beri	*since / for*	ilkokuldan beri *since primary school*	mezuniyet töreninden beri *since the/your graduation ceremony*
-DEn başka	*apart from*	Türkçeden başka *apart from Turkish*	sizinkinden başka *apart from yours*
-DEn dolayı	*because of*	sonuçlardan dolayı *because of the results*	başarılarından dolayı *because of his / her achievements*
-DEn bu yana	*since*	Ocak ayından bu yana *since January*	Londra ziyaretimden bu yana *since my visit to London*

When you need to state a period of time before or after something, then that period of time is placed between the case ending **-DEn** *and the words* **sonra** after *or* **önce** before*:*

dersten iki saat sonra (two hours after the class)

yemekten on dakika önce (ten minutes before the meal)

D **Complete the following sentences with one of the postpositions that require -DEn.**

-DEn beri	-DEn başka	-DEn önce	-DEn dolayı

1 Filiz, Almanca____________ iki dil daha konuşuyor.
2 Etkileyici özgeçmişiniz____________ size bu pozisyonu vermek istiyoruz.
3 Sınav____________ mutlaka bu formu doldurun lütfen.
4 Çocukluğum____________ pilot olmak isterim.

6 Some postpositions are also used in set forms with the demonstrative pronouns **bu, şu, o** with the appropriate case endings to connect or to start a sentence that will connect to a preceding or following sentence. When used like that, they are referred to as sentence connectors.

Orhan geldi ama ben onu görmedim, **bundan dolayı** henüz onunla konuşmadım. (*Orhan has arrived but I have not seen him, because of this, I have not yet spoken with him.*)

Şunun için sana mektup yazmadım: Türkiye ile İngiltere arasında posta çok yavaş, telefon etmek ya da e-mail yazmak daha kolay ve çabuk. (*I did not write to you for the following reason (lit. for that reason): post between Turkey and England is very slow, to call or send an email is easier and quicker.*)

Sentence connectors	Meaning
ama, ancak, fakat	*but, however*
buna göre	*accordingly*
buna rağmen / karşın	*despite, nonetheless, however*
bunun için	*thus, therefore*
bunun yanısıra	*besides, moreover*
bundan dolayı	*because of, thus,*
bundan başka	*apart from this*
bununla birlikte	*besides, however, after all, in addition to this*
bunun için	*thus, therefore*
bundan sonra	*from now on*
ondan beri	*since then*
öte yandan	*on the other hand (lit. form the far side)*

In the set form **ondan beri** *alternatives* **bundan** *and* **şundan** *are not used.*

Vocabulary

E Complete the sentences with a word from the box.

önyazı	mülakat	özgeçmiş	staj	üye	insan

1 İşe başvurmak için yazılan ______________ bir sayfadan daha uzun olmamalı.
2 Öğrenciyken ______________ yapmak çok önemli. Böylelikle teorik bilgileri pratiğe dönüştürebilirsin.
3 CVnize birlikte mutlaka bir ______________ gönderin.
4 ______________ kaynakları sayfanızda çok ilginç bir ilan gördüm.
5 Bazı şirketler mutlaka yüz yüze bir ______________ yapmak isterler.
6 Mesleğinizle ilgili profesyonel kuruluşlara ______________ olmak çok önemlidir.

F Find the words and phrases from the Reading that match these definitions/synonyms.

	Verbs	Definitions / synonyms
1		okulu bitirmek
2		yardım etmek
3		tesir etmek
4		tecrübe edinmek
	Nouns	
5		amaç, gaye
6		üniversite için ödenen para
7		bir kimsenin eğitimi için, devlet ya da özel kuruluş tarafından ödenen aylık
8		yerleşke

Reading

G Read the first student review and answer the questions.

1 Susan Jones hangi üniversitede okuyor?

____

2 Üniversitesinden memnun mu?

____

www.turkiyeogrencigorusu.tr

Susan Jones – Boğaziçi Üniversitesi, hala öğrenci

Boğaziçi Üniversitesi Türkiye'nin en iyi üniversitelerinden biridir. Bu üniversitenin çok güzel bir kampüsü var. Bundan başka Boğaz'a karşı manzarası da öğrenciler için çok çekici. Profesörler öğrencilere karşı çok yakın ve yardımseverler. Ayrıca, her türlü ilgi alanına göre kulüpler var. Bana göre İstanbul çok ilginç ve güzel bir şehir, beni çok etkiledi. Her zaman yapacak bir şey bulabilirsiniz. Bundan dolayı, asla sıkılmazsınız. Eylül'den beri buradayım ve mutluluğumu anlatamam. Kendimi gerçekten evde gibi hissediyorum.

H Now continue to read the rest of the student reviews and indicate if the statements are D (doğru / *true*) or Y (yanlış / *false*). If the statements are false, correct them.

www.turkiyeogrencigorusu.tr

Kerem Tunç – Koç Üniversitesi, 2013 Mezunu

Üniversitem, benim için pek çok özelliğinden dolayı değerlidir. Mezuniyetime kadar sayısız sosyal olanakları ile hayatıma renk kattı. Hocaların öğrencilerle iletişimi, sunulan eğitim olanakları, bizleri hep geliştirdi. Üniversitenin eşsiz doğası ve kullanışlı kampüsünde hayatımın en güzel beş yılını yaşadım. Ancak bunların ötesinde üniversitemi sevmemin en büyük nedeni, Koç Üniversitesi'nin öğrenci odaklı ve hedefe yönelik eğitim felsefesidir. Bunun yanısıra üniversitem kendimi geliştirmem için birçok akademik ve sosyal imkânlar sağladı. Ayrıca staj yaparak deneyim kazandım. Bundan dolayı, Koç Üniversitesi'ndeki öğrencilik hayatımın her dakikasını bugün gibi hatırlayacağım.

www.turkiyeogrencigorusu.tr

İsimsiz Öğrenci – Oxford Üniversitesi, hala öğrenci

Oxford Üniversitesi, Edebiyat fakültesinden bu ay mezun olacağım. Buradaki eğitim metotları Fransa'ya göre çok farklı. Oxford Üniversitesi'nde hala eski gelenekler devam ediyor ve bu durum zaman zaman İngiltere'nin dışından gelen öğrencilere biraz tuhaf geliyor. Ayrıca, Fransa'ya göre burada yaşamak oldukça zor. Yurt fiyatları ve üniversite harcı çok yüksek. Benim için bu durum problem değil çünkü bursum var. Oxford Üniversitesi bir kütüphane cenneti gibidir, bundan dolayı burasını çok seviyorum. 100'den fazla kütüphanesi var. Bunun yanısıra çok ünlü mezunları vardır.

1 Kerem'e göre Koç Üniversitesi öğrencilerine çok sayıda sosyal olanaklar sunuyor. D / Y
2 Kerem'e göre Koç Üniversitesi öğrenci odaklı bir kurum. D / Y
3 Kerem'e göre Koç Üniversitesi hem akademik hem de sosyal imkanlar sağladı. D / Y
4 İsimsiz öğrenciye göre Oxford Üniversitesi Fransa'daki üniversitelere benziyor. D / Y
5 İsimsiz öğrenci Oxford Üniversitesi'ni kütüphanelerinden dolayı çok seviyor. D / Y
6 Oxford Üniversitesi'nden ünlü kişiler de mezun oldu. D / Y

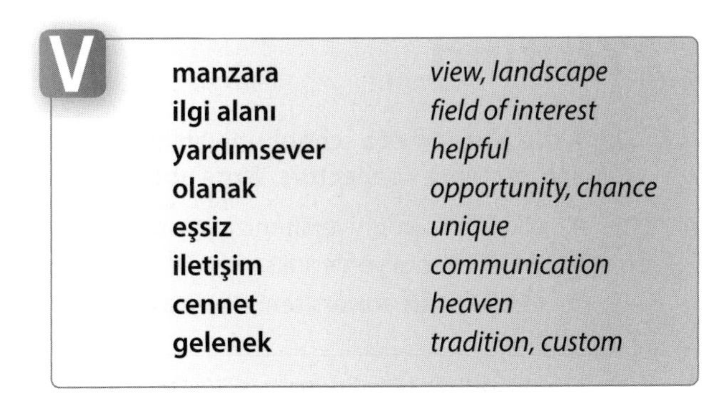

manzara	*view, landscape*
ilgi alanı	*field of interest*
yardımsever	*helpful*
olanak	*opportunity, chance*
eşsiz	*unique*
iletişim	*communication*
cennet	*heaven*
gelenek	*tradition, custom*

I Find the postpositional phrases and the sentence connectors in the Reading.

		Postpositional phrases	Sentence connectors
a	Susan Jones – Boğaziçi Üniversitesi, hala öğrenci		
b	Kerem Tunç – Koç Üniversitesi, 2013 Mezunu		
c	İsimsiz Öğrenci – Oxford Üniversitesi, hala öğrenci		

Writing

J Write a review of a school/university you have been to. Try to use postpositional phrases and sentence connectors. Write about 100–120 words.

- Okulunuzun/üniversitenizin olumlu ve/veya olumsuz tarafları nedir?
- En çok hangi yönlerini sevdiniz/ seviyorsunuz?
- Okulunuzu/ üniversitenizi başka adaylara önerir misiniz?

Self-check

Tick the box which matches your level of confidence.

1 = very confident   2 = need more practice   3 = not confident

Aşağıdaki kutuları yeterlilik düzeyinize göre işaretleyin.

1 = çok yeterli   2 = daha çok alıştırma lazım   3 = yetersiz

	1	2	3
Use prepositions			
Use postpositional phrases to form complex sentences			
Can understand fairly complex texts about education (CEFR B1)			
Can write an informative text (review) and express opinion (CEFR B1)			

Nerede yiyelim?

Where shall we eat?

In this unit you will learn how to:

- Express possibilities and abilities to do things
- Use imperative, optative and modality forms in complex sentences

CEFR: Can understand complex texts about food and drink (B1); Can write an informative text (review) expressing opinion (B1).

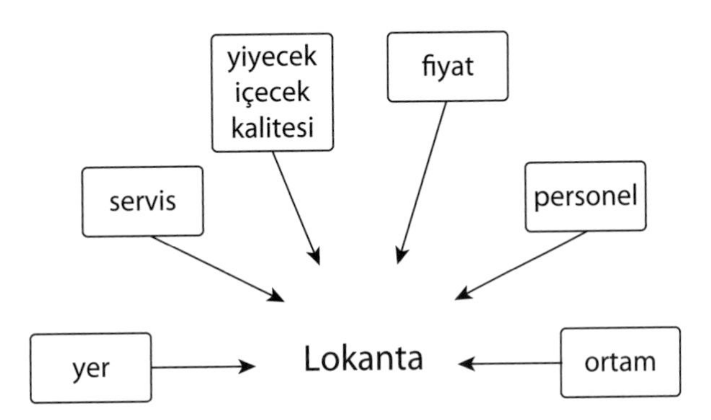

Meaning and usage

The optative

This form of the verb indicates not an action in itself but a wish or an intention for an action to happen. The optative is most commonly used in the general meaning of *let me / let's/ I'd better / we'd better* with the first person singular and plural forms.

Ben önden **gideyim**, siz sonra gelirsiniz. (*Let me go ahead, you (can) come later.*)

Cumartesi akşamı için lokantada masamızı hemen **ayırtalım**, sonra yer bulamayız. (*We'd better book our table in the restaurant at once for Saturday night, we won't find a table (lit. seats) later.*)

Bu akşam köşedeki dönerciye **gidelim**, sen yemek yapmakla uğraşma. (*Let's go to the kebab shop on the corner, (so) you don't need to bother cooking tonight.*)

Garsona çayım açık **olsun** dedim ama koyu getirdi. (*I told the waiter that my tea should be weak, but he brought a strong one.*)

Hasan'a **söyleyelim** partimize gelirken biraz daha bardak **getirsin**, evdeki bardaklar 20 kişiye yetmeyecek. (*Let's tell Hasan to bring a few more glasses when he comes to our party, the glasses that we have at home won't be enough for 20 people.*)

Seninle yarın kahve içmek için sabah 11'de alışveriş merkezinin önünde **buluşalım** mı? (*Shall we meet in front of the shopping centre at 11 o'clock tomorrow morning to have coffee?*)

Çocuklar bu yemeği **yemesinler**, onlar için çok acı. (*The children shouldn't eat this dish, it is too spicy for them.*)

How to form the optative

1 **-(y)E** suffix is added directly to a verb base to form the optative. Its variations are **-ye, -ya** after vowels and **-e, -a** after consonants. The optative takes a special set of person endings as listed below:

Verb base	Optative suffix	Person ending	Examples	
söyle / yap	-(y)E -(y)e,(y)a	-(y)Im	söyle-ye-**(y)-im**	yap-a-**(y)-ım**
		-sIn	söyleye**sin**	yapa**sın**
		-sIn	söyleye / söyle**sin**	yapa / yap**sın**
		-lIm	söyleye**lim**	yapa**lım**
		-sInIz	söyleye**siniz**	yapa**sınız**
		-lEr / -sInlEr	söyleye**ler** / söyle**sinler**	yapa**lar** / yap**sınlar**

2 When forming a negative sentence with the optative, the negative ending **-me/-ma** comes directly after the verb base and before the optative:

Diğer masaları rahatsız etmemek için lokantada yüksek sesle **konuşmayalım**. (*Let's not talk loudly so as not to disturb other tables in the restaurant.*)

Yemekten sonra kahve **içmeyelim**, bitki çayı içelim. (*Let's not have coffee after dinner, let's have herbal tea.*)

3 Questions in optative are formed by adding the question particle **-mI** after the optative ending.

Alışverişleri bitince bize çaya **gelsinler mi?** (*Should they come over to us for tea when their shopping is over (lit. finished)?*) (*it is suggested that they come*)

Alışverişe gidiyorum, sana bir şey **alayım mı?** (*I am going shopping, should I get you anything?*)

4 The most frequent use of the optative is with the first person singular and plural forms. It is seldom used with the second person singular and plural forms, speakers opting to use the imperative form instead. The third person singular and plural form of the optative is formed either with just the optative ending or with no personal ending following it. This usage is restricted to special situations and some dialects and expresses a wish or an expectation.

Kuraklık çok uzadı, yağmurlar bir başlaya… (*The drought has lasted a long time, if only the rains start…*) (*inferring if only the rain would come*)

5 The more frequent use in the third person singular or plural form is to add the ending **-sIn** directly to the verb base without the optative ending.

Denize gir**sin**ler ama güneşte oturmasınlar. (*Let them go in the sea, but not sit in the sun.*)

Ayşe'ye söyle, geç kalma**sın**. (*Tell Ayşe not to be late.*) (*so she may not be late*)

There are commonly used set expressions formed in this way:

Afiyet olsun. (May it be good.)

(*used at the start of a meal almost like signalling that people can start eating or, in response when someone thanks you when they have eaten your offering*)

Kolay gelsin. (May it be easy.)

(*when someone has embarked on a difficult task*)

Bereket versin. (May it be bountiful.)

(*you may hear this when you buy something and pay for it*)

Allah korusun. (May God protect.)

Geçmiş olsun. (May it be over.) (*used for someone who is ill or had an accident, a mishap*)

A Complete the sentences using the optative.

1 Mert'in sabahları enerjisi çok düşük, taze meyve suyu (içmek)_______________.
2 Bu günlerde çok kilo aldım, kalorisi yüksek şeyler (yemek) _______________.
3 Arkadaşlar siparişi lütfen hemen (vermek) ____________ ? Çok açım.
4 Ocağın altını biraz kıs, yemek (yanmak) _______________.
5 Misafirler yarım saat sonra geliyor, Ece'ye söyle sofrayı (kurmak) _______________.
6 Haydi hep beraber sağlığımıza kadeh (kaldırmak) _______________.
7 Seminere katılmak için (söz vermek)_______________ ama denerim
8 Onlar yarın beni mutlaka (görmek) _______________.

Past form of optative -(y)E+(y)DI

When the optative is used to indicate a wish or a desire for an action to have happened in the past, it expresses regret for something that has not been realized. This is a very colloquial use and speakers often tend to use the conditional form instead.

Önceden düşün**eydi** bu hatayı yapmazdı. (*Had he thought about it, he wouldn't have made this mistake.*)

Keki yaparken tarife tam uy**aydı**, sonuç daha güzel olabilirdi. (*Had he followed the recipe properly while making the cake, the result could have been better.*)

B Match the situations with the suggestions.

Situations

1 Ayşe'nin midesi bozuk.
2 O çok şarap içti.
3 Sütü dışarda bırakmayaydım.
4 Bu bar çok kalabalık ve gürültülü.
5 Zengin olaydı.
6 Kızımız mezun oldu.
7 Kerem'e doğum günü için ne alalım?
8 Yeni bir vejeteryan lokantası açıldı.

Suggestions

a Her akşam değişik bir lokantada yerdi.
b Yemek yapmayı seviyor, yemek kitabı alın.
c Şampanya ile kutlayalım.
d Bu akşam deneyelim mi?
e Şimdi kahveye sütümüz olurdu.
f Ona ilaç alalım.
g Sakin bir yer bulalım.
h Araba kullanmasın.

Meaning and usage

-(Y)Ebil: *can, to be able to, may*

1 Turkish does not have separate words to express possibility. The -(y)Ebil suffix is used for this purpose to express what *can/cannot or may/may not be done.*
The variations of -(y)Ebil are -yebil, -yabil after vowels, and -ebil, -abil after consonants. It is always followed by a tense suffix.

2 Although the **-(y)Ebil** form can be used with different tenses, it is most often used with the aorist.

Bu akşam 3 kişi 2 şişe şarap içtik, hesap biraz yüksek tutabilir. (*Tonight we drank two bottles of wine between three of us, the bill may turn out to be rather high.*)

Siz yemeğinizi yiyin beni beklemeyin, bu akşam eve geç gelebilirim. (*Do not wait for me to eat your dinner; I may be back late tonight.*)

Pizzamı soğansız yapabilir misiniz lütfen? (*Can you please make my pizza without onions?*)

3 When used with the present continuous, its meaning does not change and it still means *can/ able to/may.*

Ali yemek yapmayı bilmezdi, yemek kursuna gitti, şimdi çok güzel yemekler yapabiliyor. (*Ali didn't know how to cook, but he went on a cookery course and now he can make very good dishes.*)

4 When used with the future tense, its meaning changes to an ability or opportunity that you will acquire in the future i.e. will be able to but currently cannot.

Oya o lokantada çok uzun saatler çalışıyor, işini bırakınca çocuklarıyla daha çok vakit geçirebilecek. (*Oya works long hours at that restaurant, when she quits her job she will be able to spend more time with her children.*)

5 When used with the aorist + past tense its meaning changes to a possibility that could have happened but was not realized.

Gül çok iyi bir ahçı olabilirdi ama ailesi desteklemedi. (*Gül could have been a great chef but her family did not support her.*)

How to form possibility with different tenses

When used with different tenses the order is **verb base + (y)ebil/-(y)abil + tense+ personal ending.**

Verb	-(y)Ebil/	Tenses	Examples / personal endings
gel		Aorist	Ben gelebilirim. *I am able to / can come.*
		Present Continuous	Sen gelebiliyorsun. *You are able to / can come.*
		Future	O gelebilecek. *He will be able to / can come.*
		Past	Biz gelebildik. *We were able to / could come.*
		Aorist+Past	Siz gelebilirdiniz. *You could have come.*

C Look at the examples. How would you say the last two questions in Turkish?

Examples: *Can you bring the bill please?* Hesabı getirebilir misiniz lütfen?

May I have the menu please? Menüyü alabilir miyim lütfen?

1 *Could you please bring olive oil for my salad?*

____

2 *May I have some parmesan cheese, please?*

____

Impossibility

-(y)EmE (a combination of -(y)E and the negative suffix –mE):

Remember before the present continuous tense -(I)yor the negative suffix -**me** in -(y)**EmE** becomes **mi** or **mı.**

Çok sipariş verdik galiba ama bu lokantanın yemeklerine dayan**amı**yorum. (*Perhaps we ordered a lot, but I cannot resist this restaurant's dishes.*)

Bu menünün yazıları çok küçük, gözlüksüz oku**yama**dım, benim için okuyabilir misin lütfen? (*The writing on this menu is very small, I couldn't read it without my glasses – can you read it for me please?*)

Teoman mükemmel bir ahçı, kimse onunla yarış**ama**z. (*Teoman is a fantastic cook, no one can compete with him.*)

Verb	-(y)eme/-(y)ama	Tenses	Examples / personal endings
yap		Aorist	Ben yapamam. *I cannot do it.*
		Present continuous	Sen yapamıyorsun. *You are not able to do it.*
		Future	O yapamayacak. *He will not be able to do it.*
		Past	Biz yapamadık. *We couldn't / were not able to do it.*
		Aorist+Past	Siz yapamazdınız. *You could not / would not have been able to do it.*

D Complete the sentences using -(y)Ebil or – (y)EmE.

1 Hafta içinde (yapmak) ___________ ama lokantanın stoklarını hafta sonunda (kontrol etmek)___________, vaktim var.
2 Bugün çok kahve içtin, gece uykun (kaçmak) __________.
3 Gluten alerjisi var, bu tatlıyı (yemek) _____________.
4 Aylin'in acil bir işi çıktı, akşamki partiye (katılmak)___________.
5 Bu dükkanda çok çeşit var, içeceklerinizin hepsini oradan (almak) __________.
6 Yaşım 17, henüz barda içki (içmek) ________________.

Impossibility

-(y)EmE + (y)Ebil: *may not be able to, may not be possible to*

Sekiz kişi için grup indirimi alamayabilirim. (*I may not be able to get a group discount for eight people.*)

Bu yemek çok acılı ve tereyağlı, kayınvalidem hazmedemeyebilir. (*This meal is very spicy and buttery, my mother-in-law may not be able to digest it.*)

Bu et küçük çocuklar için çok sert, çiğneyemeyebilirler. (*This meat is too tough for young children, they may not be able to chew it.)*

-mEyEbil: *may not*

Kaymaklı kadayıf perhizin için iyi fikir olmayabilir. (*Kadayıf with clotted cream may not be a good idea for your diet.*)

Timur çok iyi bir ahçı, senin yemeğini beğenmeyebilir. (*Timur is a very good chef, he may not like your meal.*)

E Write the correct verb for each sentence using the - (y)EmE +(y)Ebil, -mEyEbil forms. Use the phrases at the end of the sentence to help you.

becermek	yetişmek	seçmek	istemek
almak	gelmek	soğumak	yürümek

1 Teyzemin boyu çok kısa, üst raftaki tabaklara __________________. (*may not be able to*)
2 Orhan ile Bahar'ın arası iyi değil, Orhan partiye _________________. (*may not*)
3 Annesinden yemek yapmayı yeni öğrendi, henüz sufle yapmayı_____________. (*may not be able to*)

4 Şarabı siz seçin. Biz iyi şarap _______________ çünkü pek içmeyiz. (*may not be able to*)
5 Dedemin bacakları ağrıyor, arabayı lokantaya daha yakın park edelim, uzun mesafe _______________. (*may not be able to*)
6 Maalesef işten geç çıkacağım. Ayşe'nin doğum günü pastasını _______________, Emre sen alabilir misin? (*may not be able to*)
7 Osman vejeteryan. Bizimle et lokantasına gitmek _______________, başka bir lokanta seçelim. (*may not*)
8 Beyaz şarabı buzdolabına yemek saatinden biraz önce koydum, _______________. (*may not*)

Vocabulary

F **From the menu, complete the table with the dishes each person can and cannot eat, according to their dietary requirements.**

Three friends are going to a restaurant in a touristic area in Turkey that serves traditional homemade dishes, however they all have special dietary requirements.

Bir Pesketeryan; süt ürünleri, yumurta ve balık yiyebiliyor. (*There is one pescatarian; can eat dairy products, eggs and fish.*)

Bir Vejeteryan; süt ürünleri ve yumurta yiyebiliyor. (*There is one vegetarian; can eat dairy products and eggs.*)

Bir Vegan; hayvan eti (balık dahil) ve hayvansal temelli hiç bir gıda yemiyor. (*There is one vegan; does not eat meat, fish, poultry or any animal-based products.*)

	Vegan		Vejeteryan		Peskateryan	
	Yiyebilir	Yiyemez	Yiyebilir	Yiyemez	Yiyebilir	Yiyemez
Başlangıçlar						
Ana yemek						
Tatlı						

As soup is liquid in texture the verb **içmek** (to drink) *is used to describe how it is eaten.*

Mercimek çorbası nefisti, iki kase içtim. (The lentil soup was superb, I had (lit. drank) two bowls.)

MENÜ

BAŞLANGIÇLAR:	*(Starters)*
Mercimek çorbası	*(Made with lentils, carrots, onions, butter)*
Yoğurtlu patlıcan salatası	*(Grilled aubergine puree with tahini, yoghurt, olive oil and garlic)*
Balık çorbası	*(Boiled mackerel, onions, carrots, potatoes, butter and garlic) This dish is very spicy.*
Dolma	*(Homemade stuffed vine leaves with rice, sultanas and fresh herb.)*
ANA YEMEKLER:	*(Main Dishes)*
Izgara köfte- pilav	*(Grilled meatballs seasoned with parsley and herbs, served with rice)*
Patatesli patlıcan	*(Aubergines cooked with potatoes, red and green peppers, in a fresh tomato sauce with garlic. All topped with yoghurt)*
Levrek buğulama	*(Sea bass steamed with tomatoes, lemon, potatoes, garlic and carrots, with olive oil and white wine).*
Karışık deniz ürünleri yahnisi	*(Mixed seafood cooked with mushrooms, spring onions, tomatoes and peppers in a double cream sauce).*
Tavuk çöp şiş	*(Small skewers of marinated chicken cubes with green and red peppers and onion served with fries)*
Etsiz türlü	*(Layers of aubergines, potatoes, okra, carrots, onions, fresh tomatoes)*
TATLILAR:	*(Desserts)*
Ayva tatlısı	*(Quince poached in syrup served with clotted cream)*
Baklava	*(Made with sheets of filo pastry which is made without eggs, and is layered with nuts and sweet syrup)*
Kabak tatlısı	*(Pumpkin poached in syrup and served with crushed walnuts)*

G Match the Turkish words with the English.

1	sebze	**a**	walnuts
2	çorba	**b**	steamed
3	patlıcan	**c**	sea bass
4	köfte	**d**	mixed
5	levrek	**e**	starters
6	ızgara	**f**	grilled
7	buğulama	**g**	soup
8	karışık	**h**	aubergine
9	ceviz	**i**	vegetable
10	başlangıçlar	**j**	meatballs

Reading

H Read the first paragraph of the following restaurant review and answer the question.

Bir lokantayı değerlendirirken en önemli kriterler nelerdir? ________________

YEMEK KRİTİĞİ YAZARI AHMET ÇALIŞKAN "BAŞKA BALIK" LOKANTASINI DEĞERLENDİRİYOR

Bir lokantayı değerlendirirken yemeğin ve içeceğin kalitesi kadar yer, ortam, temizlik, servis, personel ve fiyatın kaliteyi yansıtması da belli başlı kriterlerdir. Geçen akşam yeni açılan 'Başka Balık' lokantasına gittim. Gelin sizinle bu lokanta bu kriterlere ne kadar uyuyor bakalım.

I Now read the rest of the review and answer the questions.

Yer; çok güzel, ulaşım kolay. Geniş bir park yeri var, arabamızı rahatça park ettik. Girerken duyduğumuz bu rahatlık içerde de devam etti.

Ortam; çok güzeldi, her taraf tertemizdi. Masalar birbirine doğru uzaklıkta duruyordu. Yanınızdaki masadakilerin konuşmalarını duyacak kadar yakın masa düzeni rahatsız edici olabiliyor. Hafif tonda, sözsüz bir müzik çalıyordu. Denize karşı oturduğumuz masada arkadaşımla sohbet ederek yemeğimizi yiyebileceğimize inanmaya başladım.

Servis; hızlıydı. Çatal bıçak ve tabaklar yemeklere uygun ve temizdi. Yemekler arasındaki zamanı daha iyi ayarlayabilirlerdi. Mezeler ve içecekler çabuk geldi ama ana yemeği biraz bekledik.

Garsonlar; temiz, güler yüzlü ve samimiydi ama sipariş verirken sürekli karışmayabilirlerdi.

Yiyecekler; son derede tazeydi. Soğuk mezeleri daha iyi olabilirdi. Patlıcan salatasının sarımsağı daha az olabilirdi. Sıcak mezeler genelde iyiydi. Ispanaklı börek biraz kuruydu, biraz daha yağ koyabilirlerdi. Ana yemek doyurucuydu. Balık çok iyi pişmişti ve sosu çok lezzetliydi.

İçecekler; şarap çeşidi azdı. Daha çok çeşit sunabilirler. İçki fiyatlarını daha düşük tutabilirler. Maalesef pek çok lokantada içki fiyatı yemeğe oranla çok yüksek.

Yemekten sonra ikram olarak sıcak tahin helvası geldi. Helva çok güzeldi, üstüne tarçın koyup servis etmişlerdi, ben de evde deneyebilirim. Fiatlar genel olarak kaliteye göre biraz pahalıydı.

Güzel bir ortamda, temiz, hızlı bir servisle çok taze yiyecekler ve lezzetli balık yiyebileceğiniz şirin bir lokanta. Gönül rahatlığıyla tavsiye edebilirim. Gidin, deneyin!

1 Yakın masa düzeni neden rahatsız edici olabiliyor?

____

2 Yemekler arasındaki zamanda sorun neydi? Ne yapabilirlerdi?

____

3 Soğuk mezeler nasıldı?

____

4 Ispanaklı börek nasıl daha iyi olabilirdi?

____

5 İçeceklerdeki problem neydi?

____

6 Yazar lokantayı neden tavsiye ediyor?

____

Writing

J Write a short review about a restaurant recommending it to others. Include the main criteria from the Reading. Write about 100–120 words.

____

____

____

____

____

____

____

____

____

____

Self-check

Tick the box which matches your level of confidence.

1 = very confident 2 = need more practice 3 = not confident

Aşağıdaki kutuları yeterlilik düzeyinize göre işaretleyin.

1 = çok yeterli 2 = daha çok alıştırma lazım 3 = yetersiz

	1	2	3
Express possibilities and abilities to do things			
Use imperative, optative and modality forms in complex sentences			
Can understand complex texts about food and drink (CEFR B1)			
Can write an informative text (review) expressing opinion (CEFR B1)			

Bu ürün daha iyiymiş

This product is apparently better

In this unit you will learn how to:

- Use the reported past tense
- Use the past perfect tense
- Use comparative and superlative forms

CEFR: Can understand an informational website about consumer rights and product complaints (B2); Can write an online complaint about a product (B1).

Meaning and usage

The reported past tense

1. There are two past tenses in Turkish: the simple past tense and the reported past tense. The reported past tense expresses a past action that has not directly been experienced or witnessed by the speaker; thus the speaker has no first-hand knowledge of the event and just reports about it.

   This tense is also used for narration and inference and is called the narrative, inferential, dubitative or evidential past tense respectively.

2. In English there is no equivalent tense for the Turkish reported past tense; so, in English, the simple past tense or present perfect tense along with adverbs such as *apparently*, *supposedly*, *actually*, *reportedly*, *allegedly* or phrases such as *I've heard that*, *It's been reported that*, *We understand that* can be used.

3 It is used in narration such as short stories, fairy tales, and jokes.

4 This tense is used to transfer actions reported by the speaker into indirect speech.

Ali: Bu yeni cep telefonu gerçekten çok satıyor. (*This new mobile phone is really selling a lot.*)

Ayşe (reporting to her friend): Bu yeni cep telefonu çok satıyor**muş**. (*I have heard that this new mobile phone is apparently selling a lot.*)

5 Actions inferred from the context.

Vitrin değiş**miş**. Herhalde yeni ürünler gel**miş**. (*The window display has changed. Supposedly, new products have arrived.*)

6 Actions realized by the speaker later or suddenly.

Çok yorgundum, koltukta otururken uyu**muşum**; telefon çalınca uyandım. (*I was very tired (and) apparently fell asleep whilst sitting in the armchair; I woke up when the phone rang.*)

Saat beşte buluşacaktık ama unut**muşum**. (*We were to meet up at five o'clock but apparently I forgot.) (I realized that I forgot.)*

7 **-mIş olmak**
-mIş is also used with the verb olmak *to be* giving a sense of present perfect or past perfect and other time references depending on what tense olmak is used in:

Bu haberi ilk önce senden duy**muş oldum**. (*I have come to hear this news for the first time from you.*)

Noel'den bir kaç hafta önce bütün hediyeleri al**mış olacağım.** (*I shall have bought all the presents a few weeks before Christmas.*)

Siz gelinceye kadar biz ye**miş oluruz**. (*We'll have eaten by the time you come.*)

Onlar bize siyasi gelişmeleri anlatınca ülkenin durumunu iyice anla**mış olmuştuk**. (*When they explained the political developments to us, we had a better understanding of the state of affairs in the country.*)

8 **-mIş + -DIr**
The combination of -mIş + -DIr indicates an assumption or a guess on the part of the speaker. However, it can also imply a factual certainty.

Orhan'ın uçağı beş saat önce havalandı, şimdi İstanbul'a var**mıştır**. (*Orhan's plane took off five hours ago; it must have arrived in İstanbul by now.*) (The speaker assumes with great certainty that the plane has landed and Orhan is in Istanbul.)

Note that the person endings come after -mIş and before -DIr.

Bunu sana mutlaka söylemiş**im**dir ama herhalde unuttun. (*I must have told you this for sure, but probably you forgot.*)

Siz daha önce bu ürünü duymuş**sunuz**dur. Çok tercih ediliyor. (*You must have heard about this product. Many people have preferred it.*)

Note that the negative ending **-mE** comes before **-mIş**.

Orhan Pamuk'un son romanını oku**ma**mışsındır, kitapçıda görünce sana aldım. (*I guess you haven't read Orhan Pamuk's latest novel; when I saw it in the bookshop I bought it for you.*)

Şehirlere göre en çok satan ürün çeşitleri araştırmada belirtil**me**miştir. (*The very best selling products in accordance with the cities (they are sold in) are not provided in the research.*)

Certain common nouns and adjectives are formed with the -mIş suffix;

dolmuş (*shared taxi*)
kızarmış (*fried/toasted*)
kızarmış patates ((*fried*) *chips*)
kızarmış ekmek (*toasted bread*)
gelişmiş (*developed*)
ödenmiş (*paid*)
tanınmış (*well-known*)
geçmiş (*past*)

How to form the reported past tense

	Reported past tense -mIş			
	Affirmative	**Negative**	**Affirmative question**	**Negative question**
ben	görmüşüm	görmemişim	görmüş müyüm?	görmemiş miyim?
sen	görmüşsün	görmemişsin	görmüş müsün?	görmemiş misin?
o	görmüş	görmemiş	görmüş mü?	görmemiş mi?
biz	görmüşüz	görmemişiz	görmüş müyüz?	görmemiş miyiz?
siz	görmüşsünüz	görmemişsiniz	görmüş müsünüz?	görmemiş misiniz?
onlar	görmüş(lEr)	görmemiş(lEr)	görmüşler mi?	görmemişler mi?

-MIş can be added to other tenses and modality forms. Remember the order is as follows:

Verb + Negative form + modality + tense + mIş

Ali gel	-ir	-mIş	gelir**miş**	*Apparently*	*Ali might come.*
	-ebilir		gelebilir**miş**		*Ali will be able to come.*
	-meyebilir		gelmeyebilir**miş**		*Ali might not be able to come.*
	-iyor		geliyor**muş**		*Ali is coming.*
	-ecek		gelecek**miş**		*Ali is going to come.*
	-meyecek		gelmeyecek**miş**		*Ali is not going to come.*
	-di/ miş		gel**miş**		*Ali has come / arrived.*

A This is a **fıkra** (joke) of Nasrettin Hoca. Complete with the -mIş form.

Eşeğinin kaç ayağı var!

Nasreddin Hoca bir gün evine giderken, bir adam (1)____________ (sormak):

'Hoca Efendi, eşeğinin kaç ayağı var?'

Hoca (2)____________ (inmek), eşeğinin ayaklarını bir bir kontrol ettikten sonra:

'Dört ayağı var' (3) ____________ (demek).

Köylüler, 'Hocam' (4)____________ (demek), 'Eşeğinin kaç ayağı var, bilmiyor muydun? Neden saydın?'

Hoca (5) ____________ (gülümsemek)

'Biliyordum ama dün akşamdan beri saymadım. Birisi (6)____________(çalmak) mı diye tekrar saydım.' (7) ____________ (demek).

Who is Nasrettin Hoca? Search for another Nasrettin Hoca fıkra.

Meaning and usage

The past perfect tense

The past perfect in Turkish is formed by combining -mIş and -DI endings together:
Uçak biletimi al**mıştım** ama hastalanınca iptal ettim. (*I had bought my plane ticket but when I became ill, I cancelled it.*)

Alışveriş yap**mıştım** ama peynir almayı unutmuşum. (*I had done the shopping but apparently I forgot to buy cheese.*)

Bu konser biletleri için çok para ver**memiştik** ama yerimiz çok iyiydi. (*We hadn't paid a lot of money for these concert tickets but our seats were very good.*)

How to form the past perfect tense

	Past perfect tense -mIş + DI			
	Affirmative	**Negative**	**Affirmative question**	**Negative question**
ben	gitmiştim	gitmemiştim	gitmiş miydim?	gitmemiş miydim?
sen	gitmiştin	gitmemiştin	gitmiş miydin?	gitmemiş miydin?
o	gitmişti	gitmemişti	gitmiş miydi?	gitmemiş miydi?
biz	gitmiştik	gitmemiştik	gitmiş miydik?	gitmemiş miydik?
siz	gitmiştiniz	gitmemiştiniz	gitmiş miydiniz?	gitmemiş miydiniz?
onlar	gitmişlerdi	gitmemişlerdi	gitmişler miydi?	gitmemişler miydi?

IMIŞ reported form of *to be*

The past tense of '*to be*' is **idi** and it is mostly used in its suffix form **-(y)DI.**

Dün bütün gün evde**ydim** çünkü hasta**ydım**. (*I was home all day yesterday because I was ill.*)

Similarly the reported past of *to be* is **imiş / -(y)mIş** and it is mostly used as a suffix.

Kasım'ın sonuna geldik ama Kaş'ta hava çok güzel**miş**, herkes denize giriyormuş. (*We have come to the end of November but apparently the weather in Kaş is very good (and) everyone is going in the sea.*)

Balkonun cam kapısı kapalı**ymış**, çocuk koşarak gelirken görmeyince kapıya çarpmış. (*The glass door of the balcony was apparently closed (and), when the child did not see it whilst running, she apparently hit the door.*)

Please remember that **idi** *and* **imiş** *can be written separately but it is less common nowadays.*

B Using the -mIş and -(y)mIş forms, translate the sentences into English and indicate which usage of the form it is (1 completed action, 2 reported action, 3 actions realized by the speaker later or suddenly, 4 past perfect).

1 Çocukken kardeşim çok akıllıymış.

2 Bugün Elif'in doğum günü. Mehmet hediyeyi almış mı?

3 Dün seni aradım ama evde değildin. Annenle konuştum, alışverişteymişsin.

4 Yarın mağazaya o yeni telefon modeli gelecekmiş.

5 Arkadaşım bir şeyi almadan önce en az 5 mağazaya gidermiş.

6 Bu çanta ne kadar dayanıklıymış, hiç beklemiyordum.

7 Dün yeni alışveriş merkezinde cüzdanımı kaybetmişim.

8 Takıyı almadım çünkü benzer bir tanesini geçen hafta almıştım.

Meaning and usage

The comparative

1 The word **daha** is used to indicate *more, -er* in English and modifies the following word. It can function both as an adjective or an adverb.

daha güzel	*more beautiful*	daha pahalı	*more expensive*
daha ucuz	*cheaper*	daha kullanışlı	*more practical*
daha rahat	*more comfortable*	daha güncel	*more topical*
daha avantajlı	*more favourable*	daha sağlam	*more robust*

2 When two objects are compared, the object of comparison takes the suffix **-DEn** meaning *than* in English. Sometimes **daha** can be omitted still implying a comparison.

Bu şirket sigorta alanında diğerlerin**den daha** ünlü. (*This company is more well-known than others in the field of insurance.*)

Benim cep telefonum kardeşimin telefonun**dan daha** yeni. (*My mobile phone is newer than my brother's phone.*)

Bu ürünün ambalajı diğerin**den** (daha) sağlam. (*This product's packaging is more robust than the other.*)

C Complete the sentences with a word from the box in the comparative form.

rahat	dayanıklı	yaygın	~~hesaplı~~	yaratıcı

Example:

Bu üründe kampanya var. İki tane alabiliriz, daha hesaplı.

1 Tüketiciler artık____________ alışveriş yapmak istiyorlar. Onun için evden çıkmadan internetten alışveriş yapıyorlar.
2 Markalı ürünler her zaman ____________ olmayabilir. Onlar da hızlı eskiyebilir.
3 Herkes teknolojiyi ____________ olarak kullanıyor çünkü herkesin akıllı telefonu var.
4 Şirketler ürünlerini satmak için her gün ____________ yöntemler kullanıyorlar.

3 A degree to the comparison can be given:

Daha	*more*	daha az	*less*
çok daha	*much more*	çok daha az	*much less*
biraz daha	*a little more*		

Türkçem çok iyi değil, **daha yavaş** konuşur musunuz? (*My Turkish is not very good, would you speak more slowly?*)

Özür dilerim anlayamadım. **Biraz daha yavaş** söyleyin lütfen. (*I am sorry, I couldn't understand. Say it a little more slowly, please.*)

Mert bizden **çok daha hızlı** yürüyor, ona yetişmek için adeta koşuyorum. (*Mert is walking much faster than us, I almost (have to) run to catch up with him.*)

The superlative

1 Superlatives are formed by using the word **en** in front of the word modified to indicate *most, -est* in English.

en güncel	*most up to date*	en yaygın	*most common*
en gelişmiş	*most developed*	en faydalı	*most useful*
en dayanıklı	*most durable*	en ilginç	*most interesting*
en basit	*easiest*	en popüler	*most popular*
en pratik	*most practical*	en karmaşık	*most complex*

Osman cep telefonu seçerken **en son** model yerine **en pratik** modeli tercih ediyormuş. (*When choosing a mobile phone, Osman apparently prefers (to get) the most practical model instead of the latest (model).*)

En pahalı model kahve makinasının hatalı çıkmasına inanamamışsındır. (*I am sure you wouldn't believe that the most expensive make (lit. model) of coffee machine turned out to be defective.*)

Elektronik bir alet almadan önce **en ince** ayrıntısına kadar incele. (*Before you buy an electronic device, you must study it to the minutest detail.*)

2 Sometimes superlative forms are used within a certain group describing it as the best/worst of that specific group. In this case usually **-(n)In** genitive form or **-DEki** forms are used.

Dünya**nın** en uzun nehr**i** Nil Nehridir. (*The world's longest river is the Nile.*)

Dünya**daki** en uzun nehir Nil Nehridir. (*The longest river in the world is the Nile.*)

Bu ürün piyasa**nın** en gelişmiş telefon**u**dur. (*This product is the most advanced in the market.*)

Ayşe şirket**in** en başarılı eleman**ı**dır. (*Ayşe is the most successful employee in the company.*)

Bütün ürünler **arasında** en pahalı bilgisayar bu. (*This is the most expensive computer among all the products.*)

D Look at the product descriptions for the three backpacks. Write sentences using the prompts and use the comparative / superlative forms (-DEn daha, en) and make the necessary changes.

		A 150 TL	B 199 TL	C 249 TL
1	Ürün numarası	1169	1141	1175
2	Ürün tipi	Sırt Çantası	Sırt çantası	Ultrabook Sırt çantası
3	Genişlik	30 cm	29 cm	35 cm
4	Yükseklik	40 cm	44 cm	46 cm
5	Derinlik	18 cm	22 cm	14 cm
6	Ağırlık	650 g	600 g	1kg
7	Renk	gri, siyah	turuncu, mavi, yeşil	gri, kahverengi
8	Bölümler	1 bölüm ve ön cep	2 bölüm, yan cep	3 bölüm, 2 yan cep
9	Ürün garantisi	2 yıl	1 yıl	1 yıl
10	Özel nitelikler	Fermuarlı ön cep ile ana bölme, Konforlu tutuşa destek verici ince askı yapısı, günlük kullanıma uygundur.	Özellikle bisikletçiler, patenciler, scooter kullanıcıları ve yürüyüş yapanlar için uygundur.	Tablet ve PC bölmesi, tüm aksesuarlarınız için fermuarlı ön bölüm, Pedli sırt tasarımı ile kullanım konforu, ayarlanabilir omuz askıları ve el askısı, üniversite öğrencileri ve iş seyahatleri için uygundur.

Example: A ürünü / B ürünü / geniş

A ürünü B ürününden daha geniş.

1 A ürünü / B ürünü / ucuz. C sırt çantası / aralarında / pahalı / sırt çantası

____

2 A ürünü genişliği / B ürünü genişliği/ büyük ama C ürünü/ geniş sırt çantasıdır

____

3 A sırt çantası / C sırt çantası/ hafif. Ama B sırt çantası aralarında / hafif

____

E Look at the chart and complete with the correct comparative and superlative forms.

1 A sırt çantasında sadece bir bölüm var. Ancak _________ çok bölüm C sırt çantasında var.
2 B ve C ürünün sadece bir yıl garantisi var. Aralarında _________ uzun garanti A ürünündür.
3 C sırt çantasının yüksekliği A sırt çantasınınkinden _________ yüksek.
4 Öğrenciler ve çok seyahat edenler için _________ uygun sırt çantası C üründür.
5 C sırt çantası, A ve B sırt çantalarından _________ pahalıdır.
6 Yürüyüş yapıyorsunuz. Sizin için _________ kullanışlı sırt çantası B ürünüdür.

Vocabulary

F Find the odd one out.

1 marka | bedel | fiyat | ücret
2 AVM | süpermarket | ofis | pazar
3 tüketici | satıcı | alıcı | gerçekçi
4 dikkat çekici | çarpıcı| sıkıcı | ilgi çekici

G Complete the sentences with one of the words in the box.

araştırması	reklam	algı	indirim	markasına	sloganı

1 Bir ürünün piyasadaki başarısı insanlarda yarattığı ____________ ile başlar.
2 Aradığınız ürünü uygun fiyata bulmak için piyasa ____________ yapmalısınız.
3 Bir reklamın başarılı olması için çarpıcı bir ____________ olmalı.
4 Bazen ağızdan ağıza yapılan ____________daha etkili olabiliyor.
5 Bazı kişiler sadece bir ürünün ____________ bakarak alıyormuş.
6 Ayakkabılarda ____________ başlamış, hemen gidelim.

H Match the Turkish term with the English one.

1 bakanlık
2 tüketici hakları
3 ürün çeşitliliği
4 bilinçli
5 kavram
6 yürürlüğe girmek
7 kanun tasarısı
8 teknolojik gelişmeler
9 kapsamlı
10 korumak

a to protect
b comprehensive, thorough
c ministry
d concept
e consumer rights
f product range
g technological development
h government bill, law
i conscious
j come / enter into force

Reading

I Read the official website on consumer rights and answer the question.

Bakanlık hangi amaçla Tüketicinin Korunması Hakkında Kanunda değişiklikler yapıyor?

____

____

www.tüketicininkorunmasıhakkında.tr

Tüketici Rehberi

Günümüzde bilgi ve iletişim teknolojilerinin hızla gelişmesi bir taraftan ürün çeşitliğini arttırırken diğer taraftan tüketicilerin daha bilinçli olmasına yol açmıştır. Bu durum tüketicinin korunması kavramının önemini artırmış ve bu konuda hukuki düzenlemelerin yapılmasını zorunlu kılmıştır. Bundan dolayı Bakanlığımız tüketicilerimizin daha kaliteli, sağlıklı ve güvenli ürünler tüketmesini sağlamak amacıyla Tüketicinin Korunması Hakkında Kanunda kapsamlı değişiklikler yapmıştır.

J Read the online complaints of customers and answer the questions.

www.tüketicininkorunmasıhakkında.tr

Müşteri şikâyetleri ve soruları:

1 Geçen hafta ünlü bir spor mağazanızın İstanbul şubesinden bir spor ayakkabısı aldım. Daha önce bu ayakkabıdan memnun kalmıştım onun için aynısını o mağazadan aldım. Ancak bu sefer bir hafta giydikten sonra ön dikişleri dışarı doğru çıktı. Internet sitelerinde herhangi bir sorun olunca hemen geri getirebilirsiniz yazmışlar ama mağazaya gidince elemanların hiçbiri yardımcı olmadı. Çok hayal kırıklığına uğradım ve saygısızca davrandılar. Bu durumda ne yapmam gerekir? Lütfen yardımcı olun.
Saygılarımla, Ali Çınar

2 Dantel giyimin internet şubesinden 4 hafta önce alışveriş yaptım. Ürünleri sipariş ettim ve evime güvenli bir şekilde teslim ettiler. Ancak, maalesef bazılarının bedeni küçük geldi ve aynı gün iade gönderdim. Hatta ertesi gün iademin kabulünü teyit etmişlerdi. Daha önce de defalarca aynı işlemi yapmıştım ve ücret iadesini hemen almıştım. Müşteri hizmetlerini aradım ve haftaya yatıracaklarmış. Buna inanabilir miyim? Ne yapabilirim?
Saygılarımla, Ayşe Doğan

3 Geçen yıl, son model bir cep telefonu almıştım ve bir ay olmadan ekran sorunu nedeniyle garanti kapsamında yeni bir cihaz ile değişim yapmışlardı. Daha sonra bu yeni telefonun ekranının görüntü kalitesinde bir sorun çıktı. Hemen şubeye götürüp oradaki yetkili elemanlara gösterdim; inceledikten sonra telefonu teslim aldılar. 2 saat sonra aynı eleman beni aradı ve müşteri hatasından dolayı garanti kapsamına 'girmiyormuş' dedi ve yüksek bir para ödememi istedi. Böyle bir durumda ne yapmam lazım?
Yardımlarınızı bekliyorum. Zeliha Yörük

1 Ali Çınar ilk kez mi bu spor mağazasından alış veriş yapmış?

____

2 Ali Çınar mağazadaki elemanların davranışlarını nasıl bulmuş?

____

3 Ayşe Doğan'a daha önce ücret iadesi yapılmış mıydı?

____

4 Ayşe Doğan nereyi telefonla aramış ve ne yapacaklarmış?

____

5 Zeliha Yörük hangi ürünle sorun yaşamış?

____

6 Zeliha Yörük'ün telefonunu ikinci kez neden değiştirmemişler?

____

Writing

K **Write an online complaint about a product you have recently bought and ask for advice. Write about 100–120 words.**

- Bu ürünü ne zaman aldınız?
- Sorun nedir?
- Size verilen bilgiler eksik mi?
- Ne yapabilirsiniz? Seçenekler nedir?
- Siz ne yapmak istiyorsunuz?

____

____

____

____

____

____

____

____

____

____

Self-check

Tick the box which matches your level of confidence.

1 = very confident   2 = need more practice   3 = not confident

Aşağıdaki kutuları yeterlilik düzeyinize göre işaretleyin.

1 = çok yeterli   2 = daha çok alıştırma lazım   3 = yetersiz

	1	2	3
Use the reported past tense			
Use the past perfect tense			
Use comparative and superlative forms			
Can understand an informational website about consumer rights and product complaints (CEFR B2)			
Can write an online complaint about a product (CEFR B1)			

Sağlam kafa sağlam vücutta bulunur

A healthy mind in a healthy body

In this unit you will learn how to:

- Use different forms of verbal nouns
- Use *have to* with verbal nouns

CEFR: Can understand fairly complex texts about well-being (B2); Can write a short text expressing opinion (B1).

Sağlıklı yaşamak istiyorum
Sağlıklı yaşamaya başlamak istiyorum.
Mert'in sağlıklı yaşamaya başlamasını istiyorum.

Meaning and usage

Verbal nouns

When certain suffixes are added to verbs, they cause these verbs to function like nouns in the sentence. They can take most of the endings that nouns take. **-mEK** (the infinitive, translated in English as 'to' or '-ing') and **-mE** (the short infinitive) are suffixes used to form verbal nouns and, in terms of meaning, they imply the state of action expressed by a given verb. There is also a verbal noun making suffix **–(y)Iş** which indicates either the manner of doing something or is used in established nouns.

-mEK (the infinitive)

1 The infinitive **-mEK** can be either the subject or the object of the sentence.

As subject

Burada sigara içmek yasaktır. (*It is forbidden to smoke here.*)
Büyük şehirlerde yaşamak güzel ama zor. (*Living in big cities is nice but difficult.*)
Yürümek en güzel spordur. (*Walking is the best sport.*)

As object

George bu yıl Türkçe öğrenmek istiyor. (*This year George wants to learn Turkish.*)
İnsanlar şimdi sağlıklarını korumak istiyor. (*Now, people want to protect their health.*)

2 The infinitive **-mEK** takes all the case endings apart from the genitive case and possessive suffix.

When the infinitive is the object of the verb istemek the **-(y)I** case ending is generally omitted.

Mutlu yaşamak istiyorum. (*I want to live happily.*)

Daha fazla çalışmak istemedi. (*She didn't want to work more.*)

How to form verbal nouns

1 **-mEK with case endings:**

When **-mEK** is followed by the accusative and dative endings, the **k** in **-mEK** becomes **ğ**:

Doktora gitmeği hiç sevmiyorum. (*I do not like going to the doctor's at all.*)

Haftada üç gün yüzmeğe başladım. (*I have started to swim three days a week.*)

In present day Turkish, - mEK + -(y)I and mEK + -(y)E is often replaced by -meyi/-mayı and -meye/-maya. The meaning remains the same.

Eskiden spor yapmayı sevmiyordum ama yeni spor hocamız sayesinde şimdi seviyorum. (*I used not to like doing sport but thanks to our new sports teacher now I like it.*)

Gitar (çalmağa) çalmaya başladım. (*I started playing the guitar.*)

Ahmet şekerli gıdalar (yememeğe) yememeye gayret ediyor. (*Ahmet tries hard not to eat sugary foods.*)

-mEK + -(y)I

When **-mEK** is the object of the following verbs, it takes the accusative ending **-(y)I**:

beklemek, önermek, tercih etmek, bilmek, öğrenmek, sevmek, anlamak, özlemek, görmek, bilmek

Önümüzdeki hafta pilatese başlamayı düşünüyorum. (*I am thinking of starting pilates next week.*)

-mEK + -(y)E

When -**mEK** is the object of the following verbs, it takes the dative ending **-(y)E:**

alışmak, çalışmak, karar vermek, başlamak, gayret etmek, varmak, gitmek

Çayımı şekersiz içmeye alıştım.

-mEK + -DE

When -**mEK** is the object of the following verbs, it takes the locative ending - **mEk** + **-DE**:

ısrar etmek, fayda var, zarar var, yarar var, kararlı olmak, hakklı olmak

Sağlıklı beslenmekte ve aynı zamanda spor yapmakta fayda var. (*There are benefits in eating healthily and doing sport at the same time.*)

Ufuk hasta ama antibiyotik almamakta ısrar ediyor. (*Ufuk is ill but he insists on not taking antibiotics.*)

-mEK + -DEn

When used with the following verbs, **-mEK** takes the ablative ending **-DEn**:

bıkmak, bunalmak, çekinmek, faydalanmak, hoşlanmak, sıkılmak, şikayet etmek, utanmak, vazgeçmek, yararlanmak

Burçak yoga yapmaktan çok hoşlanıyor.	(*Burçak really enjoys doing yoga.*)
O sağlık dergilerini okumaktan hiç bıkmaz.	(*She never gets bored of reading health magazines.*)

A Underline all the verbal nouns in the introductory page of a health magazine.

SAĞLIKLI OLMAK NEDİR?

Hepimiz sağlıklı ve mutlu olmak istiyoruz. Sağlıklı olmaktan ne anlıyoruz? Beden sağlığımız mı ruh sağlığımız mı önemli? Aslında ikisi de kendimizi iyi hissetmemiz için çok önemli. Biri bozulunca diğeri de bozuluyor. Bu konudaki önerileri dikkate almakta fayda var. Bunlar sağlıklı beslenmeye ve spor yapmaya çalışmak, insanlarla iyi ilişkiler kurmak, arkadaşlarımıza ve ailemize daha çok vakit ayırmak, yeni bir şeye başlamaktan korkmamak gibi öneriler. Belki çoğumuz bunları biliyoruz ama bunları uygulamakta zorluk çekiyoruz. İşte bu sayımızda uzmanlarımız bunlar için kolay yöntemler sunuyorlar.

Yazılarımızın ve önerilerimizin size yardımcı olmasını diliyorum. Dergimizi geliştirmek istiyoruz, bunun için sizin de sorularınızı, önerilerinizi bize yazmanızdan mutluluk duyarız.

Editörünüz Gülşin

2 There are adverbial clauses formed by verbal nouns that explain the reason behind the main verbs.
-mEk için *in order to*

Sibel kilo vermek için haftada üç gün spor yapıyor. (*Sibel works out three times a week to lose weight.*)

Mutlu olmak için çok zor hedefler seçmeyin. (*Do not choose very difficult targets to get happy.*)

-mEk üzere *in order to / about to*

This also expresses purpose or intention but also indicates being about to do something.

Beslenme konusunda konferans vermek üzere hazırlandı. (*She got prepared in order to give a lecture on nutrition.*)

John meşhur bir sağlık dergisinde yayınlanmak üzere bir makale yazdı. (*John wrote an article in order to be published in a famous medical journal.*)

İdeal kiloma varmak üzereyim. (*I am about to reach my ideal weight.*)

Voleybol maçı başlamak üzere, çabuk olalım! (*The volleyball game is about to start, let's be quick!*)

-mEk+-tEnsE *rather than...*

Televizyon seyretmektense müzik dinlemeyi tercih ederim. (*I would rather listen to music than watch television.*)

Bir araştırma sonucuna göre insanların %89u dışarda vakit geçirmektense evde kalmayı tercih ediyor. (*According to the results of research, 89 per cent of people prefer to stay at home rather than spend time outside.*)

Note that the percentage sign % comes before the number in Turkish just as it is said: **yüzde 89**, *but it comes after the number in English 89% / 89 per cent.*

Meaning and usage

-mE the short infinitive

1 Unlike **-mEK**, the verbal noun ending **-mE** takes the possessive and the genitive endings as well as all the other case endings.

Arkadaşın Sinan'ı zor günlerinde yalnız bırakmaman çok güzel. (*It is really nice that you don't leave your friend Sinan alone in his difficult days.*) (*lit. ...your not leaving your friend...)*

Uzmanlar bize hazmı zor yiyeceklerden uzak durmamızı öneriyorlar. (*The experts suggest we stay away from food which is difficult to digest.*)

Doktorum hastalıkları internetten araştırmamı doğru bulmuyor. (*My doctor does not approve of my researching illnesses online.*)

Anneannemin bana sağlık problemlerini anlatmasına alıştım. (*I've got used to my maternal grandmother telling me about her health problems.*)

Babasının hastalığına üzülmesini anlıyorum. (*I understand her being distressed about her father's illness.*)

2 Verbal nouns with **-mE** also help to form compounds like

beslenme çantası	*(lunch box) (lit. nutrition box)*
çalışma saatleri	*(working hours)*
bekleme odası	*(waiting room)*

How to form nouns with -mE

-mE + possessive + case endings are added together when forming verbal nouns with **-mE**.

As indicated in the table, verbal nouns can take the possessive and the same case endings as nouns.

Possessive genitive	+accusative -(y)I	+dative -(y)E	+locative -DE	Ablative -DEn
(Benim) bilmem	bilmemi	bilmeme	bilmemde	bilmemden
(Senin) bilmen	bilmeni	bilmene	bilmende	bilmenden
(Onun) bilmesi	bilmesini	bilmesine	bilmesinde	bilmesinden
(Bizim) bilmemiz	bilmemizi	bilmemize	bilmemizde	bilmemizden
(Sizin) bilmeniz	bilmenizi	bilmenize	bilmenizde	bilmenizden
(Onların) bilmeleri	bilmelerini	bilmelerine	bilmelerinde	bilmelerinden

However, if the verb is *'to be'* rather than an action verb, then **olmak** is used to form the verbal noun.

Ben işimde çok başarılıyım. Bu annemi çok mutlu ediyor. (*I am very successful at my job. This makes my mother very happy.*)

Benim işimde çok başarılı olmam annemi çok mutlu ediyor. (*It makes my mother very happy that I am very successful at my job.*) *(lit. My being very successful at my job makes my mother very happy).*

B Combine the following sentences using verbal noun structures.

Example:

Mehmet şimdi iyi. Bu duruma ailesi çok seviniyor.

Mehmet'in şimdi iyi olmasına ailesi çok seviniyor.

1 Ailece sakin bir kasabada bir hafta tatil yaptık. Bundan hepimiz hoşlandık.

___

2 Bülent sigarayı bıraktı. Uzun zaman aldı.

___

3 Kızım günde 12 saat bilgisayar kullanıyor. Biz buna engel olamıyoruz.

___

4 Aylin insan ilişkilerinde çok başarılı . Bu şirket için faydalı sonuçlar verdi.

___

C Complete the sentences using the nouns in the box and adding possessive and case endings.

okuma-	izleme-	yatma-	başlama-	açma-	sorma-

1 Bu filmi görmemiştim, TV'de ________________ iyi oldu.
2 Senin bu kitabı ________________ istiyorum, eminim seveceksin.
3 Ayşe'nin boksa ________________ şaşırdım.
4 Bizim erken ________________ fayda var, yarın sabah havaalanına gideceğiz.
5 Sizin bu soruları ______________ sıkıldım.
6 Aykut ile Şebnem'in yeni bir dans kursu ______________ sevindim.

***-mE** + the possessive suffix can also be used with **için** to give the meaning 'in order to' when you want to specify the person, and in that case **-mE** is followed by the possessive ending.*

Arkadaşım, hafızamı ***güçlendirmem için*** *bilmece çözmemi önerdi.*	(My friend suggested doing puzzles in order to strengthen my memory.)
Arkadaşım hafızayı güçlendirmek için bilmece çözmemi önerdi.	(My friend suggested doing puzzles in order to strengthen memory.)

3 Apart from case endings when **-(y)E** rağmen is added to **-mE** + possessive, it gives the meaning of *although, despite.*

Sağlıklı yaşam konusunda çok bilgili olmasına rağmen uygulamada başarısız. (*Although he/she is very knowledgeable on the topic of well-being, he/she is not successful at implementing it.*)

Bir yıldır tenis oynamama rağmen henüz Selim'i yenemiyorum. (*Even though I have been playing tennis for a year, I still can't beat Selim.*)

-(y)E rağmen can also be added to pronouns.

Yemeğe bir çay kaşığı tuz koydum, buna rağmen tuzsuz olmuş. (*I added one teaspoon of salt to the dish; despite this, it is still bland.*)

4 **-(y)Iş**

This ending is used to form verbal nouns to describe the manner of doing something, performing an action.

Bilge'nin yemek pişirişini gördün mü? Profesyonel bir ahçı gibi. (*Did you see Bilge's (way of) cooking? It is like a professional cook.*)

Köpeğimin sevinince kuyruk sallayışı çok sevimli. (*The way my dog wags its tail when happy is very charming.*)

İngitere'de obesite oranının artışı son on yılda hızlandı. (*In England, the rise in (the ratio of) obesity has accelerated in the last ten years.*)

It is also found in established nouns.

Bu alışveriş merkezinin çıkışı nerede? (*Where is the exit for this shopping centre?*)

Akıllı telefon çok önemli bir buluş. (*The smart phone is a very important discovery.*)

D Complete the sentences using one of the verbal noun suffixes and add the necessary endings.

-(y)E rağmen	-mek için	-(y)Iş	-mek üzere	-mektense

1 Resim kursu için tam evden çık ____________ dim . Ezgi geldi, çıkamadım.
2 Onun dans et____________ çok güzel.
3 Sunum yaparken heyecanlanma____________ çok prova yaptım.
4 İşimde çok yoğun çalışma ____________ arkadaşlarımı ve ailemi hiç ihmal etmem.
5 Zamanım yok deyip ertele ____________ hobilerine zaman ayırmaya çalışıyor.
6 Hayata bak ____________ olumlu olunca stresimiz azalır.
7 Öğlenleri iş yerinde ye____________ sandviçimi parkta yemeği tercih ediyorum.
8 Özge yoga yapmaktan çok zevk al ____________ yoga yapmaya vakit bulamıyor.

Meaning and usage

lazım 'necessary'

1 'lazım' indicates a need or necessity. The verbal nouns in **-mEK** and **-mE** are often the subject of lazım expressing this need or necessity, and give the meaning of '*have to*' or '*should*'.

Maça çıkmadan önce biraz daha antreman yapmam lazım. (*I have to do more training before I (go out to) play.*)

İyileşmek için doktorun tavsiyelerine uyman lazım . (*You have to keep to the doctor's recommendations in order to get better.*)

Beden sağlığımız kadar ruh sağlığımıza da özen göstermemiz lazım. (*We have to pay as much attention to our mental health as we do to our physical health.*)

2 **'Lazım' in negative structures**
To give the negative meaning to lazım, değil is added **after it.**

Dişimin ağrısı geçti dişçiye gitmem lazım değil. (*My toothache has gone, I don't have to go to the dentist.*)

Mutlu olmak için öncelikle para mı lazım? (*In order to be happy, is it money that is needed primarily?*)

Harvard Üniversitesinin bir araştırması sonucuna göre mutlu olmak için öncelikle para lazım değil ama iyi sosyal ilişkiler kurmak çok önemli . (*According to research results by Harvard University, it is not primarily money that is needed to be happy, but good social relations that are very important.*)

3 When lazım follows the negative of the verbal noun, it indicates a need **not** to do something.

Sınıfta kendi aranızda konuşmamanız lazım. (*You must not talk amongst yourselves in class.*)

4 The verb **gerekmek** is also often used to replace **lazım.**

İyi çalışabilmek için iyi bir tatil yapmam gerekiyor. (*In order to work well, I need to have a good holiday.*)

Bu sorunların çözümü için bir uzmandan destek almanız gerekir. (*For the solution of these problems, you need to get support from a specialist.*)

İşini degiştirmek için hemen karar vermen gerekmiyor. (*You do not have to make a decision to change your job immediately.*)

E Match the situations with the suggestions.

1 Kilo vermek istiyorum.
2 İşimin çok yoğun olması beni geriyor.
3 Selma tek başına spor yapmayı sıkıcı buluyor.
4 Sağlık konusunda bir dergi çıkarmak istiyoruz.
5 Üç haftadır öksürmekten bıktım, bir türlü geçmiyor.
6 Sürekli bir şeyleri yetiştirmeye çalışıyorum.

a Doktora gitmen gerekiyor.
b Zamanını iyi planlaman lazım.
c Diyet ve spor yapman lazım.
d İş dışında bir hobi bulman lazım.
e Toplu sporları denemesi lazım.
f Bu konudaki yayınları araştırmanız lazım.

Vocabulary

F Match the adjectives with their opposites

1 ilgili
2 verici
3 gergin
4 iyimser
5 zayıf
6 neşeli

a gevşek
b güçlü
c alakasız
d bencil
e üzgün
f kötümser

G Complete the sentences with the verbs from the box and add the necessary endings.

fark etmek	aktif olmak	bağ kurmak	verici olmak	karar vermek	zor gelmek

1 Her gün yarım saat yürümek bile ______________________ için yeterlidir.
2 Ne kadar stresli olduğumu şimdi gevşeyince ____________________.
3 Hasan çok sosyal, insanlarla birlikte olmayı, onlarla _______________________seviyor.
4 Bazen işten sonra spor yapmak ______________________.
5 Hemşirelik okuluna kayıtlar yarın kapanıyor benim bugün ______________________lazım.
6 Bencil olmayıp ______________________ ve insanlara yardım etmek ne güzel.

H Match the Turkish words with the English.

1	farkındalık	a	rarely
2	zihinsel	b	worry
3	verici	c	often
4	yayın	d	interested
5	düşünce	e	a giving person
6	iyimser	f	thought
7	yararlı, faydalı	g	awareness
8	ilgili	h	publication
9	ender	i	optimist
10	sıkça	j	mental
11	kaygı	k	useful

Reading

I Read the first part of the well-being test and answer the two questions.

1 Bu test neyi ölçüyor?

____

2 Bu testin sorularını ve ölçeğini hangi üniversiteler hazırlamış?

____

SAĞLIK DERGİSİ ANKETİ

'Zihinsel iyi hissetmemizi' veya mutluluğumuzu ölçmek için geliştirilmiş bir test var. Warwick ve Edinburgh Üniversitesindeki araştırmacılar bu testin sorularını ve ölçeğini (WEMWBS - The Warwick-Edinburgh Mental Well-being Scale) hazırlamışlar.

Testteki ifadelerin puanı 1- 5 arasında.

hiç (1) - ender olarak (2) - bazen (3) - sıkça (4) - her zaman (5)

En yüksek puan aralığı; 59-70, ortalama puan 40-59, en düşük puan aralığı 0-32

J **Now read the second part and complete the test by using the scoring system to find your total score. Then answer the questions.**

Points

1	Gelecek hakkında iyimserim.	________
2	Kendimi yararlı hissediyorum.	________
3	Kendimi rahat hissediyorum.	________
4	Diğer insanların durumuyla ilgilenmekten hoşlanıyorum.	________
5	Harcamak için bol enerjim var.	________
6	Problemleri çözmekte başarılıyım.	________
7	Zihnim açık ve net.	________
8	Kendimle barış içindeyim.	________
9	İnsanlarla birlikte olmaktan hoşlanıyorum.	________
10	Kendime güvenmeyi biliyorum.	________
11	Olaylar karsında kendi kararlarımı almak zor gelmiyor.	________
12	Başkaları beni seviyor.	________
13	Yeni şeylerle ilgilenmek hoşuma gidiyor.	________
14	Kendimi neşeli hissediyorum.	________
	Total Score:	____________

Soruları cevaplayanlara kendilerini geliştirmeleri için öneriler 5 temel konuda.

- Aktif olmak; spor yapmak, yürümek, vücudumuzu hareket halinde tutmak.
- Bağ kurmak; ailemiz ve arkadaşlarımızla birlikte vakit geçirmek, onlarla ilgilenmek.
- Öğrenmek; yeni şeyler denemek, hobi edinmek, üretmek ve yaratıcı olmak.
- Farkındalık; Kendimizi tanımak, çevremizdeki kişiler ve olaylarla ilgilenmek. Bizim dışımızdaki evrenin ne kadar büyük olduğunu fark etmek.
- Verici olmak; sürekli almak ve sahip olmak yerine vermeyi seçmek, insanlara yardım etmek, gönüllü çalışmak.

1 Aktif olmak için neler yapmamız lazım? ________________

2 Bağ kurmak için neler yapmamız lazım? ________________

3 Öğrenmek ne demek? ________________

4 Verici olmak için neler yapmamız lazım? ________________

Writing

K **According to your well-being test results, write suggestions for your self-improvement. Remember to use lazım (*have to/must*) and verbal nouns. You can also mention your weaknesses and strengths. Write about 100–120 words.**

- Önerilerden hangilerini yapıyorsunuz ?
- Hangilerini yapmanız lazım?
- Ekleyebileceğiniz öneriler var mı?

Self-check

Tick the box which matches your level of confidence.

1 = very confident   2 = need more practice   3 = not confident

Aşağıdaki kutuları yeterlilik düzeyinize göre işaretleyin.

1 = çok yeterli   2 = daha çok alıştırma lazım   3 = yetersiz

	1	2	3
Use different forms of verbal nouns			
Use *have to* with verbal nouns			
Can understand fairly complex texts about well-being (CEFR B2)			
Can write a short text expressing opinion (CEFR B1)			

10 Hayatınızı etkileyen kişiler kim?

Who are the people who have influenced your life?

In this unit you will learn how to:

- Use participle forms
- Write complex sentences

CEFR: Can understand an article about personal experiences (B1); Can write a complex text about someone / something that had an impact on life (B1).

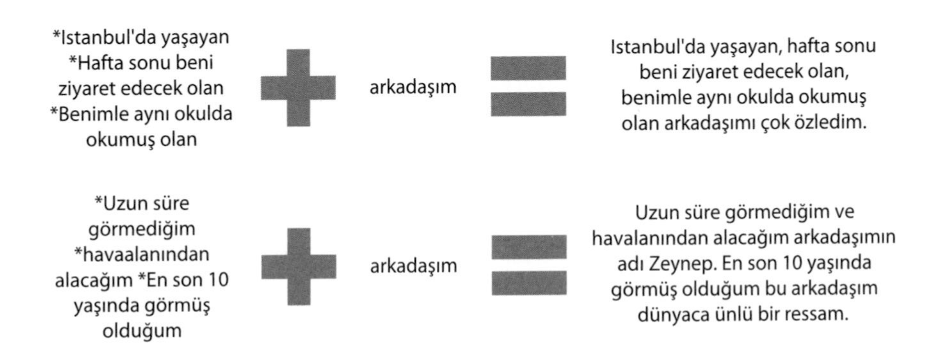

Meaning and usage

Participle forms

Turkish does not have separate words like *'who', whom', 'which'* etc. to join two sentences. Instead it uses a participle which acts as an adjective that precedes the noun it modifies. In this sense, Turkish participles are exact equivalents of relative clauses in English.

'Şimdiki Çocuklar Harika' kitabını yaz**an** ünlü yazar Aziz Nesin'dir. (*The person who wrote the book 'Şimdiki Çocuklar Harika' is the famous writer Aziz Nesin.*)

Yarın izle**yeceğimiz** film 5 dalda aday gösterilmiştir. (*The film we shall watch tomorrow has been nominated in five categories.*)

There are two types of participle forms.

The subject participle

1 This form is used when the defined noun is the subject of the action in the relative clause.

Ali'yle **konuşan** kişi bizim yeni müdürümüz. (*The person who is speaking to Ali is our new director.*)

In this example, the speaking action is done by the defined noun 'kişi' (*person*).

2 The **-(y)En** form is the most common form to express present and past.

-(y)EcEk (**olan**) always corresponds to future marking in English such as in *who/which is/was going to...* and refers to an event that is/was expected to happen either at the moment of speech or narration.

–mIş (olan) is usually used to refer to a completed action, or when one wishes to emphasize that the time period in the relative clause happened much earlier than the present point.

1935 yılında Kırşehir'de doğ**an** Neşet Ertaş ünlü bir halk ozanıdır. (*Neşat Ertaş who was born in 1935 in Kırşehir is a famous folk poet.*)

Bir konser vermek için Londra'ya gele**cek olan** Selda Bağcan'ı mutlaka görmek istiyorum. (*I definitely want to see Selda Bağcan who is coming to London to give a concert.*)

Eğitimini yarım bırak**mış olan** Kemal Sunal tekrar üniversiteye dönüp 1995 yılında mezun olmuş. (*Kemal Sunal who had left his education half way through apparently went back to university and graduated in 1995.*)

3 There are no firm rules for the inclusion or omission of **olan** after the **-(y)EcEk** and **-mIş** forms; however, there is a strong tendency to include it wherever the defined noun is definite or specific. For example:

Bize yardım edecek bir kişi arıyoruz. (*We are looking for a person who will help us.*)

Bize yardım edecek **olan** kişi az önce geldi. (*The person who will help us has just arrived.*)

Hedeflerine ulaşmış kişiler daha mutludur. (*People who have reached their targets are happier.*)

İki yıl önce mezun olmuş **olan** Zeynep yeni hastanede doktor olarak çalışmaya başladı. (*Zeynep, who (had) graduated two years ago, has started to work as a doctor at the new hospital.*)

4 Sometimes the participle form can act as a noun. If the defined noun is obvious from the context (kişi *person*, şey *things* etc.) the noun can be dropped and only the participle form is used. The corresponding English translations are:

* *the person who...*	*the people who...*
* *anyone who...*	*those who...*
* *the thing that....*	*the things that...*

Beni en iyi tanı**yanlar** (tanıyan kişiler) annem ve babamdır. (*Those who know me best are my mum and dad.*)

Çok resimlerim var. Benim için en değerli **olanı** (olan resmi) duvarıma astım. (*I have got lots of pictures. The one that is the most precious to me, I hung on my wall.*)

Mutluluğun sırrını **bilen** (bilen bir kişi) var mı? (*Is there anyone who knows the secret to happiness?*)

5 Relative clauses to describe someone/something belonging to the defined noun (in English *whose / of which*) are expressed in Turkish with the 3rd person possessive suffix at the very beginning of the relative clause.

Anne**si** yurtdışında yaşa**yan** arkadaşımı dün gördüm. (*Yesterday I saw my friend whose mother lives abroad.*)

Hayatı pek bilin**meyen** o ünlü bilim insanının başarılarını araştırdık. (*We searched for the accomplishments of that famous scientist whose life is not well-known.*)

6 When the defined noun is the subject of not an action verb but of '*to be*', then the subject participle form **-(y)En** is added to **ol-** (olmak *to be*):

Elif çok yorgun. Elif erken yatacak. (*Elif is very tired. Elif will go to bed early.*)

Çok yorgun **olan** Elif erken yatacak. (*Elif who is very tired will go to bed early.*)

Cebimde elli lira var. Bu elli lirayla anneme hediye alacağım. (*There are fifty liras in my pocket. With this fifty lira, I shall buy a present for my mother.*)

Cebimde **olan** elli lira ile anneme hediye alacağım. (*I shall buy my mother a present with the fifty liras which is in my pocket.*)

Öğretmenimin sözleri hep aklımdadır. Öğretmenimi asla unutmayacağım. (*My teacher's words are always in my mind. I will never forget my teacher.*)

Söz**leri** hep aklımda **olan** öğretmenimi asla unutmayacağım. (*I will never forget my teacher whose words are always in my mind.*)

How to form the subject participle

Subject participle		Examples	
Verb+{mE}+**(y)en / (y)an**	present / past	kitabı yaz**an** kişi	*the person who writes / wrote the book*
Verb+{mE}+**(y)ecek / (y)acak (olan)**	future	kitabı yaz**acak** olan kişi	*the person who is going to write the book*
Verb+{mE}+**mlş (olan)**	present perfect / past	kitabı yaz**mış** olan kişi	*the person who has written / wrote the book*

Please remember that you can also add modality and passive forms before the participle form.

verebilen **ver-ebil-en** (the person who can give)

verilebilen **ver-il-ebil-en** (the thing that can be given)

A Add participle endings (positive and negative) to the following verbs as in the example.

Example: okumak — okuyan (+) — okuyacak olan — okumuş olan

okumayan (-) — okumayacak olan — okumamış olan

1 bilmek ________ ________ ________

________ ________ ________

2 mezun olmak ________ ________ ________

________ ________ ________

3 öğretmek ________ ________ ________

________ ________ ________

4 başarılı olmak ________ ________ ________

________ ________ ________

B Complete the sentences with one of the above participle forms.

1 Üniversiteden ________ oğlum bu sene yüksek lisansa başlayacak.
2 Çok kitap ________ öğrenciler kompozisyon sınavından iyi not almadılar.
3 Haftaya bana resim yapmayı ________ öğretmen çok meşhur bir ressammış.
4 Futbolda ________ Ahmet aynı zamanda çok iyi bir atlettir.

C Change the sentences into a subject participle phrase.

Example: Öğrenci sınıfta oturuyor. — Sınıfta oturan öğrenci

1 Bazı sanatçılar ölümlerinden sonra meşhur oldular. ________ bazı sanatçılar
2 Münir Özkul, 'Hababam Sınıfı' filminde oynamıştır. ________ Münir Özkul
3 Bir kaç kişi dün toplantıya gelmedi. ________ bir kaç kişi
4 İş arkadaşım bu konuda bana yardım edemedi. ________ iş arkadaşım
5 Ailesinin başarısında çok katkısı var. ________ ailesi
6 Mutlu anılar asla unutulmaz. ________ anılar

The object participle

1 The object participle is used when the defined noun is the object of the action in the relative clause. In other words, the subject of the relative clause is always given as a genitive marked noun phrase.

Ali'**nin** konuş**tuğu** kişi... *(The person Ali talks to/is talking to...)*

Benim konuş**tuğum** kişi... *(The person I talk to/ am talking to...)*

Öğrenciler**in** konuştuğ**u** kişi... *(The person the students talk/are talking to...)*

Usually we combine two sentences that have two different subjects.

Ali bir kişiyle konuşuyor. Ayşe o kişiyi tanımıyor. *(Ali is talking to a person. Ayşe does not know that person.)*

Ayşe, Ali'**nin** konuş**tuğu** kişiyi tanımıyor. *(Ayşe does not know the person to whom Ali is talking.)*

2 The object participle is also used in Turkish when the recurrent element is not the direct object of the subordinate clause. In English relative pronouns such as *'where'*, *'whom'*, *'which'* are used together with a preposition to give the meaning of *to, in / on / at, from, by, with* usually expressed in Turkish by the case endings (dative -(y)E, locative -DE, ablative -Den).

Atatürk'**ün** doğd**uğu** ev Selanik'tedir. (*The house where Atatürk was born in is in Thessalonica.*)

Geçen ay kütüphane**den** al**dığınız** kitap şimdi nerede? (*Where is the book (which) you borrowed from the library last month now?*)

Ban**a** ver**diğin** o resimleri hep saklayacağım. (*I will always keep those pictures (which) you gave me.*)

3 Sometimes the possessive pronoun can be omitted as the ending of the participle form indicates by whom the action is being done.

Yıllar sonra (benim) karşılaş**tığım** ilkokul öğretmenim beni hatırladı. (*My primary school teacher, who I met many years later, remembered me.*)

Hayatınızda asla (sizin) unutmay**acağınız** kişi kimdir? (*Who is the person in your life whom you'll never forget?*)

4 In Turkish, when the noun is defined by the object participle and it is in turn preceeded by the 3rd person possessive suffix in a relative clause, it expresses *whose / of which* in English.

Kardeş**i**yle İstanbul'da tanış**tığım** ünlü yazarın adı Orhan Pamuk'tur. (*The name of the famous writer, whose brother I met in Istanbul, is Orhan Pamuk.*)

Fıkra**ların**ı bıkmadan dinle**diğimiz** ünlü kahraman Nasdeddin Hoca'dır. (*Nasreddin Hodja is the famous protagonist whose jokes we like to listen to tirelessly.*)

Atatürk'**ün** hayran ol**duğumuz** en önemli özelliğ**i** geleceği öngörmesiydi. (*The most important characteristic of Atatürk, which we admire, was his prediction of the future.*)

5 If there is no defined object, the reference is to the direct object of the participle. Usually it is inferred from the context what they are.

The corresponding English translations are:

* *that which…* *those which…*
* *the thing(s) that…*
* *the people (that)…*
* *the one(s) (that)…*
* *what…*

Ali'nin söyle**dikler**ini duymadım. (*I haven't heard the things Ali said.*)

Annemin tavsiye et**tiğ**ini buldum. (*I have found the one my mother recommended.*)

Çocukluğumdan hatırla**dıkları**m maalesef çok az. (*The things I remember from my childhood are unfortunately very few.*)

How to form the object participle

Object participle		Examples	
Verb+{mE}+**DIK**+ possessive suffix	present / past	izle**diğim** film	*the film we are watching / watched*
Verb+{mE}+**(y)EcEk**+ possessive suffix	future	izle**yeceğimiz** film	*the film we are going to watch*
Verb+{mE}+**mIş ol**+**duk**+ possessive suffix	present perfect / past	izle**miş olduğumuz** film	*the film we have watched / watched*

Please remember that you can also add modality and passive forms before the participle.

gidemeyeceğiniz konser **git-eme-yeceğ-iniz** (the concert you cannot go to)
kitabın alınmış olduğu yer **al-ın-mış olduğ-u** (the place the book was bought)

D Change the sentences into an object participle phrase.

Example: Dün heyecanla bir film izledik. Dün heyecanla izlediğimiz film

1 Yarın çok önemli bir iş görüşmesine gideceğim. ________________ iş görüşmesi
2 Çok yardım sever bir müdürle çalışıyorum. ________________ müdür
3 Hiçbir profesör Einstein'ı asistan olarak kabul etmemiş. ________________ Einstein
4 Arkadaşım bana çok büyük bir iyilik yaptı. ________________ iyilik
5 Uyumadan önce babaannem bize hikâyeler anlatırdı. ________________ hikâyeler
6 Hafta sonu bir tiyatro oyununa gitmek istiyorsunuz. ________________ tiyatro oyunu

E Combine the sentences using the object participle.

Example: Geçen yıl bir kitap okudum. Bu kitap hayatımı değiştirdi.
Geçen yıl okuduğum kitap hayatımı değiştirdi.

1 Babam öğrenciyken ailesine bir mektup yazmış. Ben o mektubu saklıyorum.

____

2 Yarın bir seminere gideceğiz. O seminere lise arkadaşım da gelecek.

____

3 Bu filmi daha önce izledim. Bu filmin detaylarını hiç hatırlamıyorum.

____

4 Önümüzdeki hafta bir şiir dinletisine katılacağız. Bu şiir dinletisi iki dilde sunulacak.

____

F Complete with either the subject or object participle form.

Birçok kişinin (1) tanı__________ Orhan Kaya bugün Türkiye'nin en genç ve tanınmış işadamlarından biridir. Marmara Üniversitesi'nin yurdundaki odasında (2) başla__________ çalışmaları, yıldan yıla devam (3) et__________ projeleri sayesinde Orhan Kaya örnek bir işadamıdır. 15 Nisan 1984 tarihinde (4) doğ__________ Kaya, mühendislik okumak için (5)git__________ Marmara Üniversitesinde çeşitli otomobil projeleri üzerinde çalıştı. Daha sonra (6) yap__________ çalışmalarla bilgisayarlı otomotiv sanayinde (7) üret__________ makinaları yurt dışında satmaya başladı ve bugün Orhan Kaya Türkiye'nin önde (8) gel__________ on kişisi arasında yerini almıştır.

G Underline the participle forms in the quotes.

1 Seni öldürmeyen şey, seni güçlendirir. (Nietzche)
2 Benim acı çeken bir yüreğim var Diego. Seni sevmeye başladığım o günden beri, acı çeken bir yüreğim var. (Frida Kahlo)
3 Hiç hata yapmayan insan, hiçbir şey yapmayan insandır. Ve hayatta en büyük hata, kendini hatasız sanmaktır. (Yunus Emre)
4 Bir şeyler değiştirmek isteyen insan önce kendinden başlamalıdır. (Sokrates)
5 Milletleri kurtaranlar yalnız ve ancak öğretmenlerdir. (Mustafa Kemal Atatürk)
6 Aynı dili konuşan değil, aynı duyguları paylaşanlar anlaşabilirler. (Mevlana)
7 Benim sana verebileceğim çok bir şey yok aslında. Çay var içersen, Ben var seversen, Yol var gidersen. (Orhan Veli)

Vocabulary

H Complete the sentences with one of the verbs in the box.

görmediğim	gelemeyecek	yaşayan	anlattığı
izlediğimiz	değiştiren	tanımadığın	

1 Bu kitap büyük bir şehirde __________ küçük bir kız hakkındadır.
2 Dün sinemada __________ filmin adı Ayla idi.
3 Annemin bize çocukken __________ hikayeyi hatırlayamıyorum.
4 Geçen hafta yıllarca __________ eski bir okul arkadaşımla karşılaştık.
5 Ben on yaşındayken tüm hayatımı __________ bir kitap okudum.
6 Bazen hiç __________ kişilerin kararlarında çok büyük etkileri olabilir.
7 Ailesi mezuniyete __________ olan arkadaşım çok mutsuz.

I Find the odd one out.

1 destek | yardım | katkı | engel
2 şahane | vasat | harika | olağanüstü
3 vatandaşlık | dostluk | arkadaşlık
4 etkileyen | iz bırakan | zarar veren | olumlu etkisi olan
5 pişman olmak | minnettar olmak | şükran duymak

Reading

J **Read the first part of the article about who or what has a great impact in our lives and answer the question.**

Bu makaleye göre hayatımıza giren neler bize ilham verebilir?

____

UNUTAMADIKLARIMIZ

Bazen birileri hayatınıza girer (şahsen veya bir kitap, film, müzik, hikaye aracılığıyla) ve onların destekleri, onların deneyimleri veya bir sözü size ilham verir ve hedeflerinizi ona göre belirlersiniz.

Hayatlarınızın çeşitli aşamalarında yaşamınıza giren ve unutamadığınız bu kişiler ve etkileri hayatınızın dönüm noktaları olmuş ve hatta şu anki SİZ olmanıza sebep olmuş olabilir. Bugün mesleklerinin doruğunda olan 3 ünlü kişiye bu soruyu sorduk: Bugünkü **siz** olmanızda en büyük katkısı olan kişi kimdir veya olay nedir?

K **Read the rest of the article and answer the questions.**

MEHMET SAYGIN (YARGIÇ)

Yaşar Kemal'in 'İnce Memed' kitabı hiç unutamadığım hikayesiyle, beni en çok etkileyen kitaptır. Cumhuriyet döneminin ilk yıllarında kırsal bölgede yaşanan zalimliğe, sefalete karşı isyanın öyküsü olan bu kitapta Yaşar Kemal kullandığı akıcı dille okuyucuyu adeta o yıllarda gezintiye çıkarıyor. İnce Memed Anadolu insanının çektiği sıkıntıları, zalimliğin karşısında onurlu olmanın önemini çok iyi vurguluyor. Orta okul yıllarında okuduğum bu kitap ve Türkçe öğretmenim sevgili Elif Hanım okuma alışkanlığı kazanmamda bir dönüm noktası oldular diyebilirim. O yıllarda başlayan kitap okuma alışkanlığım son yıllarda işim gereği daha çok yönetim bilimi, hukuk ve biyografi kitaplarına doğru kaymakla birlikte roman okumaktan asla vazgeçmedim. Onlara minnettarım.

CANAN MORATİ (SANAT ELEŞTİRMENİ)

Çocukluğum çok rahat geçmedi. Maddi durumu iyi olmayan bir anne ve babanın tek çocuğuydum. Sanırım beni bugünkü ben yapan anneannemin kütüphanesinde okuduğum o sayısız kitaplar ve birlikte dinlediğimiz şahane klasik müzik eserleri. Orada okuduğum özellikle Dante ve Çehov'un kitapları beni farklı dünyalara götürürdü. Ayrıca defalarca dinlediğimiz o Beethoven'in eserlerinde rüyalara dalardım, yaşam mücadelesi, umut ve dostluğu yaşardım. Bu eserler kadar anneannemin katkısını alsa unutamam. Mutlaka bazı cümleleri okuduktan ve müziği dinledikten sonra neler hissettiğimi anlatmamı isterdi ve ben saatlerce anlatırdım. İyi ki öyle yapmışız. Sonra burs veren bir vakıf sayesinde eğitimimi tamamlayıp bu günlere geldim.

OSMAN TEKYOL (İŞ ADAMI)

19 yaşındayken üniversite başvurum kabul edilmişti, ama içinde bulunduğum bazı koşullar nedeniyle üniversiteye gidişimi ertelemeye karar vermiştim. Kafam çok karışıktı. Ankara Kızılay'da bir taksiye bindim. Taksiyi kullanan şoför sohbet etmeye başladı ve bir süre sonra durumumu öğrendi. Gideceğim yere varınca bana şöyle dedi:' Bak, senden çok daha yaşlıyım. Dediklerimi iyi dinle. Hayatta hiç bir konuyu erteleme. Bugün yapabileceklerini yarına bırakma. Özellikle eğitim ertelenmez.' Gözleri doldu ve daha fazla konuşamadı. Bu hiç tanımadığım ve bir daha görmediğim bu kişiyi alsa unutamıyorum. O benim hayatımı değiştirdi.

1 Mehmet Saygın'ın çok etkilendiği kitap hangisidir ve konusu nedir?

____

2 Mehmet Saygın okuma alışkanlığı edinmesinde yardımcı olan kime minnettardır?

____

3 Sanat eleştirmeni Canan Morati'nin çocukluğunda okuduğu ve dinlediği eserler kimlere aitti?

____

4 Canan Morati'nin anneannesi nasıl yardımcı olmuştur?

____

5 İş adamı Osman Tekyol hayatında önemli yeri olan taksi şoförüyle karşılaşmadan önce nasıl bir karar almıştı?

____

6 Osman Tekyol'un eğitimine devam etmesini kim istemiştir?

____

şahsen *in person, personally*
ilham vermek *to inspire*
kırsal bölge *rural region, countryside*
zalimlik *cruelty, ruthlessness*
sıkıntı *difficulty, distress*
yönetim bilimi *management*
yaşam mücadelesi *struggle for life*
ertelemek *to postpone, delay*

L Find all the participle forms in the article and write them below.

Subject participle	Object participle
Mehmet Saygın	
Canan Morati	
Osman Tekyol	

Writing

M Write about someone or something that has had an impact on you in your life. Write about 100–120 words.

- Hayatınızda sizi etkileyen bir şey oldu mu? Ne zaman oldu?
- Hangi olay veya kim sizi etkiledi?
- Ne şekilde etkiledi? Olumlu mu olumsuz mu?
- Bu olaydan sonra hayatınızda bir şey değişti mi?
- Bu olay hayatınızda bir dönüm noktası mıydı?

____

____

____

____

Self-check

Tick the box which matches your level of confidence.

1 = very confident 2 = need more practice 3 = not confident

Aşağıdaki kutuları yeterlilik düzeyinize göre işaretleyin.

1 = çok yeterli 2 = daha çok alıştırma lazım 3 = yetersiz

	1	2	3
Use participle forms			
Write complex sentences			
Can understand an article about personal experiences (CEFR B1)			
Can write a complex text about someone / something that had an impact on life (CEFR B1)			

11 Gazetelerde ne var?

What's in the newspapers?

In this unit you will learn how to:

- Recognize and form passive sentences
- Differentiate between active and passive forms

CEFR: Can understand short texts (newspaper headlines) (B1); Can present a product (B1).

Türkiye'nin pek çok bölgesinde çiftçiler tarım ürünleri yetiştirir.
Çiftçiler tarafından yetiştirilen bu ürünler satılmak üzere dağıtılır.
Dağıtılan ürünler tüketiciler tarafından alınır ve yenir.

Meaning and usage

The passive

1 When you want to say that something is done by someone, you use what is called a **passive** form. The passive form is used when the subject of the sentence does not perform the action indicated by the verb but is affected by it.

active sentence

Ali uzun bir mektup yazdı. (*Ali wrote a long letter.*)

passive sentence

Uzun bir mektup Ali tarafından yaz**ıl**dı. (*A long letter was written by Ali.*)

The passive ending comes before negative, tense and person endings when these endings are required.

Verb stem + passive + negative + tense + person

yap + ıl + ma + dı + lar yapılmadılar (they were not done)
gör + ül + me + yeceğ + iz görülmeyeceğiz (we will not be seen)

Although the passive form is not used in colloquial Turkish very frequently, newspapers, official documents and notices would be difficult to understand if you are not familiar with the passive.

How to form the passive

The passive endings in Turkish are used as follows:

Passive suffixes	Verbs	Passive verb forms
After all verb stems ending in a consonant except L **-IL- (-ıl-, -il-, -ul-, -ül-)**	Duy-mak *(to hear)* Gör-mek *(to see)* Yaz-mak *(to write)*	Duy-**ul**-mak *(to be heard)* Gör-**ül**-mek *(to be seen)* Yaz-**ıl**-mak *(to be written)*
After verb stems ending in L **-In- (-ın-, -in-, -un-, -ün-)**	Bil-mek *(to know)* Böl-mek *(to divide)* Bul-mak *(to find)*	Bil-**in**-mek *(to be known)* Böl-**ün**-mek *(to be divided)* Bul-**un**-mak *(to be found)*
After verb stems ending in a vowel **-n-**	İste-mek *(to want)* Oku-mak *(to read)* Temizle-mek *(to clean)*	İste-**n**-mek *(to be wanted)* Oku-**n**-mak *(to be wanted)* Temizle-**n**-mek *(to be cleaned)*

A Complete the table.

	Verb	Passive form	Meaning
Example	**sormak**	sorulmak	*to be asked*
1	açıklamak	açıkla_____	*to be explained*
2	__________	vurgula**n**mak	*to be emphasized*
3	belirtmek	belirt_____	*to be indicated*
4	duyurmak	duyur_____	*to be announced*
5	sorgulamak	sorgula_____	*to be investigated*
6	__________	tartış**ıl**mak	*to be discussed*
7	düzenlemek	düzenle_____	*to be organized*
8	__________	üret**il**mek	*to be produced*
9	yapmak	yap_____	*to be done*
10	değinmek	değin_____	*to be mentioned, touched upon*

2 In a passive sentence, when the agent (the person or thing by whom the action is done) needs to be mentioned, the word **tarafından** *by* is used after the agent and before the passive verb. The word **tarafından** consists of three elements: **taraf** + possessive + **dan**.

Kraliçe'nin en son portresi Türk asıllı bir ressam **tarafından yapıldı**. (*The Queen's latest portrait was done by a painter of Turkish origin.*)

Çevre kirliliği konusundaki görüşmeler sonucunda belediye başkanları **tarafından** yeni kararlar **alındı.** (*As a result of the negotiations against environmental pollution, new decisions have been taken by the Mayors.*)

Anlaşma iki ülkenin başbakanları **tarafından imzalandı**. (*The agreement was signed by the Prime Ministers of the two countries.*)

Harry Potter romanları milyonlarca kişi **tarafından okundu**. (*The Harry Potter novels were read by millions of people.*)

When the agent is expressed by a pronoun(*'by him, by her'*), then the possessive form of the pronoun is used.

Bu ödül **senin tarafından** verilmeli.	(*This award must be given* **by you**.)
Resimler **onun tarafından** çekilecek.	(*The pictures will be taken* **by him**.)
Hesap **kimin tarafından** ödenecek?	(**By whom** *will the bill be paid?*)

If the first or second person singular and plural pronouns are used to indicate the agent, then tarafından takes the appropriate possessive forms: (**benim**) tarafı**m**dan *by me*, (**bizim**) tarafı**mız**dan *by us:*

(benim) tarafımdan	*by me*
(senin) tarafından	*by you*
(onun) tarafından	*by him / her / it*
(bizim) tarafımızdan	*by us*
(sizin) tarafınızdan	*by you*
(onların*) tarafından	*by them*

*In colloquial Turkish **-ın** is often left out

Remember, pronouns are often not used as the person of the pronoun is in any case indicated in **taraf-** *as shown in the list above.*

Polisin sorduğu sorular (**benim**) **tarafımdan** cevaplandı. (*The questions the police asked were answered by me.*)

Yardım paketleri (**bizim**) **tarafımızdan** dağıtıldı. (*Aid parcels were distributed by us.*)

Also remember that the proper noun in front of **tarafından** does not take the genitive form.

Orhan Pamuk **tarafından** Istanbul'da açılan müze çok ilginçtir. (*The museum opened by Orhan Pamuk in Istanbul is very interesting.*)

Bir vatandaş **tarafından** şans eseri bulunan iskelet Kral 3. Richard'a aittir. (*The skeleton found by a citizen by chance belongs to King Richard III.*)

B Complete the sentences with the people from the box.

Picasso Ayla Kutlu ~~Shakespeare~~ Hezarfen Ahmet Çelebi Alexander Graham Bell

Example: Hamlet Shakespeare tarafından yazılmıştır.

1 17. yüzyılda kollarına kanat takarak ilk uçma deneyimi ____________________ tarafından gerçekleştirilmiştir.
2 Guernica ____________________ tarafından çizilmiştir.
3 İlk telefon ____________________ tarafından icat edilmiştir.
4 'Cadı Ağacı' adındaki kitap ____________________ tarafından yazılmıştır.

C Transform the active sentences into passive sentences by using tarafından.

1 Önümüzdeki yıl belediyeler yeni çocuk parkları hizmete sunacak.

____

2 Öğrenciler hükümet aleyhinde birçok eylem gerçekleştirdi.

____

3 Toplantıda alınan kararları tüm ülke temsilcileri desteklediler.

____

4 Jüri üyeleri Dünya Basın Yarışmasındaki büyük ödülü İstanbullu bir sanatçıya verdi.

____

D Underline the Turkish version of the English words in the text.

ARA GÜLER TARAFINDAN ÇEKİLEN FOTOĞRAFLAR SEUL YOLCUSU

Ünlü fotoğraf sanatçısı Ara Güler'in 1950'li yıllarda karanlık odada kendi eliyle basılan ve bugüne kadar yayınlanmamış olan 110 fotoğrafı, 22 Kasım'da Seul'de sergilenecek. Ara Güler sergi açılışına gidemeyecek. Güler, 'Seul çok uzak, kendi fotoğraflarımı görmek için 16 saat havada gidemem. Yaşım 86', dedi.

1 shot (pictures)
2 printed
3 not published
4 will be exhibited

3 The passive is also used for expressing situations in an impersonal sense as in English sentences where the words *'one'* or *'people'* are used.

Taksim Meydanı'na nasıl **gidilir**? (*How does one get to / go to Taksim Square?*)

Türkiye'de en çok ne **içilir**? (*What do people drink most in Turkey?*) (*lit. What is drunk most in Turkey?)*

İstanbul'un en büyük konser salonu 1965 yılında **yapılmıştı**, ancak onbeş yıl sonra **kapandı**. (*The largest concert hall in İstanbul was built in 1965, but it closed down ten years later.*)

Depremde **yıkılan** evler mümkün olan en kısa zamanda yeniden **yapılacak.** (*The houses which were destroyed / demolished in the earthquake will be rebuilt in the shortest possible time.*)

Bu Türkçe nasıl **söylenir**? (*How does one say this in Turkish?*)(*lit. How is it said in Turkish?)*

4 **Use of -CE instead of tarafından *by***
Sometimes instead of using tarafından, the agent in a passive sentence is indicated by putting the ending **-CE** after the noun denoting the agent. Such nouns are collective nouns, that is, they represent more than one person. You will come across this form more in the newspapers than in colloquial speech.

Hükümetçe alınan kararlar gereğince yurt dışına çıkacak olan Türk vatandaşları herhangi bir çıkış vergisi ödemeyecekler. (*In line with the decisions taken by the government, Turkish citizens travelling abroad will not pay any tax.)*

Güvenlik güçlerince yapılan aramalar sonucu geçen hafta bir soygun sırasında çalınmış olan kıymetli mücevherler bulundu, failler yakalandı. (*As a result of the searches conducted by the security forces, valuable jewellery stolen last week was found and the perpetrators were caught.*)

Halkça sevilen bir politikacı olmasına rağmen gelecek seçimlerde aday olmamaya karar verdi. (*Although he is a politician liked by the people, he decided not to stand / be a candidate in the next election.*)

In its impersonal sense, the passive is widely used in public notices and declarations, particularly in the negative where it is a less formidable form of saying something is forbidden.

Burada park yapılmaz.	(No parking here.)
Girilmez.	(No entry.)
Sigara içilmez.	(No smoking.)
Şoförle konuşulmaz.	(No speaking with the driver.)
Fotokopi çekilir.	(Photocopying is done.)
Para gönderilir.	(Money is sent.)

Look out for these if you visit Turkey.

E Look at the signs and suggest where they might be found.

a	Vesikalık fotoğraf çekilir.	c	Bilet satılır
b	Evlere yemek servisi yapılır.	d	Reçetesiz satılmaz.

5 Some verbs in the passive form can also be used as adjectives; in such cases the tense-marker is often the aorist.

güvenmek *to trust* güven**il**ir *trustworthy*

Orhan benim en **güvenilir** arkadaşımdır. (*Ahmet is my most* **trusted** *friend.)*

Oda çok küçük olduğu için **açılır kapanır** bir kanape aldık. (*As the room is very small we bought a* **collapsible** *couch.*)

Şimdiki halde Avrupa Birliği üyeliği Türkiye'nin önünde **aşılmaz** bir engel gibi duruyor. (*At the moment, membership of the European Union is standing in front of Turkey like an* **insurmountable** *obstacle.)*

Bizim ailemiz için **bulunmaz** bir dost olduğunuzu her zaman söylerim. (*I always say that you are a* **rare / hard-to-find** *friend for our family.*)

Irregular passives

A few verbs have passive forms that do not fit the patterns explained above.

anlamak *to understand* anla**şıl**mak *to be understood*

Parçada çok uzun cümleler kullanmış, onun için **anlaşılmıyor**. (*He has used very long sentences in the piece, so* **it is not understood.**)

The word koyulmak from koymak *to put* does exist but it is used to mean different things:

Sütü çok kaynattığım için **koyuldu**. (*The milk* **thickened** *as I boiled it too much.*)

Gitmek istedikleri yere geç kalmamak için arabayla hemen **yola koyuldular**. (*They set out on* **the journey** *at once as they did not want to be late getting to the place they wanted to go to.*)

Kaybetmek	*to lose* (a compound verb from kayıp etmek)
kaybedilmek	*to be lost*
kaybolmak	*to be lost (*in the sense of *to disappear, to get lost*)

Beşiktaş oyuna gerçekten iyi başladı ama bazı oyuncuların dikkatsizliği sonucu maç **kaybedildi.** (*Beşiktaş started the game really well, but as a result of the carelessness of some of the players, the match* **was lost**.)

Cep telefonumu evin içinde kaybettim. (*I lost my mobile phone somewhere in the house.*)

Cep telefonum evin içinde bir yerde **kayboldu**. (*My mobile phone* **disappeared** *somewhere in the house.*)

Kısa yoldan gitmek için ara sokaklara sapınca **kayboldum**. **(I got lost** *when I turned into the side streets to take a short cut.)*

Double passives

1 There are just a few verbs which seem to be used with two passive endings added together. These are often referred to as double passives but, in fact, they are grammatically incorrect formations and the second passive adds no meaning to the verb. However, repeated use of these so-called double passives has caused them to become established and accepted. It is important to know these but it is better to avoid using them.

The word **söyle-mek** (*to say*) has the correct passive form söyle-**n**-mek (*to be said*), but it is heard and sometimes seen in print as söyle-**n-il**-mek as the passive form of söyle-mek.

söylen -mek *is also used actively to mean* to mutter, to speak under one's breath *and it is, in fact, the reflexive form of* **söyle-mek** *meaning* speak to oneself *which is* to mutter.

2 The passive form of the word **ye**-mek (*to eat*) is ye-**n**-mek:

Annemin kekleri büyük bir iştahla **yendi** bitti. (*My mother's cakes* **were eaten** *with great appetite / eagerly and finished.*)

But there is an active verb **yen**-mek, which means *to beat* (in the sense of *to win over someone / something*)

Galatasaray son maçta Fenerbahçe'yi **yendi** ve şampiyon oldu. (*Galatasaray beat Fenerbahçe in the last game and became champions.*)

The passive of yen-mek is yen-**il**-mek *to be beaten* (in the sense of *to lose*)

Fenerbahçe Galatasaray'a yenildi. (*Fenerbahçe lost to Galatasaray.*)

However ye-**n-il**-mek is also frequently used as the passive of **ye-mek**

Sofradaki bütün yemekler yenildi. (*All the dishes on the table were eaten.*)

In sports when you say X was beaten by Y, *you don't use* **tarafından** *to indicate by whom X was beaten but you add the ending* **-(y)E** *to Y (i.e. the agent)*: **Fenerbahçe Galatasaray'a yenildi.**

3 **De-mek** is another verb that seems to be used often with double passive endings: de-**n**-**il**-di (*it was said*).
Kanunsuz yollardan zengin olmuş, ben bilmiyorum ama öyle de-**n**-iyor/de-**n**-**il**-iyor.
(*Apparently he got rich through illegal means, I don't know but so it is said.*)

F Complete the sentences with the correct passive forms and tense forms.

1 Yarınki toplantıda işsizlik konusunda önemli kararlar al___________.
2 Türkiye'de her dört yılda bir genel seçim yap___________.
3 Konya'da bulunan Mevlana Müzesi her yıl bir çok turist tarafından ziyaret et___________.
4 2015 yılında Çanakkale Zaferinin 100. Yıl dönümü kutla___________.
5 Teknolojinin ilerlemesiyle her gün yeni cep telefonları üret___________.
6 Bütçe yarın Maliye Bakanı tarafından açıkla___________.

G Match the following sentences with the correct newspaper headlines.

1 Hindistan'da son beş haftada en az 94 kişi domuz gribinden hayatını kaybetti. Ülke genelinde önlem alınmaya çalışılıyor.
2 İngiltere ve İrlanda'daki bazı süpermarketlerde dana etinin içinde at eti tespit edilmesiyle ortaya çıkan at eti skandalı Avrupa ile ilişkilerde problem yarattı.
3 Norveçli ressam Munch'ın doğumunun 150inci yılını anmak üzere 'Çığlık' tablosu pullara basıldı.
4 İngiltere, kamusal alanlarda, hatta bazı ofislerde kullanımına izin verilen elektronik sigaralarla ilgili yeni yasal düzenlemeleri tartışıyor.
5 Cumhurbaşkanı, Mısır'a hareket etmeden önce Esenboğa Havalimanı'nda açıklamalarda bulundu.
6 Finlandiya'daki ilkokullarda çocuklara ödev verilmiyor.

A BİRLEŞİK KRALLIK İLE AVRUPA ARASINDA GERGİNLİK

B ELEKTRONİK SİGARALAR MUCİZE Mİ YOKSA TEHLİKE Mİ?

C CUMHURBAŞKANI MISIR'A GİTTİ

D FARKLI BİR EĞİTİM ANLAYIŞI

E MEKTUP YOLUYLA SANAT

F DOMUZ GRİBİ YENİDEN CAN ALIYOR

Vocabulary

H Complete the sentences with one of the words in the box.

eserlerin	zeytinyağı	toplantı	açık artırmada	çay	zeytin

1. Türkiye hükümeti tarafından düzenlenen ___________ yarın başlayacaktır.
2. Shakespeare tarafından yazılmış olan ___________ çoğu Türkçeye çevrilmiştir.
3. Türkiye'de çok ___________ üretilir ve içilir.
4. Lady Gaga'nın çay fincanı bir ___________ 60 bin Avroya satılmıştır.
5. Türkiye'de ___________ en çok Ege Bölgesi'nde yetiştirilir ve yine ___________ burada üretilir.

I Match the Turkish words with the English.

1. desteklemek
2. ihracat
3. yetiştirmek/üretmek
4. tarım
5. fidan
6. bölge
7. tüketmek
8. ithal etmek

a export
b to consume
c to support
d to import
e to produce
f region
g sapling
h agriculture, farming

Reading

J Read the text and answer the questions.

1. Türkiye ne ülkesi olarak bilinirdi? ___________
2. Türkiye'de portakal ve mandalina nerede görülür? ___________

Türkiye tarım ve hayvancılığın önemli olduğu bir ülkedir. Yıllar boyunca Türkiye bir tarım ülkesi olarak bilinirdi. Tarım ürünleri çok bol ve son yıllara kadar da gayet ucuzdu. Ülkenin değişik bölgelerinde o yörenin iklim koşullarına göre çeşitli sebze ve meyveler yetiştirilir. Ege bölgesinde üzüm ve incir gibi meyveler yetiştirilirken Akdeniz bölgesinde sulak topraklara gerek duymayan ve sıcak yerlerde görülen portakal, mandalina gibi ağaçlar dikilir. Karadeniz bölgesinde ise üretimde fındık ve çay başta gelir.

K Now read the article and answer the questions.

Çay yetiştirmek için ithal edilen fidanlarla Doğu Karadeniz'de Rize ve çevresinde çay üretimine 1930'lu yıllarda başlandı. Bu üretim çıkarılan kanunlarla hükümet tarafından büyük ölçüde desteklendi. Üreticiye devlet bankalarından faizsiz kredi verildi. Günümüzde taze olarak koparılan çay yaprakları atölyelerde işlenir ve kuru çay elde edilir. Çay Türkiye'de büyük miktarda tüketilir, günün her saatinde evlerde, iş yerlerinde, kafelerde devamlı çay içilir.

Ege bölgesinde yetiştirilen üzüm ve incir yaş meyve olarak yendiği gibi kurutularak dış ülkelere ihraç edilir. Türkiye'nin tarımda en önemli ihracat ürünü fındıktır. Fındık satışının büyük bir bölümü Batı Avrupa ülkelerine yapılır ancak son yıllarda Çin tarafından da yüksek miktarda fındık alınıyor.

Türkiye'de pazarlarda, marketlerde en çok satılan meyve elmadır, bunun bir nedeni de belki çok bilinen bir atasözüdür: 'Elma giren eve doktor girmez'.

1 Çay üretimine nerede ve ne zaman başlandı?

____

2 Çay üretimini kim destekledi?

____

3 Üretici nasıl desteklendi?

____

4 Hangi ülkeler Türkiye'den fındık alır?

____

5 Pazarlarda en çok satılan meyve hangisidir, neden?

____

Writing

L **For a newspaper's additional section, write a short article in Turkish discussing which fruit and vegetables are grown in your country or a country you know well using passive forms. Write about 100–120 words.**

- En çok hangi sebze ve meyveler yetiştiriliyor?
- Bu ürünler ülkenin hangi bölgelerinde bulunuyor?
- Bunlar başka ülkelere satılıyor mu?
- Evinizde en çok hangi meyve yenir?

____

____

____

____

____

____

____

____

____

____

Self-check

Tick the box which matches your level of confidence.

1 = very confident 2 = need more practice 3 = not confident

Aşağıdaki kutuları yeterlilik düzeyinize göre işaretleyin.

1 = çok yeterli 1 = daha çok alıştırma lazım 3 = yetersiz

	1	2	3
Recognize and form passive sentences			
Differentiate between active and passive forms			
Can understand short texts (newspaper headlines) (CEFR B1)			
Can present a product (CEFR B1)			

12 Bir hobiniz var mı?

Do you have a hobby?

In this unit you will learn how to:

- Use gerund forms
- Form complex sentences using conjunctions

CEFR: Can understand fairly complex texts about hobbies (B2); Can write an email about hobbies and leisure activities using complex sentences (B1).

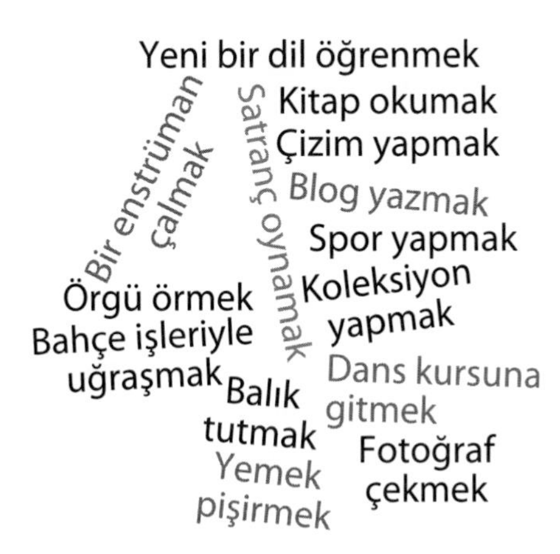

A Look at the word cloud. How many different hobbies can you see?

Meaning and usage

Converbs (Gerunds)

1 Turkish is able to explain complex actions in a very concise way using converbs. Converbs are adverbial verb forms. They form subordinate clauses functioning like adverbial clauses (clauses of time, manner, cause, sequence of events etc.) in English.

2 In Turkish, converbs do not indicate person or tense. They are directly attached to the stem of a verb and usually precede the main verb; who is doing the action and the tense have to be inferred from the context.

3 Some converbs such as -(y)Ip, -(y)E -(y)E, -(y)ErEk always share the subject of the main verb.

Ali odaya gir**ip** güzel haberi ver**di**.	*(Ali entered the room and gave the great news.)*
Bir kursa gid**ip** yeni bir dil öğrenmek istiyor**uz**.	*(We would like to go on a course and learn a new language.)*
Ofisimde müzik dinle**ye** dinle**ye** çalışıyorum.	*(I work in my office (while) listening to music.)*
Spor yap**arak** stres atmak çok iyi bir fikir.	*(It is a good idea to get rid of stress by doing sports.)*

4 Other converbs such as -(y)IncE, -(I/E)rken, -mEdEn can have a separate subject; however, if not indicated the converb is assumed to share the subject of the main verb.

Biz yürüyüşe çıkınca ann**emle arkadaşı** evde yeni bir yemek tarifi denedi**ler**. (*When we went for a walk my mother and her friend tried out a new recipe.*)

Ben fotoğraf çekerken **erkek kardeşim** sahilde oturuyordu. (*While I was taking pictures, my brother was sitting on the beach.*)

Öğrenciler internete girmeden ödevlerini yapa**madılar**. (*Students were not able to do their assignments without using the internet.*)

How to form converbs

Converbs	Meaning	Negative	Meaning
-(y)Ip	*and, . . . ing*	-mEyİp	*not (but), not . . . ing*
-(y)E -(y)E	*by. . . ing, -ly*	-mEyE -mEyE	*by not. . . ing,*
-(y)ErEk	*by. . . ing, -ly*	-mEyErEk	*by not. . . ing, without*

1 **-(y)Ip** converb usually joins two sentences by adding it to the first verb, which becomes the subordinate clause. The tense and personal suffix of the main verb need to be considered for meaning and translation. The two actions are usually in immediate sequence.

Dün eve gid**ip** o futbol maçını izledim. (*Yesterday I went home and watched the football match.*)

Bu hafta sonu yeni bir kursa gideceğiz. (*This weekend we shall go on a new course.*)

Bu hafta sonu tango yapmasını öğreneceğiz. (*This weekend we shall learn how to dance the tango.*)

Bu hafta sonu yeni bir kursa gid**ip** tango yapmasını öğreneceğiz. (*This weekend we shall go on a new course and learn how to dance the tango.*)

Orhan bu yaz Antalya'ya gid**ip** dalgıçlık öğrenmek istiyor. (*Orhan wants to go to Antalya this summer and learn to dive.*)

Nihan Almanca kursuna devam et**meyip** başka bir dil kursuna gidecek. (*Nihan will not continue with the German course but will go on another language course.*)

In longer and more advanced texts, you will come across the **-(y)Ip** *suffix a lot as it is preferred after* **ve** *and as a sentence connector. It avoids repetition of tense and personal suffixes in the first of the connected sentences.*

2 **-(y)E -(y)E** converb is added to the verb base and the verb is repeated twice, indicating a repetitive manner of doing an action. Again, there is no indication of tense or person in the converb; the main verb determines the time and person. Often the repeated verb with the **-(y)E** suffix is best translated as a single adverb.

Bulmaca **çöze çöze** beynimizi güçlendire**biliriz**. (*We can strengthen our brain by doing crosswords.*)

Tarifi **tekrarlaya tekrarlaya** annemden daha iyi yapmaya başla**dım**. (*(By) repeating the recipe so many times, I have started to prepare it better than my mother.*)

Tenise **istemeye istemeye** başladım ama şimdi bırakamıyorum. (*I started to play tennis unwillingly (lit. not wanting) but now I can't stop (lit. leave it behind).*)

Hareket **etmeye etmeye** vücudumuz tebelleşir. (*(By) not doing enough exercise, our bodies can get lazy.*)

Fixed common expressions like the following come from this rule.

Güle güle.	(Goodbye (lit. go happily, go laughingly laughingly))
Seve seve yaparım.	(I'll do it willingly.)
Bile bile yaptın.	(You did it on purpose.)

3 **-(y)ErEk** has a similar meaning to **(y)E -(y)E** and indicates how an action is completed through another action. It explains the manner of performing the action and is usually translated into English as *by…ing*.

Bulmaca çöz**erek** beynimizi güçlendire**biliriz**. (*We can strengthen our brain by doing crosswords.*)

Zamanımızı iyi kullan**arak** birden fazla hobi edinebiliriz. (*We can have more than one hobby by using our time efficiently.*)

Daha sağlıklı olmak için Ali yürü**yerek** işe gidiyor. (*In order to be healthier Ali walks to work.*) (*lit. goes to work walkingly.*)

Ben gör**erek** bir şeyi daha kolay öğreniyorum. (*I learn something better visually (lit. by seeing it).*)

Keyif al**mayarak** bir hobi yapmak çok anlamlı değil. (*It is not very meaningful to have a hobby without enjoying it.*)

Can bir şey söyle**meyerek** odadan çıktı. (*Can left the room without saying anything.*)

Please remember that the verb **olmak** (to be) *can also take* **-(y)ErEk** *but the meaning is 'as'.*

Hobi olarak ne yapıyorsunuz?	(What do you do as a hobby?)
Türkiye'ye turist olarak geldim ama artık burada yaşıyorum.	(I came to Turkey as a tourist but now I'm living here.)

B Combine the two sentences with the converb indicated at the end of the sentence.

1 Zeynep model uçak maketleri yapacakmış. Onları pazarda satacakmış. **(-(y)Ip)**
2 Çok araştırma yaptık. Bu kursun en iyi olduğuna karar verdik. **(-(y)ErEk)**
3 Kurs öğretmenimin verdiği tarife dikkatlice baktım. Yemeği öyle pişirdim. **(-(y)E -(y)E)**
4 Dün çarşıdan gerekli malzemeleri almayı unuttum. Kurstaki arkadaşımın malzemelerinden kullandım. **(-(y)Ip)**
5 Kardeşim haftaya tablosunu tamamlayacak. Tabloyu anneme doğum gününde hediye edecek. **(-(y)Ip)**
6 Ayşe bir çanta modeli tasarladı. O şekilde bu işe başladı. **(-(y)ErEk)**

Converbs	Meaning	Negative	Meaning
-E/Ir....mEz	*as soon as...*		
-(E/I)rken	*while*	-mEzken	*while not -ing*
-(y)İncE	*when, upon... ing*	-mEyIncE	*when, upon ... not -ing*
-(y)Eli	*since -ing*	-mEyEIl	*since not -ing*
-mEdEn (önce)	*before -ing*		
-DİktEn sonra	*after -ing*	-mEdIktEn sonra	*unless -ing*
-mEktEnsE	*rather than -ing*	-mEmEktEnsE	*rather than not -ing*
-DIkçE	*whenever ... ing* *the more... the more*	-mEDIkçE	*as long as... ing*

4 **-E/Ir....-mEz** is used only after the form of the aorist tense but without any reference to the meaning of the tense. The converb **-E / Ir...mEz** does not have a negative form; it doubles the verb using the positive and negative aorist tense form to indicate the meaning *as soon as*.
Arkadaşımın aldığı çantayı gör**ür** gör**mez** ben de o çantayı almaya karar verdim. (*As soon as I saw the bag my friend bought, I decided to buy that bag.*)

Remember **-(y)ken** *which is non-harmonic is mostly used with the aorist form. Its negative form is* **-mE+z+ken:**

Bu konuda daha önce hiç konuşmazken şimdi herşeyi anlatıyor. (Whilst previously he never talked about this subject he now explains everything.)

5 The **-(y)IncE** suffix is added to verbs indicating consecutive actions between two or more verbs. The verb that takes **-(y)IncE** in the subordinate sentence indicates that the action has to precede the main verb. It has a negative form -**mEyIncE**. Both forms can also be added to **olmak** *to be* and **var** *has* (*got*) or **yok** *hasn't* (*got*).
Kaan fotoğraf makinasını dolapta bul**unca** tekrar fotoğrafçılığa başlamaya karar verdi.
(*When Kaan found his camera in the cupboard, he decided to start photography again.*)

Bir gün dağcılıkta çok deneyimli ol**unca** kendi bloğumu yazmak istiyorum. (*When, one day, I become very experienced in mountaineering, I want to write my own blog.*)

Elif kendine uygun bir hobi seçe**meyince** çok yakın bir arkadaşından yardım istedi. (*When Elif could not choose a hobby suited to her, she asked for help from a very close friend.*)

6 The **–(y)Eli** suffix is one of the many ways in Turkish to express '*since*' although it is less frequently used than the others. It has a negative form.

Düzenli olarak yoga yapmaya başla**yalı** kendimi daha iyi hissediyorum.	(*I feel better since I started doing yoga regularly.*)
Televizyon izle**meyeli** ailece daha kaliteli zaman geçiriyoruz.	(*We spend more quality time as a family since we stopped watching television.*) (*…since we have not been watching TV.*)

The **-(y)Eli** *converb is sometimes used following a verb in past tense to mean* ever since *strengthening the action that is referred to by the converb.*

Ali'nin 3 dil konuştuğunu <u>gördüm</u> gör<u>eli</u> ben de yabancı bir dil öğrenmek için bir kursa yazıldım.
(Ever since I saw Ali speaking three languages, I registered on a course to learn a foreign language.)

C Complete the sentences with either -Erken / Irken or -(y)İncE in a meaningful way.

1 Kızım origamisini bit__________ öğretmenine hediye etti.
2 Dış dünyayı unutmak için yoga yap__________ hepimiz saatlerimizi çıkartıyoruz.
3 AVM'de yetişkinler için hazırlanmış boyama kitapları gör__________ büyükbabama bir tane aldım.
4 Dün bahçedeki çilekleri topla__________ arkadaşım geldi ve yardım etti.
5 Yabancı dil öğren__________ çok sabırlı olmak lazım.

D Complete with one of the -(y)IncE, -(y)ErEk, -(y)Ip, -Erken / Irken, -Ir… -mEz endings and the necessary changes.

1 Dün kardeşim televizyon seyret_______________ ben internette yeni bir hobi araştırıyordum.
2 Kursun bitmesine 30 dakika kaldı. Kurs bit_______________ hemen eve git_______________ dinleneceğim.
3 Ali odadan ağla_______________ çıktı. Acaba ne oldu?
4 Yarın uçaktan in_______________ seni arayacağım, merak etme.
5 Dün jimnastik salonuna git_______________ yolda 10 yıldır görmediğim arkadaşımla karşılaştım.
6 Bir gün Ayşe çok zengin ol_______________ tüm dünyayı gezecekmiş.

7 **-mEdEn önce** and **-DIktEn sonra** are directly linked to the verb stem to indicate before or after something.

Satranç öğren**meden önce** bu hobinin çok eğlenceli olduğunu bilmiyordum.	(*Before I learnt (playing) chess I did not realize what an enjoyable hobby this was.*)
Akıllı telefon al**dıktan sonra**, kamerasını kullanıp kısa filmler çekiyorum.	(*After buying a smart phone, I shoot short films using the camera.*)

They can also be used in the negative sense:

Hayatta birçok şeyi deneyimle**medikten sonra** ne anlamı var?	(*What is the meaning of life if you do not experience many things?*)

Please remember **-mEdEn** *can be used by itself with the meaning* unless, without… ing

Kelime tekrarı yapmadan İtalyancamı geliştiremiyorum.	(I cannot improve my Italian unless I repeat my vocabulary. (…without repeating…))
Gece yatınca bir kaç sayfa kitap okumadan uykum gelmiyor.	(When I go to bed at night, I do not get sleepy unless I read a couple of (book) pages.)

8 **-mEktEnsE** ***rather than***

This is a sequence of suffixes used to point to a preference.

Cumartesi akşamı evde otur**maktansa** sinemaya gidelim. (*On Saturday evening, let's go to the cinema rather than stay at home.*)

Meyve ye**mektense** suyunu içiyor. (*Rather than eating fruit, she drinks the juice.*)

9 **-DikçE** ***whenever, the more***

This is a combination of suffixes referring to a series of intermittently repeated actions.

The subject of the -DikçE clause can be different from the main clause. If the subject is the same, the subject of the –DikçE clause is not expressed.

Ali yeni bir hobi edin**dikçe** ben çok mutlu oluyorum. (*I am very happy whenever Ali acquires a new hobby.*)

İnternetteki pasta tariflerini gör**dükçe** babam her gün bize bir tane yapıyor. (*The more my father sees cake recipes on the internet, the more he bakes one for us every day.*)

The negative form of this combination can best be translated as *'if'* or *'as long as we do not'.*

Yılda bir defa yeni bir yere git**medikçe** kendimizi huzursuz hissediyoruz. (*We feel restless if we do not go to a new place once (in) a year.*)

E Complete the sentences with one of the mEdEn önce, -DIktEn sonra, -mEktEnsE and -DikçE forms.

1. Her sabah sahilde spor yapanları gör_______________ ben de spor yapmaya başlamak istiyorum.
2. Eşimle dans kursuna katıl_______________ sık sık davetlerde dans ediyoruz.
3. Teyzem evinden çıkıp bir yere git_______________ evinde kalıp örgü örmeyi tercih ediyor.
4. Parkta her gün koşuya çık_______________ kondisyonum çok kötüydü.
5. John haftada 3 defa spor salonuna git_______________ kendini mutlu hissetmiyor.
6. Çeşitli kursları araştır_______________ mahallemizdeki takı kursuna gitmeye karar verdim.

Meaning and usage

Two-word conjunctions

1 Conjunctions connect items which are the same grammatical type, e.g. words, phrases, clauses. As in English, in Turkish there are one-word conjunctions such as ve (*and*), ama (*but*) etc. and also two-word conjunctions. The particle (dE) is optional but there is a tendency to use it in written form.

Conjunctions	Meaning
hem ... hem (de) **gerek ... gerek(se)..**	*both... and*
ne ... ne (de)	*neither ... nor*
ya ... ya (da) **ya da** veya yahut veyahut	*or*

2 ***Both... and***

hem ... **hem(de)** and **gerek** ... **gerek(se)** conjunctions have the same meaning and can be used interchangeably; **de** and **se** are used only to make the statement more emphatic.

Kahvaltıda **hem** reçel **hem** bal yedik. (*We had both jam and honey at breakfast.*)

Hem kardeşim **hem** de ben takı kursuna girmek istiyoruz. (*Both my sister and I want to go to a jewellery course.*)

Bazı hobiler **gerek** yeni ve farklı özelliklerle tanışmamızı **gerekse** mutlu olmamızı sağlar. (*Some hobbies make it possible for us both to get to know new and different features and also to be happy.*)

Hem *can be used singly by itself or with* **de** *to mean* and, also, yet.

Hava çok soğuk **hem de** *yağmur yağıyor.* (It's very cold and also it's raining.)

3 ***neither... nor***

The form to say neither ... nor is **ne ...ne** or **ne...ne de.** The verb used with ne....ne (de) does not take the negative ending -mE or değil as is the case in English with *neither...nor.*

Hava **ne** soğuk **ne (de)** yağmurlu. (*The weather is neither cold nor rainy.*)

Hayvanlara karşı sevgisi yok, **ne** köpek sever **ne** kedi **ne de** kuş. (*She has no affection for animals, she likes neither cats nor dogs and nor birds.*)

4 ***either... or***

ya ...ya is the common form of expressing choice as *either...or.*

Alacağım kazak **ya** kırmızı olacak **ya da** yeşil. (*The jumper I shall buy will be either red or green.*)

Ya Ayşe gelsin **ya da** Nazlı. (*Let either Ayşe or Nazlı come.*)

Although written as one word, veya, yahut, veyahut are also combined forms but they are used only as *or.*

Oraya otobüs veya / ya da / yahut / veyahut trenle gideceğiz. (*We will go there either by bus or by train.*)

F **Rewrite / combine the following sentence using the conjunction indicated at the end of the sentence.**

1 Ali tango kursuna gitmek istiyor. Ayşe de tango kursuna gitmek istiyor. **hem ... hem(de)**
2 Yalçın rafting yaparak stres atıyormuş. Yalçın tekvando yaparak stres atıyormuş. **gerek ... gerek(se)**
3 Büşra avcılığı sevmiyor. Büşra arıcılığı sevmiyor. **ne ... ne (de)**
4 İş arkadaşlarımızla çömlekçilik kursuna gideceğiz. İş arkadaşlarımızla dericilik kursuna gideceğiz. **ya... ya (da)**
5 Ben hobisiz yapamıyorum. Eşim de hobisiz yapamıyor. **ne ... ne (de)**

Vocabulary

G **Put the verbs into the correct form and translate into English.**

hobi edinmek	-ErEk	hobi edinerek	by acquiring a hobby
pul biriktirmek	-mEktEnsE		
bilmek	-(y)E -(y)E		
denemek	-DIktEn sonra		
ben öğrenmek	-DIkçE		
başlamak	-(y)EIl		

H **Here is a list of items that refer to a specific hobby. Match the item with the hobby. Use a dictionary to look up any words if needed.**

palet ve tuval	kil ve oklava	tekne ve yağmurluk	tripod ve flaş
testere ve maket bıçağı	tüy top ve raket	boncuk ve klips	ip ve eldiven

1 dağcılık ______________________
2 ressamlık ______________________
3 takı tasarım kursu ______________________
4 fotoğrafçılık ______________________
5 badminton ______________________
6 seramik el sanatları ______________________
7 ahşap el sanatları ______________________
8 yelkencilik ______________________

Reading

I **Read the first part of the blog post and answer the question.**

Neden eskiden anne ve babalarımızın bugüne göre farklı hobileri yoktu? ______________

Blog

Hiç hobiniz var mı? Bir hobi mi edinmek istiyorsunuz? Seçenekleri bilmiyor musunuz? Karar veremiyor musunuz? Öyleyse bu yeni yazımı okuyun!

Anne ve babalarımızın çocukluk ve gençlik yıllarındaki en popüler hobi pul biriktirmekti. O yıllarda hem imkanları hem de seçenekler az olduğundan farklı hobiler akıllarına bile gelmiyordu. Ancak bugün durum farklı, çok ilginç hobiler edinebilir, hayatınıza renk katabilirsiniz.

J **Now read the rest of the blog about hobbies. Indicate if the statements are D (doğru / *true*) or Y (yanlış / *false*). If the statements are false, correct them.**

Blog

İlk önce hobi kelimesini tanımlayarak başlamak istiyorum. Hobiler, genellikle boş zamanlarımızda ya keyif almak için ya da formda kalmak için yahut da düzenli olarak yapmaktan hoşlandığımız etkinliklerdir. Hobiler, temalı nesneler toplamak, yaratıcı ve sanatsal çalışmalar yapmak, bir müzik aleti çalmak, balık tutmak, bulmaca çözmek, dil öğrenmek gibi daha nice eğlenceli aktiviteleri severek sürdürdüğümüz uğraşlardır.

Hobiler can sıkıntımızı giderip keyifli vakit geçirmemizi sağlarken, aynı zamanda bize bir şeyler de öğretebilir. Sahip olduğumuz gizli yetenekleri ortaya çıkarabilir, stresimizi azaltıp ruh halimize olumlu yönde etki sağlayabilir.

Hobi seçmek için nelerden hoşlandığınızı, ne yaparken gerçekten sıkılmadığınızı tespit etmeniz lazım. Bu hobiyi kapalı alanda mı ya da açık alanda mı yapmak istersiniz, bu soruyu kendinize sorup seçeceğiniz hobinin ne kişiliğinize ne de becerilerinize zıt olmadığından emin olmalısınız. Örneğin çok sabırlı değilseniz örgü örmektense belki daha sosyal bir hobi seçebilirsiniz; dans dersleri almak gibi.

Ayrıca bugün hobi olarak yapmaya başladığınız bir uğraş ileride bir mesleğe dönüşebilir ve para bile kazanabilirsiniz.

Hala karar veremediniz mi? O zaman bir düşünün. Hangi konu hakkında konuşurken heyecanlanıyorsunuz, keyif alıyorsunuz? Kendinize, ailenize ve arkadaşlarınıza en çok hangi konular hakkında seve seve konuştuğunuzu sorun. Belki bu konuları hobiye dönüştürebilirsiniz.

Şimdi size fikir vermek için bir hobi listesi ekleyerek bugünkü blog yazımı sonlandırıyorum.

Yarın tekrar görüşmek üzere

NC

- yeni bir dil öğrenmek
- satranç oynamak
- bir enstrüman çalmak
- günlük veya blog yazmak
- kısa film çekmek
- kuşları gözlemlemek
- eskrim yapmak
- doğa sporları
- astronomi ile ilgilenmek
- yarışmalara katılmak
- dans kursuna gitmek
- gönüllü olarak çalışmak
- online dersler almak
- kaligrafi öğrenmek
- ahşap oymacılığı
- su sporları
- yemek kursları
- nakış yapmak
- şarap üretmek
- yoga yapmak
- sihirbazlık
- farklı böcek koleksiyonu
- origami yapmak
- şehir keşifçiliği

1 Hobilerden genellikle keyif alınır. D / Y
2 Hobiler bize yeni bir şeyler öğretebilir. D / Y
3 Bütün hobiler kapalı alanda yapılır. D / Y
4 Seçtiğiniz hobiler kişiliğinize ve becerilerinize uygun olmalı. D / Y
5 Hobilerden para kazanmak mümkün değil. D / Y
6 Hangi hobi seçeceğinize karar verirken kimseye danışmayın. D / Y

K Underline the converbs in the text.

L Find the opposites of these expressions in the text.

1 aynı ______________
2 sıkıcı ______________
3 isteksiz ______________
4 kaybetmek ______________
5 başlatmak ______________

Writing

M Write an email to the blog page describing your preferred hobby or leisure activity, stating the reason(s) for your choice. Use a variety of converbs and conjunctions. Write 100–120 words.

- ▶ Boş zamanlarınızda neler yapıyorsunuz?
- ▶ Bir hobiniz var mı?
- ▶ Neden bu hobiyi yapıyorsunuz?
- ▶ Hobilerinize vakit ayırabiliyor musunuz?

____

____

____

____

____

____

____

____

____

____

Self-check

Tick the box which matches your level of confidence.

1 = very confident 2 = need more practice 3 = not confident

Aşağıdaki kutuları yeterlilik düzeyinize göre işaretleyin.

1 = çok yeterli 2 = daha çok alıştırma lazım 3 = yetersiz

	1	2	3
Use gerund forms			
Form complex sentences using conjunctions			
Can understand fairly complex texts about hobbies (CEFR B2)			
Can write an email about hobbies and leisure activities using complex sentences (CEFR B1)			

Hayaller gerçek olabilir mi?

Can dreams come true?

In this unit you will learn how to:

- Convert direct speech sentences into indirect speech
- Use indirect sentences to report views

CEFR: Can understand texts about life expectations, experiences and decisions (B1); Can write an informative text in reported speech by expressing opinion (B2).

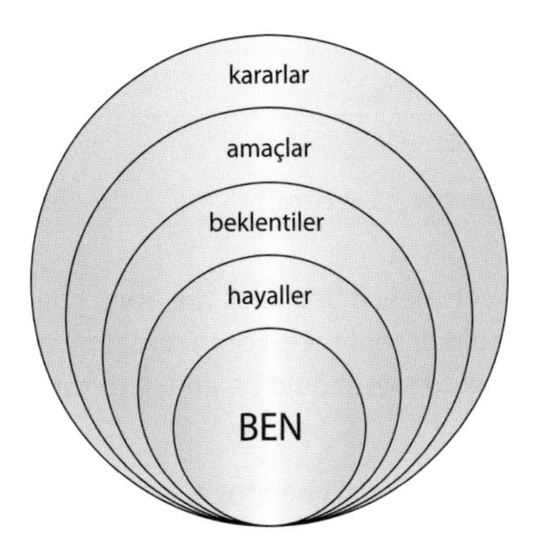

Meaning and usage

Indirect speech

1 Indirect speech is reporting something said or written by quoting what was meant indirectly. Turkish uses object participles and the verbal noun -mE structures while converting direct sentences into indirect speech to give the reported meaning.

Emekli olunca bir sahil kasabasına yerleşeceğim. (*I am going to settle in a sea-side town when I retire.*)

Emekli olunca bir sahil kasabasına yerleşeceğini söylüyor. (*She says that she will settle in a sea-side town when she retires.*)

Fazla hırslı insanlardan hoşlanmıyorum. (*I do not like over-ambitious people.*)

Fazla hırslı insanlardan hoşlanmadığını söyledi. (*She said that she did not like over-ambitious people.*)

Nasılsın? (*How are you?*)

Nasıl olduğumu sordu. (*She asked me how I was.*)

Mutlu musun? (*Are you happy?*)

Mutlu olup olmadığımı sordu. (*She asked me whether I was happy or not.*)

How to form indirect speech

1 With object participles: Verb base + -**DIK** + **possessive** + **accusative ending**
Verb base + -**(y)EcEK** + **possessive** + **accusative ending**

When the main verb of the direct speech sentence indicates an action that has happened or will happen then that verb takes the object participle form in the indirect speech.

Direct speech	Indirect speech
Ali, 'İyi bir iş bulmak istiyorum' diyor. (*Ali says 'I want to find a good job.'*)	Ali iyi bir iş bulmak iste**diğini** söylüyor. (*Ali says that he wants to find a good job.*)
Emel 'Bu hafta sonu futbol maçına gideceğim' dedi. (*Emel said 'I'll go to a football game this weekend.'*)	Emel bu hafta sonu futbol maçına gideceğini söyledi. (*Emel said she will go to a football game this weekend.*)

... **istiyorum** in the direct speech becomes the object participle ... **istediği** and is no longer the main verb of the indirect sentence. For that reason, a case ending determined by the reported verb (**söylemek** *to say*) should be added to the object participle which is the accusative -(y)I.

Demek '*to say*' in the direct speech changes to söylemek '*to say*' in the indirect form although there is no difference in their meanings.

Some other reported verbs like **belirtmek** (to indicate), **açıklamak** (to reveal), **bildirmek** (to state), **vurgulamak** (to stress) *can also be used to replace* **söylemek** *to add stylistic variety in order to avoid repetition.*

Direct speech	Indirect speech
Ece 'Yeni bir araba **aldım**' dedi. (*Ece said 'I bought a new car.'*)	Ece, yeni bir araba **aldığını** söyledi. (*Ece said that she had bought a new car.*)
Dursun 'Konsere geç kaldık' dedi. (*Dursun said 'We are late for the concert.'*)	Dursun konsere geç kaldıklarını vurguladı. (*Dursun stressed that they were late for the concert.*)
Ayşe, 'Selim ile önümüzdeki ay evleneceğiz' dedi. (*Ayşe said 'Selim and I shall get married next month'.*)	Ayşe Selim ile gelecek ay evleneceklerini açıkladı. (*Ayşe revealed that Selim and she would get married next month.*)

2 When the subject of the direct sentence is **not** the same as the subject of the sentence to be reported, then the subject of the reported information is quoted in the genitive case or as a pronoun in genitive.

Direct speech	Indirect speech
Ahmet, 'Ece yeni bir araba aldı' dedi. *(Ahmet said 'Ece bought a new car.')*	Ahmet, Ece'**nin** yeni bir araba **aldığını** söyledi. *(Ahmet said that Ece had bought a new car.)*
Hasan bana 'Sen bugün çok **çalıştın**' dedi. *(Hasan said to me 'You worked hard today.')*	Hasan bana benim bugün çok **çalıştığımı** söyledi. *(Hasan told me that I had worked hard today.)*

3 Indirect sentences in negative form: verb + **-mE** + **-DIk/-(y)EcEK** + **possessive** + **accusative ending**

Direct speech	Indirect speech
Ece, '**O** yarınki toplantıya **gelmeyecek' dedi.** *(Ece said 'He will not come to tomorrow's meeting.')*	Ece, **onun** yarınki toplantıya **gelmeyeceğini bildirdi.** *(Ece stated that he would not come to tomorrow's meeting.)*
Mustafa, '*Biz* emekli **olmayacağız**' dedi. *(Mustafa said 'We are not going to retire.')*	Mustafa **onların** emekli **olmayacaklarını** açıkladı. *(Mustafa stated that they would not retire.)*
Aygün, 'Her zaman **beklentilerinizi** karşılayacak kararlar **alamazsınız**' dedi. *(Aygün said 'You are not always able to take decisions that will meet your expectations.')*	Aygün, her zaman **beklentilerimizi** karşılayacak kararlar **alamayacağımızı** söyledi. *(Aygün said that we would not always be able to take decisions that would meet our expectations.)*

A Complete the indirect speech sentences.

1 İsmet, 'O Perşembe günleri çalışmıyor' dedi.
İsmet ________ Perşembe günleri çalışmadığını belirtti.

2 Aynur, 'Farklı yeteneklerimi denemek istiyorum' diyor.
Aynur farklı yeteneklerini denemek ____________ söyledi.

3 Volkan, 'Melih işinde ilerlemek için yeni bir kursa başlayacak' dedi.
Volkan, ____________ işinde ilerlemek için yeni bir kursa ______________ söyledi.

4 Başbakan 'Türkiye'de çalışan kadınların sayısı arttı' dedi.
Başbakan Türkiye'de çalışan kadınların sayısının ______________ bildirdi.

5 Ayça, 'Biz üç ay sonra, hayal ettiğimiz evi tamamlayacağız' dedi.
Ayça, onların üç ay sonra hayal ettikleri evi ________________________ söyledi.

6 Müdür 'Bir yıldır süren proje tamamlandı' dedi.
Müdür bir yıldır süren projenin ____________________ açıkladı.

4 If the direct sentence already contains an object participle in it, this does not affect the way the sentence is converted to the indirect form.

Direct speech	Indirect speech
Canan, '**Burada** resim malzemesi bulacağı**mı** beklemiyordum' dedi. (*Canan said, 'I was not expecting to find painting material here.*)	Canan, **orada** resim malzemesi bulacağı**nı** beklemediğini söyledi. (*Canan said that she had not expected to find painting material there.*)

5 When the verb in direct speech is an auxiliary verb *to be* and var / yok (*there is, there is not*) stating a factual situation, the indirect speech is formed by using **ol**mak '*to be*' as the verb base.

Direct speech	Indirect speech
Hasan, 'Yeni okulumda çok **mutluyum**,' diyor. (*Hasan says 'I am very happy in my new school.'*)	Hasan, yeni okulunda çok **mutlu olduğunu** söylüyor. (*Hasan says that he is very happy in his new school.*)
Sibel, ' **Siz** şimdi karar vermek **zorunda değilsiniz**' dedi. (*Sibel said 'You are not obliged to decide now.'*)	Sibel, **bizim** şimdi karar vermek **zorunda olmadığımızı** söyledi. (*Sibel said that we were not obliged to decide now.*)
Oya, 'Tatile gitmeye **vaktim yok**' diyor. (*Oya says 'I don't have time to go on holiday.'*)	Oya, tatile gitmeye **vakti olmadığını** söylüyor. (*Oya says that she didn't have time to go on holiday.*)
Aylin, 'Korkut **halsiz** çünkü çok **ateşi var**,' dedi. (*Aylin said 'Korkut is very weak because he has a high fever.'*)	Aylin Korkut'un çok **ateşi olduğu** için çok **halsiz olduğunu** söyledi. (*Aylin said that Korkut was very weak because he had a high fever.*)

B Change the indirect speech statements to direct speech.

Direct: Metin '____________________________' dedi.

Indirect: Metin çok yaratıcı **olduğumu** söyledi.

Direct: Berrin '____________________________________' dedi.

İndirect: Berrin iş yerinin evine çok uzak olmadığını söyledi.

Direct: Necdet '__________________________________' diyor.

Indirect: Necdet Ayşe'nin çok sevdiği bir işi olduğunu söylüyor.

Direct '__________________________________' dediler.

İndirect: Gördükleri filmin umdukları kadar iyi olmadığını söylediler.

Direct: Savaş muhabiri '____________________________' dedi.

Indirect: Savaş muhabiri Suriye'de yardıma muhtaç çok çocuk olduğunu söyledi.

Direct: Kerem '____' dedi.

İndirect: Kerem gelecekle ilgili büyük beklentileri olmadığını söyledi.

6 When converting direct speech sentences stating necessity with lazım into indirect speech, gelmek is used to form the object participle: **lazım geldiğini/geleceğini.** This is because lazım olmak implies either a thing or an instrument *is needed* for the task; whereas **lazım** gelmek implies an intended action.

Eti kesmek için keskin bir bıçak lazım olacak. (*A sharp knife will be needed to cut the meat.*)

Telefonu olmadığı için ona mektup yazmamız lazım geliyor. (*As he does not have a telephone, we have to write him a letter.)(lit. our writing him a letter is required*)

Direct speech	Indirect speech
'Ali'nin bu işi **bitirmesi lazım**' dedi. (*He said 'Ali has to finish this task.'*)	Ali'nin bu işi **bitirmesinin lazım geldiğini** söyledi. (*He said that Ali has to finish this task.*)
Cansu oğluna, 'Ağacın meyve vermesi için ona iyi **bakman lazım**' dedi. (*Cansu said to her son, 'You have to look after the tree well in order for it to produce fruit.'*)	Cansu oğluna ağacın meyve vermesi için ona iyi **bakmasının lazım geldiğini** söyledi. (*Cansu told her son that he had to look after the tree well in order for it to produce fruit.*)
'Ona bu haberi **vermem gerekecek**' dedi. (*She said 'I need to give him this news.'*)	Ona bu haberi **vermesi gerekeceğini** söyledi. (*She said that he/she needed to give him this news.*)
Ali 'Senin işini **değiştirmen gerekiyor**' dedi. (*Ali said 'You need to change your job.'*)	Ali benim işimi **değiştirmem gerektiğini** söyledi. (*Ali said that I had to change my job.*)

7 With verbal nouns, when the direct speech sentence is about a suggestion, an intention or a command expressed in imperative and optative, then converting it into an indirect speech sentence is done by putting the verbal noun ending -mE + possessive suffix + case ending after the verb base. Some other reporting verbs like istemek, bildirmek, önermek, rica etmek can be used with these structures instead of söylemek *'to say'* in the indirect speech.

Direct speech	Indirect speech
Annem, '**Hayallerinden** vazgeçme' **dedi.** (*My mum said 'Don't give up your dreams.'*)	Annem, **hayallerimden vazgeçmememi istedi.** (*My mum asked me not to give up my dreams.*)
Konuşmacı, 'Bir karar almadan önce **seçeneklerinizin** artı ve eksilerini **yazın**' dedi. (*The speaker said 'Write the pros and cons of your choices before making a decision.'*)	Konuşmacı bir karar almadan önce **seçeneklerimizin** artı ve eksilerini **yazmamızı önerdi.** (*The speaker suggested we write the pros and cons of our choices before making a decision.*)
Ayşe, 'Bu kış Salzburg'daki Mozart festivaline **gidelim' dedi.** (*Ayşe said 'Let's go to the Mozart festival in Salzburg this winter.'*)	Ayşe bu kış Salzburg'daki Mozart festivaline **gitmemizi önerdi.** (*Ayşe suggested that we go to the Mozart festival this winter.*)

C Rewrite the following statements in indirect speech.

1 Babam, 'Sonucunun iyi olması için kararlarınızı düşünerek alın' dedi.

___

2 'Ulaşamayacağınız hedefler seçmeyin' dedi.

___

3 Sinan,' Başkalarının beklentilerine göre karar alma' dedi.

___

4 Psikolog Özdağ, 'Hayatı kontrol etmeye çalışmayın, bazen beklentilerinizi bir kenara bırakın' diyor.

___

5 Anneannem, 'Gençken önemli olan şeylerin yaşlanınca değişeceğini unutmayın' dedi.

___

6 Müdür, 'Bu projeyi Ali bitirsin' dedi.

___

8 When direct speech statements express completed actions or experiences with present perfect tense -mIş, these are transferred to indirect speech using **ol + -DIK /(y)EcEK + possessive + accusative ending.**

Direct speech	Indirect speech
Öğretmen, 'Hikmet bu kitabı çok güzel **incelemiş**' dedi. (*The teacher said 'Hikmet has analysed this book very well.'*)	Öğretmen Hikmet'in bu kitabı çok güzel **incelemiş olduğunu** söyledi. (*The teacher said that Hikmet had analysed this book very well.*)
Sevgin '**Biz** bu kitabı daha önce hiç **duymamıştık**' dedi. (*Sevgin said, 'We have not heard of this book before.'*)	Sevgin, **onların** bu kitabı daha önce hiç **duymamış olduklarını** söyledi. (*Sevgin said that they had not heard of this book before.*)

Not all direct speech sentences with **-mIş** *take* **olmak** *when turned into indirect form, especially if the verb in direct speech is* **istemek**.

Günay 'Onlar bisiklet yarışına katılmak istiyorlarmış' dedi.

Günay onların bisiklet yarışına katılmak istediklerini söyledi.

Tarkan 'Ben çocukken şarkıcı değil futbolcu olmak istiyormuşum' dedi.

Tarkan çocukken şarkıcı değil futbolcu olmak istediğini söyledi.

9 There are two ways of converting direct speech questions into indirect speech in Turkish. One is using the whether or not form and the other is using verbal nouns or the object participle forms. For open-ended questions like *how, what, which, why, when, who, with who, with what*, object participles are used. If the question is a closed, yes or no question then whether or not form, that is **verb + (y)Ip....verb + mE (negative)+-DIK/(y)EcEK+ personal suffix** is used. A case ending may be needed depending on the main verb of the indirect sentence.

Direct speech	Indirect speech
Ali '**Nasılsın**' dedi. *(Ali said 'How are you?')*	Ali **nasıl olduğumu** sordu. *(Ali asked me how I was.)*
Yiğit '**İyi misin**?' dedi. *(Yiğit said 'Are you all right?')*	Yiğit, **iyi olup olmadığımı** sordu. *(Yiğit asked me whether I was good or not.)*
Reyhan 'Benimle bir iş **kurar mısın**?' dedi. *(Reyhan said 'Will you set up a business with me?')*	Reyhan onunla bir iş **kurup kurmayacağımı** sordu. *(Reyhan asked me whether I would set up a business with her or not.)*
Ahmet, 'Aylin seninle ingilizce kursuna **gidecek mi**? dedi. *(Ahmet said 'Will Aylin go to the English course with you?')*	Ahmet, Aylin'in benimle ingilizce kursuna **gidip gitmeyeceğini** sordu. *(Ahmet asked me whether Aylin would go on the English course with me or not.)*
Ayla 'Senin çocuğun **kaç yaşında?**' dedi. *(Ayla said 'How old is your child?)*	Ayla benim çocuğumun **kaç yaşında olduğunu** sordu. *(Ayla asked me how old my child was.)*

D Identify and write the other four hidden direct speech questions.

Öğretmenimiz, beklentilerimizin ne olduğunu ve öğretmen olmak isteyip istemediğimizi sordu. Öğretmenlik için neler gerektiğini, öğretmenliğin nasıl bir meslek olduğunu, maddi kazancının ne kadar olduğunu, bize uyup uymadığını araştırmamız gerektiğini söyledi.

Example: Beklentileriniz nedir, öğretmen olmak ister misiniz?

1 ____________________

2 ____________________

3 ____________________

4 ____________________

E Rewrite the following direct questions in indirect speech.

1 Aydın 'Onlar bu konuda kararsızlar mı?' dedi.
Aydın, ____________________ sordu.

2 Babam 'Benim fabrikamda çalışır mısın?' dedi.
Babam, ____________________ sordu.

3 Can 'Nazlı ne zaman kendi işini kuracak ?' dedi.
Can, ____________________ sordu.

4 Ali bana 'Hangi mesleği seçtin?' dedi.
Ali, ______________________________ sordu.
5 Ali 'Bu kursun fiyatı ne kadar?' dedi.
Ali, ______________________________ sordu.
6 Oktay bana 'Nasıl bir plan yapacaksın?' dedi.
Oktay, ______________________________ sordu.

Vocabulary

F Put the words in order to make a sentence.

1 sınavına / söyledi / hazırlanmamızı / öğretmen / tarih
____

2 maaşlarımızın / ay / bildirdi / müdür / önumüzdeki / artacağını
____

3 Aylin / tatile / aldığını / gitmek / 10 gün / izin / söyledi / için
____

4 öğrenirken / olduğunu / dil /önemli / söylüyorlar /etmenin / tekrar
____

5 patron / iş /seyahat / edemeyeceğimi / için /sordu / edip
____

6 günü / gelip / doğum / sordu /arkadaşım / partisine / sordu / gelemeyeceğimi
____

G Complete the sentences with one of the following words.

emekli	karar	hayalci	yüksek	önemli	engelli

1 Hayatta aldığım en iyi __________ istediğim işi kurmak oldu.
2 Görme __________ çocuklarla mı çalışıyorsun?
3 İş ile ilgili beklentisi çok fazla __________ olduğu için iş bulamıyor.
4 __________ olmak çok mu kötü? Herzaman gerçekçi olamayız! dedi.
5 İnsanın sevdiği işi yapması bence çok __________.
6 __________ olduktan sonra dünya turuna çıkmak istediğini söylüyor.

Reading

H Read the questions in the first paragraph of the following street interview and indicate if the statements given here in indirect speech are D (doğru / *true*) or Y (yanlış / *false*). If they are false, correct them.

1. Yaptıkları en iyi işin ne olduğunu sordu. ______________________
2. İşlerinden memnun olup olmadıklarını sordu. ______________________
3. Evlilik planlarının olup olmadığını sordu. ______________________

AYHAN EVLİYAOĞLU'NDAN SOKAK RÖPORTAJI

Gazete yazarımız Ayhan Evliyaoğlu sokakta farklı meslekte ve yaşta kişilere hayattaki beklentileri ve kararları ile ilgili sorular sordu. İşte Evliyaoğlu'nun sorduğu sorular ve cevapları:

1. Şimdiye kadar aldığınız en iyi karar neydi?
2. İşinizden memnun musunuz?
3. En büyük hayaliniz nedir?
4. Emeklilik planlarınız nedir?

I Now read the rest of the interview and answer the questions.

GÜL ÜRETİCİSİ NURDAN YOLCU:

' Hayatta aldığım en iyi karar üniversiteye gitmekti. Ziraat Mühendisliğini kazandım, çok memnunum. Çocukken babamla sabah saat üçte kalkıp gül toplardım. Babam hala bu işi yapıyor. Ben de ona hem işçi olarak hem de üniversitede öğrendiğim bilgilerle yardım ediyorum. Babamla en büyük hayalimiz kasabamızda bir kooperatif kurmak ve gülden elde ettiğimiz gül reçeli, gül suyu, sabun gibi ürünleri geliştirmek. Emeklilik planlarım şimdilik yok' dedi.

BİLGİSAYAR YAZILIMCISI MURAT ÖZGÜN:

'Hayatta aldığım en iyi karar müzikle bilgisayar yazılımını birleştirmekti. Ben müzisyenim. İki yıl bilgisayar yazılım programı kursuna gittim. Şimdi müzik programları yazılımı yapıyorum. İşimden çok memnunum. En büyük hayalim konuşma engelli çocuklara bilgisayar programları aracılığıyla müzik dinletmek ve öğretmek. Emekli olunca inşallah bir sahil kasabasına yerleşeceğim' dedi.

YAZAR VEDAT ÖZ:

'Hayatta aldığım en iyi karar Deniz'le evlenmekti. 30 yıllık evliyiz, eşim en büyük desteğimdir. Ben avukatım ama aynı zamanda yazarım. En sevdiğim iş gözlem yapmak ve insanların hayatlarından hikayeler çıkartıp yazmak. En büyük hayalim eşimle birlikte başka ülkeler görmek ve uluslararası tanınan bir yazar olmak. Şiir ve roman yazmaya hayatım boyunca hep devam edeceğim' dedi.

1 Gül üreticisi Nurdan Yolcu en büyük hayalinin ne olduğunu söylüyor?

____

2 Nurdan Yolcu emeklilik planıyla ilgili ne söylüyor?

____

3 Bilgisayar yazılımcısı Murat Özgün hayatta aldığı en iyi kararın ne olduğunu belirtiyor?

____

4 Murat Özgün emekli olunca ne yapacağını söylüyor?

____

5 Yazar Vedat Öz hayatı boyunca ne yapacağını açıklıyor?

____

Writing

J Imagine you are the interviewer; ask the questions from the Reading to a friend or a family member and write their answers in indirect speech in about 100–120 words.

- Şimdiye kadar aldığınız en iyi karar nedir?
- İşinizden memnun musunuz?
- En büyük hayaliniz nedir?
- Emeklilik planlarınız nedir?

Self-check

Tick the box which matches your level of confidence.

1 = very confident   2 = need more practice   3 = not confident

Aşağıdaki kutuları yeterlilik düzeyinize göre işaretleyin.

1 = çok yeterli   2 = daha çok alıştırma lazım   3 = yetersiz

	1	2	3
Convert direct speech sentences into indirect speech			
Use indirect sentences to report views.			
Can understand texts about life expectations, experiences and decisions (CEFR B1)			
Can write an informative text in reported speech by expressing opinion (CEFR B2)			

14 Kitap ve filmlerde anlatıldığı gibi...

As told in the books and films

In this unit you will learn how to:

- Use adverbial clauses with -DİK or -(y)EcEK participles
- Understand differences and similarities in their meaning

CEFR: Can understand different opinions on art reviews (B1); Can write a book or film review expressing opinion (B2).

Dün bir film seyrettik.
Filmi ödül kazandığı için seçtik.
Film söyledikleri kadar güzelmiş.
Gittiğimiz için memnun olduk.

Meaning and usage

Adverbial clauses with -DIK and -(y)EcEK participles

1 Adverbial clauses are a group of words that modify or explain something about the verb of the main clause in a sentence in terms of time, reason, purpose, manner, degree, contrast or condition. Turkish uses **-DIK** or **-(y)EcEK** participles to form some of the adverbial clauses.

Bu kitabı **yazdığım zaman** yirmi yaşındaydım. (*I was twenty years old when I wrote this book.*)

Görüşlerimiz ayrı **olduğu halde** onun eserlerini beğeniyorum. (*Although we have different viewpoints, I like her works.*)

İstediğiniz kadar kalabilirsiniz. (*You can stay for* **as** *long* **as** *you like.*)

How to form adverbial clauses

To form adverbial clauses, **-DIK** or **-(y)EcEK** are added to the verb base of the subordinate clause + possessive followed by what the speaker wants to say. The vowel harmony rules apply in accordance with the vowels in the verb. Although in the box only the third person possessive is given, -**DIK** or -**(y)EcEK** can take any of the possessive endings that the meaning requires.

In **gör+DIK+Im zaman, k** changes to **ğ** and it becomes **gördüğüm zaman** – *when I see.*

To give the negative meaning first, the negative ending **-mE (-me/-ma)** is added to the verb root that acts as the adverbial gör**me**diğim zaman… (*when I didn't/don't see…*)

	Adverbial clause of:	Structure (given in 3rd person)	Structure in clause
1	time	- diği zaman... *when,* -diğinde...*when,* -diği sırada... *at the time that...* -(y)eceği zaman.. *when(in future)* -diğinden beri... *since.*	gör**düğüm zaman**... *when I see...* seyret**tiğimiz sırada**... *at the time we were watching,* çal**acağım zaman**... *when I'll be playing...* tanı**dığımdan beri**... *since I've known her...*
2	reason	-diği için, -(y)eceği için; *as, because (of)*	sev**diği** için. *As he loved...* ...şair ol**duğu için**. *Because he is a poet...*
3	manner	-diği gibi, -(y)eceği gibi *as, like, the way*	Answering the question, '*how*'? anlat**tıkları** gibi ...*as they explained...*
4	degree /comparison	-diği kadar -(y)eceği kadar *as...as, than* -diğine göre -(y)eceğine göre *according to* -diğinden başka *apart from*	bekle**diğimiz kadar**... *as we have expected...* anla**dığıma göre**... *as I understand...* iste**yeceklerine göre**... *as they want...*
5	contrast	-diği halde, -(y)eceği halde *although, though* -(y)eceğine veya -(y)ecek yerde *instead of....ing*	bil**diğim halde**... *although I know...* özür dil**eyeceğine**... *instead of apologizing...*
6	condition	-diği takdirde *in the event of..., if* -madığı takdirde *unless...*	bırak**tığı takdirde** *in the event of her quitting...* gel**mediği takdirde**... *unless she doesn't come...*

1 Time related

-diği zaman, -(y)eceği zaman; *when*

Onu gördüğüm zaman bu kitabı vereceğim. (*I will give her this book when I see her.*)

Resim sergisi izlediğim zaman not almayı seviyorum. (*When I follow a painting exhibition, I like taking notes.*)

Berlin'e gideceğim zaman yanıma hep Almanca sözlüğümü alıyorum. (*When I go to Berlin, I always take my German dictionary with me.*)

Bir film seyredeceğin zaman o film hakkındaki eleştirileri okuyor musun? (*When you are going to watch a film, do you read the reviews about it?*)

-diğinde; *when*

Aykut'un konserde piyano çalışını izlediğimde hayran oldum. (*When I watched Aykut's piano playing at the concert, I was in awe.*)

O ilk bestesini yaptığında çok gençti, şimdi ünlü oldu. (*When he made his first composition, he was very young, now he has become famous.*)

A Rewrite the sentences using -DIğIndE. The English answers are there to help you.

1 Aslı çok geç yattı. *When Aslı went to bed, it was very late.*

____

2 Ali 6 yaşında öykü yazmaya başladı. *When Ali started writing stories, he was 6 years old.*

____

3 Ayşe kütüphaneye geldi, Ahmet'i göremedi. *When Ayşe came to the library, she could not see Ahmet.*

____

-diği sırada; *whilst, when, at the time*

Tiyatro salonuna girdiğim sırada cep telefonum çaldı. (*When I entered the auditorium, my mobile phone rang.*)

Korku filmini seyrettiğimiz sırada televizyon bozuldu. (*When we were watching a horror film, the television broke.*)

Filmi çekeceğimiz sırada bardaktan boşanırcasına yağmur yağmaya başladı. (*At the time we were going to shoot the film, it started raining really heavily.*)

Bardaktan boşanırcasına yağmak *is used for very heavy rain. Literally means* 'as if pouring from the glass'. *Similar to* 'bucketing down'.

-diği sürece/müddetçe; *as long as, all the time (that), throughout*

Filmlerinden para kazandığı sürece başka bir işte çalışmak istemiyor. (*As long as he earns money from his film making, he won't want to work in another job.*)

Eğitim görmediği müddetçe kariyerinde ilerleyemeyeceğini anladı. (*She realized she wasn't going to progress in her career as long as she didn't get any training.*)

İstanbul'da kalacağı sürece bütün müzelere gidecek. (*During his stay in Istanbul, he will go to all of the museums.*)

Frida Kahlo bir yıl hasta yatağında yattığı sürece, tavana sabitlenmiş aynaya bakarak oto-portrelerini yapmıştır. (*Throughout the year, while Frida Kahlo was lying in her sick bed, she created self-portraits by looking in the mirror fixed to the ceiling.*)

-diğinden beri / itibaren; *(time related) since*

Yazı kursuna başladığımdan beri duygu ve düşüncelerimi daha iyi ifade ediyorum. (*Since I started the writing course, I express my feelings and thoughts better.*)

O filmi gördüğümden itibaren savaşın kötülüğünü düşünüyorum. (*Ever since I watched that film, I've been thinking about the evils of war.*)

Ayşe eve geldiğinden beri odasında yeni rolünün provasını yapıyor. (*Ever since Ayşe came home, she's been rehearsing her new role.*)

2 **Explaining reason**
-diği için, -(y)eceği için; *because, as*

Seramik atölyesinde çalışacağım için çok heyecanlıyım. (*I am very excited because I am going to work in a ceramics studio.*)

Filmin teması gençlik sorunlarını ele aldığı için gençler tarafından çok sevildi. (*Because the film tackled issues around youth, it was loved by young people.*)

Erkek arkadaşı şair olduğu için ona her zaman romantik mesajlar yazıyor. (*As her boyfriend is a poet, he always writes her romantic messages.*)

B Combine the sentences by using -DIğI için.

1 Hasan resim yapmayı seviyor. Ona bir ressam sehpası ve boya takımı aldım.
(*Hasan likes to paint. Therefore I bought him an easel and a paint set.*)

____

2 Burcu bu akşam konsere gelemiyor. Çünkü bilet bulamadı.
(*Burcu can't come to the concert tonight. Because she was unable to find a ticket.*)

____

3 Gelecek ay bir dram filminde başrol oynayacağım. Şimdiden çalışmaya başladım.
(*I am going to play the leading role in a drama film next year. I have already started to work.*)

____

____

3 **Manner:** *how.*
-diği gibi; *like, as, in a way*

Kerimcan okulda çalışkan olduğu gibi, iş hayatında da çalışkan. (*Kerimcan is as hardworking at school, as he is at work.*)

Belgeselde kuşların göçü olduğu gibi aktarılmış. (*In the documentary, the migration of the birds has been narrated as it is.*)

Mahalleye meşhur bir sanatçının geldiğini duyunca fotoğraf makinesini kaptığı gibi çıktı. (*As he heard a celebrity came to the neighbourhood, he grabbed his camera and left.*)

Az sonra göreceğiniz gibi bu filmde oyuncu olarak o yörenin insanları kullanılmış. (*As you will see a little later, in this film the people of that region have been used as actors.*)

Konuyu bizim anlayacağımız gibi açıklayamadı. (*He couldn't explain the subject in a way that we could understand.*)

C Underline the adverbial clauses and choose their function as time, reason or manner.

Genellikle resim sergilerinde izleyenlere ressamın yaşantısı ve eserleri hakkında yazılı bilgiler veriliyor, sanatçının sanata başladığından beri geçirdiği evreler filmlerle gösteriliyor. Bazı sergilerde bu bilgiler verildiği gibi ressamların resimlerinde yer alan objeler de resmin yanında sergileniyor. Bu objeler ressamın atölyesinden getirildiği için izleyenler ressamın yaşantısı ile resim arasında bağ kuruyor. Bir başka yöntem de sanal gerçeklik. Film gösterildiği sırada siz taktığınız özel gözlük sayesinde ressamın atölyesini onun bıraktığı gibi görüyorsunuz. Yatağı, paleti, son resmi ve yanan sigarasıyla. Elinizi uzattığınızda dokunacağınızı sanıyorsunuz. Çok güzel bir deneyim.

	Adverbial clause	Function
1		
2		
3		
4		
5		
6		

4 Comparison, degree

-diği kadar, -(y) eceği kadar / -(y) inceye kadar *as…as, than, until*

Okumak istedikleri kadar kitap okumaya vakitleri yok. (*They don't have time to read as many books as they would like to.*)

Resim yapmak sandığım kadar kolay değilmiş. (*Painting is not as easy as I thought.*)

Biz müzeye gidinceye kadar saat beş olacak. Müze saat kaçta kapanıyor? (*By the time we go to the museum, it will be five o'clock. At what time does it close?*)

Yönetmen iyileşinceye kadar çekime ara verildi. (*Filming has been postponed until the Director gets better.*)

Elinden geldiği kadar iyi bir yazar olmaya çalışıyor. (*He is trying his best to be a good writer.*)

Dublaj sanatçıları bir sonuç alıncaya kadar greve devam edecekler. (*Dubbing artists will continue to strike until they get a result.*)

-diğine göre, -(y)eceğine göre *according to, as*

Söylediklerine göre yeni filmleri gişe rekoru kıracakmış. (*According to what they say, their new film is going to break box office records.*)

Eleştirmenlerin yazdığına göre Mungan'ın son kitabı çok güzelmiş. (*According to what the critics write, Mungan's latest book is very good.*)

Sibel gelmeyeceğine göre biz çalışmaya başlayabiliriz. (*As Sibel is not going to come, we can start working.*)

-diğinden başka; *apart from, other than*

Son yazdığından başka dört öykü kitabı daha var. (*In addition to the last story book he wrote, he has four others.*)

Film ekibinin parasını ödeyemeceğinden başka filmi tamamlayacak parası da kalmamış. (*Apart from not being able to pay the film crew, he hasn't got any money to complete the film either.*)

Bir televizyon dizisinde rol alacağından başka çevirmenlik de yapacakmış. (*Apart from taking a role in a TV series, she will apparently work as a translator as well.*)

Tiyatro sahnesinde okuyacaklarından başka radyo kanallarında da şiir okuyacaklar. (*Apart from reading poems in the theatre, they will also recite poems on the radio channels.*)

Heykeltraş Nihan Sesalan, ' İstanbul'da Gece' sergisinde heykellerini sergilediğinden başka 'Sarı'adlı kitabını da tanıttı. (*Apart from exhibiting her sculptures in the 'Night at Istanbul' exhibition, sculptor Nihan Sesalan also introduced her book called 'Sarı'.*)

D Complete the review about a literature festival using -DIğIndEn beri, -DIğInE göre, -DIğIndEn başka, -DIğI için.

İSTANBUL TANPINAR EDEBİYAT FESTİVALİ

2009 yılında kurulan İstanbul Tanpınar Edebiyat Festivali, (1) **kurul** ______________ her yıl farklı bir temayla çeşitli etkinlikler düzenliyor. Festival programında (2) **açıklan** ____________ bu yıl da ünlü romancı Tanpınar'ın eserleriyle ilgili konferanslar veriliyor. Festivalde yerli yazarların (3) **yaz** _________________ diğer ülke yazarlarının yazdıkları eserler de var. Festival sonunda yazılanlar antolojide (4) **toplan**____________ kalıcı oluyor.

5 Contrast

-diği halde, -(y)eceği halde: *although*

Kolu kırık olduğu halde kitabını yazmaya devam etti. (*She continued to write her book although her arm was broken.*)

Türkçe'yi düzgün konuşmak önemli olduğu halde çok az kişi buna dikkat ediyor. (*Although speaking Turkish properly is important, very few take notice of this.*)

Komedi türünde iyi olmadığı halde rolü kabul etti. (*He accepted the role although he is not good at comedy.*)

Filmi görmediğim halde, Ahmet anlatınca karakterler gözümün önünde canlandı. (*Although I did not see the film, when Ahmet talked about it, the characters came to life in my mind.*)

Monet, son yıllarında iyi göremediği halde, resim yapmaya devam etti. (*Although Monet couldn't see properly in his latter years, he continued to paint.*)

Yüksek sesten çok rahatsız olacağı halde kızıyla metal müzik festivaline gidecek. (*He will go to the metal festival with his daughter although he will be uncomfortable with the high volume.*)

-(y)eceğine, -(y) ecek yerde; *instead of*

These forms do not occur with -DİK but are used with -(y)EcEK.

Ali'yi bekleyeceğimize biz provamıza başlayalım. (*Instead of waiting for Ali, let's start our rehearsal.*)

Bize yardım edeceği yerde işimizi zorlaştırdı. (*Instead of helping us, he made our task more difficult.*)

Ödevini bitireceği yerde arkadaşlarıyla alışverişe gitti. (*Instead of finishing her homework, she went shopping with her friends.*)

The word **yer** *does not refer to place in these sentences but the whole expression means* in place of. *When you need to express a place* **–dIk** *+ possessive +* **yer** *+ case endings are used.*

Kitabımı bıraktığım yerde buldum. (I found my book where I left it.) (lit. In the place I left it.)

Her yıl Paris'te ilk tanıştığımız yere gideriz. (Every year we go to the place where we first met in Paris.)

6 Condition

-diğI takdirde; *if, in the event of*

Note that when used with the negative -mE it can be translated as *unless.*

Plan kabul edildiği takdirde buraya yeni bir kültür merkezi yapılacak. (*If the plan is agreed upon a new cultural centre will be built here.*)

Bu konuda bir açıklama yapmadığı takdirde hepimiz merak etmeye devam edeceğiz. (*Unless he makes an announcement, we all continue to wonder (about that).*)

Yeterli para bulamadıkları takdirde filmin çekimine devam edemeyecekler. (*If they cannot find sufficient funds, they will not be able to continue shooting the film.*)

Bizden yardım isteyeceği takdirde ona destek olmaya hazırız. (*In the event he asks for help from us, we are ready to support him.*)

E **Complete the book review using -DIğI gibi, -DIğI için, -(y)EcEğI yerde, -(y)EcEğİnE, -DIğI takdirde.**

Güneş Yiyen Çingene

Buket Uzuner'in üçüncü öykü kitabı Güneş Yiyen Çingene 9 hikayeden oluşuyor. Uzuner, Güneş Yiyen Çingene adlı hikayede hayal kurmaktan (1) **vazgeç** ____________ (*because*) mutlu olamayan Ozan'ın hayatını anlatıyor. Ozan'ın karşısına çıkan kızıl saçlı kadın ona düşlerimiz (2) **olma**________________ (*unless*) ruhlarımızın öleceğini söylüyor ve Ozan'ı çocukluğunda (3)**yap**________________ (*as*) hayal kurmaya çağırıyor. Ozan yazdığı şiirlerini çekmesinde (4) **sakla**______________ (*instead of*) çekmecesinden çıkarmaya karar veriyor. Bu hikayedeki ve diğer hikayelerdeki karakterler Uzuner'in usta benzetmeleri ve kurgusuyla filmlerde (5) **ol**__________ (*as*), gözümüzün önünde canlanıyor.

F **Complete the conversation to express comparision, condition and contrast using adverbial clauses corresponding to the English in brackets.**

Ali

Okan burs parasını (harcamak) (1) ____________________________ bunu ailesine söyleyemiyor. (*although*)

Ayşe

Evet, bunu (söylemek) (2) __________________________ daha da zor durumda kalacak. (*unless*)

Ali

Haklısın ama bir iş bulmuş gündüz okula (gitmek) (3) __________________________ bir mağazada çalışıyor. (*instead of*)

Ayşe

Mezun olup oyunculuğa başlamayı çok (istemek) (4) __________________________ okula gidememesi çok kötü (*although*).

Ali

Amcam ünlü bir tiyatro yönetmeni (olmak) (5) __________________________ ona bir tiyatroda iş bulabilir belki (*as*).

Ayşe

Harika bir fikir. Ona geceleri çalışacağı bir iş (bulmak) (6) __________________________ okuluna da devam eder (*if*).

Vocabulary

G Categorize the words in the box. You can use the same word more than once.

tuval, ressam sehpası, objeler, insan, renk, ışık, komedi, dram, kısa metraj, yönetmen, şiir, roman, hikaye, eleştirmen, galeri, yayınevi, boya takımı, televizyon, dublaj, çekim, müzik, ses, prodüktör, hikaye akışı, tema, fırça

Resim	Film	Edebiyat

H State if the sentences explain time, reason, manner, degree / comparison, contrast or condition.

Example: Yağmur yağdığı halde konser devam etti Contrast

1 O ben burada olmadığım sırada gelmiş. ________
2 Dün izlediğimiz film beklediğimiz kadar güzeldi. ________
3 Anladığıma göre Ali seninle çalışmak istemiyor. ________
4 Burs bulduğu takdirde yurtdışında mastır yapmak istiyor. ________
5 Roman benim düşündüğüm gibi bitti. ________
6 Karısını kıskandığı halde belli etmedi. ________

Reading

I Read the first part of the film review and answer the two questions.

1 Kış Uykusu filmi ne zaman gösterime girmiştir?

____

2 Bu film bir komedi mi?

____

www.filmincelemesi.tr

Filmin adı:	Kış Uykusu
Vizyon tarihi:	13/06/2014
Yönetmen :	Nuri Bilge Ceylan
Senaryo :	Nuri Bilge Ceylan, Ebru Ceylan
Oyuncular:	Haluk Bilginer, Melisa Sözen, Demet Akbağ, Ayberk Peksan, Serhat Kılıç, Tamer Levent, Nejat İşler, Nadir Sarıbacak, Mehmet Ali Nuroğlu
Türü :	Dram

J Now read the rest of the text and answer the questions.

www.filmincelemesi.tr

Ünlü yönetmen Nuri Bilge Ceylan'ın 2014 yapımı Kış Uykusu filmi Cannes Film Festivalinde en önemli ödüllerden biri olan Altın Palmiye ödülünü aldığı zaman çok sevinmiştim. N. Bilge Ceylan diğer filmlerinde olduğu gibi Kış Uykusu'nun hem yönetmeni hem senaryo yazarı. Senaryoyu eşi Ebru Ceylan ile birlikte yazmışlar. Film üç saat 17 dakika sürdüğü halde hiç sıkılmadan seyrediliyor.

Konusu ve olay örgüsü: Konusu insan ve insan ilişkileri. Film üç ana karakterin derin şekilde incelemesine dayandığı halde toplumsal ve evrensel sorunları, aynı ülkenin insanları arasındaki sınıf ve kültür farkını tartışıyor. Filmin ana karakterlerinden Aydın, uzun yıllar tiyatroculuk yapmış, babasından kalma Othello Hotel'de yaşayan ve bu otelin işletmesinden kazandığından başka, kasabadaki evlerinin kira geliriyle zengin sayılabilecek bir entelektüel. Yerel gazeteye yazılar yazıyor. Ablası Necla eşinden ayrıldıktan sonra bu otele yerleşmiş, çalışmaya ihtiyacı olmayan, Aydın'ı ve eşi Nihal'i sürekli eleştiren mutsuz bir karakter. Nihal, Aydın'dan yaşça genç ve vaktini çevredeki okullara yardım ederek geçirdiği halde Necla tarafından takdir edilmeyen bir karakter. Necla'nın düşündüğüne göre yardımseverlik aç köpeğe kemik atmak değil yoksulluğu onunla paylaşmaktır. Filimde iyi ile kötü, zengin ile fakir arasındaki ikilem ele alındığı gibi sınıfsal farklılıklar da felsefi bir şekilde tartışılıyor. Film olaylardan çok karakterler arasındaki diyaloglara dayanıyor.

Karakterler sık sık birbirlerini eleştiriyor. Nihal'e göre Aydın genel olarak adil, eğitim görmüş, dürüst göründüğü halde aslında kinci, bencil, kimseyi beğenmeyen, kibirli ve korkak biri. Aydın çevresindeki olaylar ve insanlara ilgisiz davranışlar gösterdiğinde Nihal'in bu görüşü destekleniyor ve halk ile aydın kesim arasındaki mesafe daha iyi anlaşılıyor. Yoksul kesim kiracılar, imam, imamın sarhoş kardeşi İsmail ve araba camına taş atan oğlu aracılığıyla seyirciye iletiliyor.

Yer: Kapadokya'da çekilen film kış mevsiminde, karlarla kaplı ve ulaşıma kapalı bir yerde geçtiği için seyirci bu üç karakterin yalnızlığını ve yaşamdan kopukluğunu daha iyi anlıyor.

Yapılan eleştiriler: Eleştirilere baktığımız zaman eleştirmenler tarafından çok iyi değerlendirildiği halde izleyiciler arasında beğenmeyenler de var. Genellikle uzun olduğu için beğenilmemiş ama pek çok izleyici tam puan vermiş.

Tavsiye: Film insanların kendileriyle yüzleştikleri zaman gerçek duygularını daha iyi anlayacaklarını vurguladığı, toplumsal ve evrensel değerleri derinlemesine tartıştığı için herkese hitap eden bir film. Bunun yanında film oyuncuları, yönetmeni, çekimleri ve müziğinin başarısıyla bir başyapıt.

1 Kış Uykusu filminin aldığı ödül nedir?

____

2 Film hangi konuları tartışıyor?

____

3 Nihal nasıl bir karakter? Tanımlayınız.

____

4 Nihal'e göre Aydın nasıl bir kişidir?

____

5 Film neden herkese hitap ediyor?

____

kültür farkı	*cultural gap*	**yoksulluk**	*poverty*
sınıfsal farklılıklar	*class differences*	**ikilem**	*dilemma*
tiyatroculuk	*acting*	**toplumsal değer**	*social value*
yaşça genç	*younger*	**kemik atmak**	*to give (someone) a little something that will keep him quiet*
takdir etmek	*to appreciate*		
yardımseverlik	*benevolence, charity*		

K Find and underline at least 10 adverbial forms from the Reading.

Writing

L Write a book or film review. Try to use adverbial clauses. Write about 100–120 words.

Self-check

Tick the box which matches your level of confidence.

1 = very confident 2 = need more practice 3 = not confident

Aşağıdaki kutuları yeterlilik düzeyinize göre işaretleyin.

1 = çok yeterli 2 = daha çok alıştırma lazım 3 = yetersiz

	1	2	3
Use adverbial clauses with -DİK or -(y)EcEK participles			
Understand differences and similarities in their meaning			
Can understand different opinions on art reviews (CEFR B1)			
Can write a book or film review expressing opinion (CEFR B2)			

15 Teknolojinin kölesi misiniz?

Are you a slave to technology?

In this unit you will learn how to:

- Use expressions of obligation and necessity
- Use quantifiers and partitive structures

CEFR: Can understand fairly complex texts about technology (B2); Can write a blog on the pros and cons of technology (B1).

Meaning and usage

Expression of obligation and necessity with -meli / -malı

1 The necessity of having to do something in the present can be expressed by adding the suffix **-meli** /**-malı** to the verb stem followed by the personal suffix. It corresponds to the English must, have to, should and ought to indicating present or future.

Uzmanlara göre çocuklar daha az televizyon izle**meli.** (*According to experts, children should watch less TV.*)

Bu gelen mesaj çok önemli, hemen yanıtla**malıyım.** (*This message that has arrived is very important, I must reply at once.*)

Bilgisayarın çok eskimiş. bence yenisini al**malısın**. (*Your computer looks very old, I think you should buy a new one.*)

2 The negative form of **-meli** /**-malı** + *to be* indicates a necessity *not to do* something. It is usually translated into English as *mustn't* or *shouldn't* depending on the context.

Teknoloji hayatlarımızı zorlaştır*mamalı*dır. (*Technology shouldn't make our lives difficult.*)

Sosyal medyada yazılan herşeye inan**mamalıyız**. (*We mustn't believe everything written on social media.*)

3 The third person singular form of **-meli /-malı** can be used to indicate impersonality (*one has to, one ought to, one should*). Sometimes the passive form can be used in front of the -meli / -malı form to indicate impersonal passive.

Telefonda yüksek sesle konuş**mamalı**. (*One mustn't talk loudly on the phone.*)

Bilgisayarın önünde 2 saatten fazla otur**ulmamalı**. (*You / a person / one should not sit in front of the computer for more than 2 hours.*)

4 The **-meli /-malı** form can be used with the simple past tense form -(y)DI + personal suffix to indicate what would have been right and sensible to do but was not done in reality. It states a kind of counterfactual state.

Çocuklarımıza ilk cep telefonlarını vermeden önce bazı kurallar koy**malıydık**. (*We should have set some rules before giving our children their first mobile phone.*)

Piyasa araştırması yapmadan önce yeni bir akıllı telefon al**mamalıydınız**. (*You shouldn't have bought a new smart phone before doing some market research.*)

5 In order to express strong assumption without indicating a verb, the *to be* verb **olmalı** is used.

Ali şu an evde **olmalı**. (*Ali must be at home now.*)

Bu gördüğünüz model en son çıkan model **olmalı.** (*This model you see must be the latest model produced.*)

Bildiğim kadarıyla bütün paketleri müşterilere gönderdik. Unuttuğumuz ol**mamalı**. (*As far as I know, we sent all the packages to customers. There shouldn't be any we forgot.*)

6 Another usage of **-meli /-malı** can be seen in forms like **-mış olmalı** and **-Iyor olmalı**.

Ayşe yeni bilgisayarın kullanım kılavuzunu oku**muş olmalı**. (*Ayşe must have read the instruction booklet of the new computer.*)

Ali saatlerce bilgisayarın ışınlarına maruz kalmanın sakıncalı olduğunu bili**yor olmalı.** (*Ali must know that being exposed to the rays of a computer for hours has drawbacks.*)

Strong necessity can also be expressed by:

-mEk zorunda / durumunda (kalmak)

-mEk mecburiyetinde (kalmak)

Para kazanmak için çalışmak zorundayız.	(We have to work in order to earn money.)
Arkadadaşlarıma söz verdiğim için partiye gitmek zorunda kaldım.	(I had to go to the party as I promised my friends (to do so).)

How to form expression of necessity with -meli / -malı in the present

Ben	bil+meli+y+im	*I should know*	al+ma+malı+y+ım	*I shouldn't buy*
Sen	bilmelisin	*You should know*	almamalısın	*You shouldn't buy*
O	bilmeli	*He, she, it should know*	almamalı	*He, she, it shouldn't buy*
Biz	bilmeliyiz	*We should know*	almamalıyız	*We shouldn't buy*
Siz	bilmelisiniz	*You should know*	almamalısınız	*You shouldn't buy*
Onlar	bilmeli(ler)	*They should know*	almamalı(lar)	*They shouldn't buy*

A Match the statements with the correct advice.

	Problem / wish		**Advice**
1	Anneannem bizimle görüntülü görüşmek istiyor.	a	Aralıksız bilgisayar kullanmamalısınız.
2	Kardeşimin telefonunun ekranı çatlak.	b	Kabul etmemelisin.
3	Telefonumunun bir üst modelini almaya param yok.	c	Ona bir akıllı telefon almalısın.
4	Tanımadığım biri Facebook'tan arkadaşlık daveti göndermiş.	d	Tamir ettirmeli.
5	Biz işte 5 saat aralıksız bilgisayar kullanıyoruz.	e	Onunla konuşmalısın.
6	Kızım saatlerce akıllı telefonuyla mesajlaşıyor.	f	Biraz para biriktirmelisin.

B Complete with one of the verbs in the box adding the correct -meli / malı form.

koymak	**bırakmak**	**aktive etmek**	**kaldırmak**	**kullanmak**	**düşürmek**

Yeni bir akıllı telefon mu aldınız? Eğer optimum performans, uzun batarya ömrü ve her türlü risklere karşı önlem almak istiyorsanız aşağıdakileri yapmalısınız:

1 Kişisel bilgilerinizi güvende tutmak için mutlaka telefonunuza bir şifre ________________.
2 Batarya ömrünü uzatmak için ekran parlaklığını yüzde 50 ________________.
3 Batarya ömrünü uzatmak için ana ekrandaki kullanmadığınız kısayol uygulamaları ________________.
4 Telefonunuzun Bul özelliğini mutlaka ________________. Telefonunuzu kaybettiğiniz zaman daha kolay bulabilirsiniz.
5 Telefonunuzu uzun süre prizde ________________. Telefonunuzun batarya ömrüne zarar verir.
6 Darbe ve düşmelere karşı mutlaka sağlam bir kılıf ________________.

How to form expressions of necessity with -meli /-malı in the past

Ben	oku+malı+y+DI+m	*I should have read.*	iste+me+meli+y+Di+m	*I shouldn't have asked for.*
Sen	okumalıydın	*You should have read.*	istememeliydin	*You shouldn't have asked for.*
O	okumalıydı	*He, she, it should have read.*	istememeliydi	*He, she, it shouldn't have asked for.*
Biz	okumalıydık	*We should have read.*	istememeliydik	*We shouldn't have asked for.*
Siz	okumalıydınız	*You should have read.*	istememeliydiniz	*You shouldn't have asked for.*
Onlar	okumalıydı(lar)	*They should have read.*	istememeliydi(ler)	*They shouldn't have asked for.*

Please remember either **-Ebil** *or* **-EmE** *can be used in front of the of* **-meli /-malı** *to indicate a possibility of being able or not being able to have to do something.*

kullanabil+meli+y+im (I should be able to use)
yapama+malı+sın (you should not be able to do)
değiştirebil+meli+y+dik (we should have been able to change it (but weren't))

C **Read the sentences and give advice indicating what the person should have done using the past form of -meli / malı.**

Example: Yeni fotoğraf makinasından memnun kalmadılar. Hemen değiştirmeliydiler.

1 Ali dün toplantıya gelmedi. ______________________.
2 Dün çok geç yattım ve şimdi uykum var. ______________________.
3 Arkadaşım proje dosyalarının tümünü kaybetmiş. ______________________.
4 Toplantıda müdürün telefonu durmadan çaldı. ______________________.
5 Dün çok güzel bir teknoloji fuarı varmış. ______________________.

Meaning and usage

Quantifiers and partitive structures

1 Determiners that express quantity but do not state a specific number are called quantifiers.

Beş şirket yeni telefon modellerini piyasaya sürdü. (*Five companies have launched their new telephone models on the market.*)

Birkaç şirket telefon modellerini piyasaya sürdü. (*Several companies have launched their new telephone models on the market.*)

Bazı şirketler **tüm** modellerini tanıttılar. (*Some companies have launched all of their new telephone models on the market.*)

2 Quantifiers are used in front of the nouns they modify. Sometimes the nouns need to be in the plural or singular. Here is a list of the most commonly used:

				Noun form
her	*every*	her ürün	*every/each product*	Sg
bütün/tüm	*all* *the whole of*	bütün çalışan**lar** tüm ekran	*all of the employees* *the whole screen*	Sg / Pl
bazı/kimi	*some*	bazı özellik**ler**	*some features*	Pl
birkaç	*a few, several*	birkaç kişi	*a few/several people*	Sg
biraz	*a little, some*	biraz bilgi	*some information*	Sg
çok birçok	*many, a lot of*	birçok marka	*many brands*	Sg
hiçbir	*no, none, any*	hiçbir gelişme	*no development*	Sg
herhangi bir	*any*	herhangi bir ürün	*any product*	Sg
Numbers: iki yirmi yedi	*two* *twenty-seven*	iki telefon yirmi yedi şirket	*two telephones* *twenty-seven companies*	Sg

Bazı uzmanlar çocuklarımızı teknolojiyle çok erken tanıştırmamamızı öneriyor. (*Some experts suggest that we should not introduce our children to technology at a very early stage.*)

Birçok hastalığın temelinde stres yatmaktadır. (*Stress lies at the core of many illnesses.*)

Gün içinde bilgisayar ekranın önünden kalkıp kendimize **biraz** zaman ayırmalıyız. (*Getting away from the computer screen, we should spare time for ourselves throughout the day.*)

Remember to negate the sentence when using **hiçbir.**

Hiçbir ebeveyn çocuklarının sosyal medyadan dolayı depresyona girmesini istemez.
(No parent wants their children to plunge into depression because of social media.)

D Circle the correct noun form: singular or plural.

1 birçok öğrenci / öğrenciler
2 bazı uzman / uzmanlar
3 herhangi bir problem / problemler
4 her mesaj / mesajlar
5 bütün genç / gençler
6 on iki yeni model / modeller

3 In order to indicate a certain number out of a certain group, the genitive construction is used. The noun indicating the group is usually in the plural form. Such structures are called partitive forms.

			hepsi	*all of...*
			her **biri**	*each of...*
	(I)m		tümü	*all of...*
	(I) n		çoğu	*most of...*
Noun+ **lEr**	**I**	**(n) In**	birçoğu	*most of...*
	(I)mIz		bazısı, baz**ları**/kimisi	*some of...*
	(I)nIz		birkaçı/ birkaç tanesi	*some/several of...*
	I		yarısı	*half of...*
			% 50'**si**	*50 percent of...*
			hiçbiri**(si)**	*none of...*
			hangisi	*which of...*

Gençlerimiz**in çoğu** telefonsuz bir hayat düşünemiyor. (*The majority of our young people cannot imagine life without a phone.*)

Teknoloji aletleri**nin tümü** bir bağımlılık yaratıyor. (*All of the technology devices create a kind of dependency.*)

Ankete katılanları**n %49'u** internet kullanımlarını kontrol edemediklerini ifade etti. (*49% of those who took part in the questionnaire stated that they could not control their internet usage.*)

E Rewrite the phrases as the partitive form.

Example: birçok ürün ürünlerin birçoğu

1 hiçbir aile ____________________
2 bazı web siteleri ____________________
3 bütün araştırmalar ____________________
4 birkaç dosya ____________________
5 tüm ekran ____________________

F Complete the sentences with one of the forms from the box.

birçok	**yarısı**	**hiçbiri**	**bazı**	**çoğu**	**ikisi**

1 Gençlerin ____________ sosyal medya etkileşimlerinde çatışmadan kaçınıyor.
2 ____________ araştırmaya göre internet üzerinden iletişim kurmanın olumlu yönleri de vardır.
3 Dünya nüfusunun ____________ internet kullanıyormuş.
4 Her üç kişiden ____________ günde en az bir defa anlık mesajlaşma ağlarında paylaşılan bir video izliyor.
5 ____________ gençler instagram'ı facebook'a tercih ediyorlar.
6 Dün arkadaşlarımın ____________ yeni telefonumu fark etmedi.

4 With these forms the verb is always in the negative:

hiç kimse	*(no one)*
hiçbir şey	*(nothing)* the verb is always negative.
hiçbir zaman	*(never)*
hiçbir yerde	*(nowhere)*
Hiç kimse teknolojinin gözlerimize olan zararlarından bahset**mi**yor.	*(Nobody talks about the harm of technology on our eyes.)*
Babaannem **hiçbir zaman** cep telefonuna cevap vere**mez**.	*(My grandmother can never answer her mobile phone.)*

Remember that the words below can be used as the subject of a sentence.

herkes	everybody	**Herkes teknolojiyi sevmez.**	(Not everyone likes technology.)
bazıları	some (people)	**Bazıları boş zamanlarında yoga yapar.**	(Some people do yoga in their free time.)
bazılarımız	some of us	**Bazılarımız güne telefonlarındaki mesajlarına bakarak başlar.**	(Some of us start the day by checking their messages on their phone.)
kimileri	some (people)	**Kimileri teknolojiyi hiç kullanmaz.**	(Some people never use technology.)

5 Some qualifiers can be used before adjectives, adverbs and verbs such as **çok** to indicate *very, much, too much;* or **biraz** to indicate *a bit* in English.

Ali **biraz** konuştu.	*(Ali talked a little.)*
Ali **çok** konuştu.	*(Ali talked a lot.)*
Ali **çok** konuştu. Başım ağrıyor.	*(Ali talked too much. I have a headache.)*

Vocabulary

G Choose one of the words below to complete the sentences.

akıllı gençlerdir kadınlardan değiştiriyor araştırmaya mesajlaşmak

Bir (1) ______________ göre Türkiye'deki (2)______________ telefon kullanım oranı % 60'tır. Bu oranın % 62'si erkek ve % 38'i (3) ______________ oluşmaktadır. Yaşlarına bakıldığında, bu telefonları kullananların %11'i 18 yaş altındaki çocuklar; %32'si 18-25 arasındaki (4) ______________; geriye kalan bölüm 25 yaş üstü kişilerden oluşuyor. Akıllı telefonlar en çok (5) ______________ ve chat için kullanılmaktadır. Birçok kişi telefonlarını 3 yılda bir (6) ______________.

H Match the Turkish expressions with the English.

1	araştırma	a	average
2	sanal ortam	b	research
3	mesajlaşmak	c	user
4	ortalama	d	to text each other
5	kullanıcı	e	telephone applications
6	telefon uygulamaları	f	virtual platform

Reading

I Read the first part of the blog on technology and answer the question.

Blog yazarı aşağıdaki yazısında hangi konuyu tartışmak istiyor?

____

Blog

TEKNOLOJİNİN KÖLESİ MİSİNİZ?

Teknolojiyi günlük hayatımızda ne kadar kullanıyoruz? Vaktimizin çoğunu teknolojik aletler kullanarak mı geçiriyoruz? Kimi evlerde 3 bilgisayar, 3 televizyon, 6 akıllı telefon ve 2 araba olabiliyor; bunlara harcanan para, zaman ve enerjinin farkında mıyız? Teknoloji aile ve arkadaş ilişkilerimizi nasıl etkiliyor? Bu blog yazımda teknolojinin bize ne gibi faydaları veya zararları olduğunu tartışmak ve birkaç öneride bulunmak istiyorum.

J Now read the rest of the blog. Indicate if the statements are D (doğru / *true*) or Y (yanlış / *false*). If the statements are false, correct them.

Blog

- Televizyon, bilgisayar, internet ve mobil telefon teknolojisi ile bilgiye erişim hem kolaylaştı hem de hız kazandı. Bu açıdan teknolojinin katkısı yadsınamaz. Öğrenmek istediğimiz her konuya anında ulaşabiliyor ve bilgi edinebiliyoruz. Ancak, bu durum yani çok çabuk bilgiye ulaşmak, bilgiyi çabuk tükettiğimiz anlamına gelmiyor mu? Hiçbirimiz artık telefon numaraları, adres veya çok önemli bir bilgiyi aklımızda tutma gereksinimi görmüyoruz. Bu bizi tembelliğe itmiyor mu?
- Yine teknoloji sayesinde mesafeler ve fiziksel engeller ortadan kalktı. Artık hiç bir yer uzak değil. Birçoğumuz istediğimiz anda çok uzaktaki aile üyelerimiz,

arkadaşlarımız ve tanıdıklarımızla anında görüntülü bağlanabiliyor ya da herhangi bir sosyal platform aracıyla onları takip edebiliyoruz. Arkadaşımızın yaptığı keki ekranımızda görmekten çok mutlu oluyoruz ve bir 'like' gönderiyoruz. Ancak bu iletişim ne kadar sağlıklı? Karşılıklı oturup kek yemek ve sohbet etmek daha güzel olmaz mı?

- Evet, birçok sosyal medya platformu sayesinde eski arkadaşlarımızı bulabiliyor ve istediğimiz kişilerle iletişimde kalabiliyoruz. Sık sık telefonlarımızı kontrol etmeye başlıyoruz. Yapılan bir araştırmaya göre Türkiye'de kullanıcıların gün içinde akıllı telefonlarına bakma sayısı ortalama 79, ancak bu sayı Avrupa için 48'dir. Birçoğu özellikle sıkıldıkları zaman akıllı telefonlarına yöneldiğini söylemiş. Ancak bazı uzmanlar teknolojinin sunduğu bu gibi avantajların yeni bağımlılıkları da beraberinde getirdiğini savunuyorlar. Bu bağımlıklardan biri 'cep telefonu ile sağlanan iletişimden kopmaktan aşırı korkma' anlamına gelen Nomofobi (no mobile phobia) adında yeni bir korkuyu doğurmuştur. Belirtilerinden birkaçı telefonsuz kendini 'eksik' hissetme, telefonunu obsesif bir şekilde sürekli kontrol etme, şarj bittiğinde kendini çaresiz hissetme ve daha ileri düzeyde fiziksel anksiyetedir. Bu durumda siz kendinizi bağımlı sayıyor musunuz? Sabah kalkar kalkmaz telefonunuzu kontrol ediyor musunuz?

Teknolojinin zararlarını önlemek için neler yapmalıyız?

- En son teknoloji modelleri seçerken gerçekten ihtiyacımız olup olmadığını sormalıyız.
- Teknolojinin bizde yarattığı stresin farkına varmalıyız ve buna göre önlemler geliştirmeliyiz. Bu yoga, derin nefes egzersizleri, gözlerini kapatmak gibi hareketler olabilir.
- Özel bir davet veya yemek sırasında teknoloji yasağı koymalıyız.
- Teknolojiye ayırdığımız zaman kadar da sevdiğimiz kişilerle vakit geçirmeliyiz. Denge sağlamalıyız.
- Teknoloji 'detoksu' yapmalıyız. Kısaca, bazı yöntemler geliştirerek zaman zaman teknolojiden uzaklaşmalıyız. Bunun için en güzel çare doğaya dönmek olabilir. Yürüyüşe çıkabilir veya açık havada biraz kendimizi dinleyebiliriz.

1 Teknolojinin gelişmesiyle bilgiye erişim zorlaştı. D / Y
2 Günümüzde hiç kimse artık telefon numaraları aklında tutma ihtiyacı hissetmiyor. D / Y
3 Teknoloji yüzünden uzaktaki tüm sevdiklerimizle görüşemiyoruz. D / Y
4 Türkiye'de telefon kullanıcıların gün içinde akıllı telefonlarına bakma ortalaması 48'dir. D / Y
5 Bazı uzmanlar teknolojinin yeni bağımlılıklara yol açtığını iddia ediyorlar. D / Y
6 Teknoloji 'detoksu' yapmak daha uzun süre teknolojiyle iç içe olmak demektir. D / Y

K Underline the quantifiers and partitive structures in the Reading.

Writing

L **Write a blog page describing your ideas and experiences with technology. Try to use a variety of quantifiers and partitive structures, and give advice to your readers. Write about 100–120 words.**

- Ne tür teknolojik aletler kullanıyorsunuz?
- Ne sıklıkla bunları kullanıyorsunuz?
- Gözlemlerinize göre, arkadaşlarınız veya çevrenizdeki kişiler teknolojiden ne kadar faydalanıyor?
- Bilgisayar, cep telefonu gibi teknolojik aletlerin hepsi yararlı mıdır? Zararları var mı?
- Teknoloji konusunda siz neler öneriyorsunuz?

____

____

____

____

____

____

____

____

____

____

Self-check

Tick the box which matches your level of confidence.

1 = very confident 2 = need more practice 3 = not confident

Aşağıdaki kutuları yeterlilik düzeyinize göre işaretleyin.

1 = çok yeterli 2 = daha çok alıştırma lazım 3 = yetersiz

	1	2	3
Use expressions of obligation and necessity			
Use quantifiers and partitive structures			
Can understand fairly complex texts about technology (CEFR B2)			
Can write a blog on the pros and cons of technology (CEFR B1)			

16 Bir gün Türkiye'ye gidersem neler yaparım?

If I go to Turkey one day, what are the things I would do?

In this unit you will learn how to:

- Use real conditional forms
- Use unreal / hypothetical conditional forms

CEFR: Can understand detailed travel information in fairly complicated texts (B2); Can write clear and detailed information in a letter (B2).

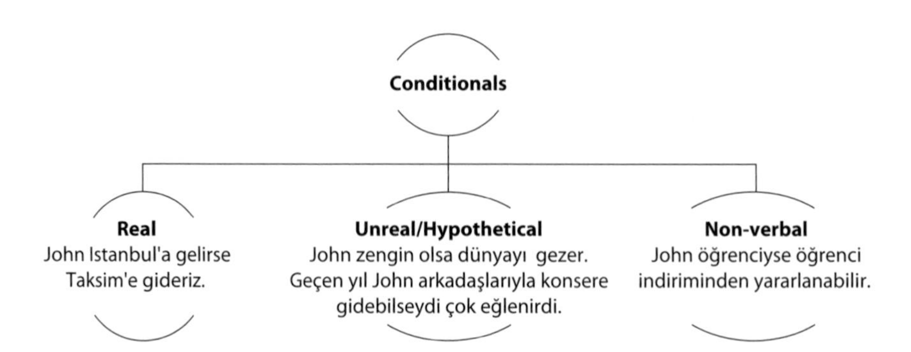

Conditionals
Real
John Istanbul'a gelirse Taksim'e gideriz.
Unreal/Hypothetical
John zengin olsa dünyayı gezer.
Geçen yıl John arkadaşlarıyla konsere gidebilseydi çok eğlenirdi.
Non-verbal
John öğrenciyse öğrenci indiriminden yararlanabilir.

Meaning and usage

Conditionals

1 Conditional sentences indicate that two situations depend on each other. These can be expressing a real possibility of something happening.

İngiltere Başbakanı Ankara'ya gider**se** mutlaka Anıtkabir'i ziyaret edecektir. (*If the British Prime Minister goes to Ankara, she / he will definitely visit Anıtkabir (Atatürk's mausoleum).*)

2 The conditional can also indicate an unlikely situation or a missed opportunity.

Muhsin seyahati çok seviyor; zengin ol**sa** dünyayı gezer. (*Muhsin loves travelling; if he was rich he'd go all over the world.*) (*implies he isn't and is not likely to be rich*)

Şermin arkadaşlarıyla konsere gelebil**se**ydi çok eğlenirdi. (*If Şermin could have come to the concert with her friends she would have enjoyed it very much.*) (*but she couldn't come*)

Ahmet işten izin alabilseydi tatile giderdi. (*If Ahmet could have taken time off work, he would have gone on holiday.*) (*but he couldn't go*)

3 Conditionals can also be used with non-verbal bases.

Cemal öğrenci**yse** öğrenci indiriminden yararlanabilir.	*(If Cemal is a student he can benefit from student reductions.)*
Oya şimdi İstanbul'da**ysa** Beyoğlu'nda alışveriş yapabilir.	*(If Oya is in Istanbul now, she can go shopping in Beyoğlu.)*

How to form conditional sentences

1 Real conditionals

When expressing a real, likely possibility of something happening, the conditional forms **-(y)se** or **-(y)sa** are used. When forming a sentence, the following pattern is used for the verb:

V + (Modality) + Tense + (y)se/sa + personal endings

The personal endings that follow **-(y)se** and **-(y)sa** are the same as for the past tense. **Eğer / şayet** *if* can be added at the beginning of the clause but it is optional and does not affect the meaning at all.

Yağmur yağı**yorsa** şemsiyeni almayı unutma. *(If it is raining, don't forget to take your umbrella.)*

Hesabı öde**diysen** kalkalım. *(If you have paid the bill, let's leave.)*

Telefon ed**erse** bana haber ver. *(If he rings, let me know.)*

Yarın partiye gel**ebilirsen** çok sevinirim. *(If you can come to the party tomorrow, I'd be very happy.)*

Eğer uçakla gid**ersek** hem yorulmayız hem de oraya çabuk varırız. *(If we go by plane, we won't get tired and also will get there quickly.)*

With the third person plural, the –ler / lar ending comes before –(y)se / -(y)sa.

Şayet ucuz bilet almak isti**yorlarsa** okulların tatil zamanında seyahat etmemeliler. *(If they want to buy cheap tickets, they must not travel during school holiday times.)*

When using this type of conditional ending, whether you insert -y before -se or -sa depends on how the verb base ends. After vowels you always use either -yse or -ysa in accordance with vowel harmony rules, but after a verb base ending in a consonant -(y) is omitted.

Henüz Türkiye'ye git**medilerse** mutlaka gitsinler.	*(If they have not been to Turkey yet, they should go.)*
Gel**emediyse** mutlaka önemli bir sebebi vardır.	*(If she has not been able to come, there must be an important reason.)*
Pasaportunun süresi dol**muşsa** sana vize vermezler.	*(If your passport has expired, they won't grant you a visa.)*
Geç kal**acaksa** telefon eder.	*(If he is going to be late, he will call.)*
Geç kal**dıysa** taksiye biner.	*(If he was late, he would have taken a taxi.)*

The conditional forms -(y)se and -(y)sa are derived from **ise**, the now obsolete verb i-mek; as an independent word **ise** is not commonly used separately nowadays apart from for strong emphasis.

Özür dil**er ise** onu affederim. *(I'll forgive him if he apologizes.)*

You could also say: Özür dil**erse** onu affederim. The only difference is using **ise** separately puts more emphasis on the *'if'* situation.

Onun nerede olduğunu bili**yor isen** mutlaka bize söylemelisin. *(If you know where he is, you must tell us.)*

Sana bu görevi ver**di ise** mutlaka yapmalısın. *(If he / she has assigned this work to you, you must do it.)*

2 Non-verbal bases (nouns and adjectives) with -(y)se /-(y)sa

–(y)se / -(y)sa is also used with non-verbal bases in situations where in English you would use *to be*.

Oda sıcak**sa** klimayı açabilirsin. *(If the room is warm, you can put on the air-conditioning.)*

Hasta**ysan** doktora gitmelisin. *(If you are ill, you must go to the doctor.)*

Kitap güzel**se** ben de okurum. *(If the book is good, I would also read it.)*

Plaj mavi bayraklı**ysa** o zaman merak edecek bir şey yok. *(If the beach has a blue flag, (lit. with a blue flag) then there is nothing to worry about.)*

Bankalar Cumartesi günü kapalı**ysa** dövizimizi döviz bürosunda bozdururuz. *(If the banks are closed on Saturday, we will change our foreign currency at the bureau de change.)*

3 Conditionals used with var, yok and değil forms

When expressing the possibility of something being present or absent, or *to have* or *not have* something, the conditional suffix -se /-sa is added to **var, yok** or **değil.**

Paramız var**sa** her istediğimizi alabiliriz. *(If we have money, we can buy anything we want.)*

Otelde boş oda yok**sa** bir pansiyonda kalırız. *(If there are no vacancies (empty rooms) at the hotel we stay at a guest house.)*

Pasaportunuz geçerli değil**se** yurt dışına çıkamazsınız. *(If your passport is not valid, you cannot go abroad.)*

Gideceğiniz ülkenin vize isteyip istemediğini kontrol ederseniz iyi olur. Vizeniz yok**sa** seyahat etmek istediğiniz ülkeye giremezsiniz. *(You'd better check whether the country you are going to requires a visa or not. If you don't have a visa, you cannot enter the country you want to travel to.)*

How to form real conditionals

If Present / Future	Verb affirmative	Verb negative	Non-verbal -(y) se / sa	değil
Eğer / Şayet (optional)	-E/IrsEm	-mEzsEm	-sEm	değil**se**m
	-E/IrsEn	-mEzsEn	-sEn	değil**se**n
	-E/IrsE	-mEzsE	-sE	değil**se**
	-E/IrsEk	-mEzsEk	-sEk	değil**sek**
	-E/IrsEnIz	-mEzsEnIz	-sEnİz	değil**se**niz
	-E/IrlErsE	-mEzlErsE	-lErsE	değiller**se***
If...can / not	-(y)Ebilirse	-(y)EmEzsE		

*** the third personal plural suffix –lEr comes before –se / sa suffix.**

A Complete with real conditional -(y)se/(y)sa forms using appropriate tenses.

1 (Sen)Beni akşam saat yedide ara_____________, konuşabiliriz.
2 Pasaportunuzu kaybet_______________, yenisini almadan seyahat edemezsiniz.
3 Şu an işin yok_______________, bana yardım edebilir misin?
4 İstanbul'daki arkadaşın müsait ol_______________, seninle buluşabilir.
5 Bu filmi gör_______________, görmeni tavsiye ederim.
6 Eğer geçen sene o ülkeye git_______________ neden bu yıl başka bir yere gitmiyorsun?
7 Onlar yarın rehberli tura katıl_____________ daha fazla ödeyecekler.
8 Ayşe geziye gel_________________ ben de gelirim.

4 Conditionals with question words

When attached to question words, rather than establishing a condition **-(y)se** / **-(y)sa** implies a vagueness of purpose or an agent.

Ali Bursa'ya gideceğini söylemişti ama **nedense** gitmedi. (*Ali had said that he would go to Bursa but for whatever reason he did not (go).*)

İçimizden hiç **kimse** daha önce İspanya'yı görmemiş. (*None of us (no one amongst us) has ever been to (has ever seen) Spain.*)

Bu durumu sakin bir şekilde düşününce hatasını **nasılsa** anlayacaktır. (*When he thinks about this situation calmly, he will somehow realize (lit. understand) that he is wrong.*)

5 Unreal / hypothetical conditionals

The conditional form is also used to express a wish with not much hope of its being realized. This is sometimes referred to as a hypothetical or unlikely conditional. In this usage, the conditional ending is either **-se** (with front vowels in the base) or **-sa** (with back vowels in the base) and it is added directly to the verb base. It takes on the same personal endings as **-(y)se** / **-(y)sa**.

Savaşlar bit**se**.	(*If only wars would end.*)
Çok param ol**sa** ne yaparım bilmiyorum.	(*I don't know what I would do if I had a lot of money.*)
Kuş ol**sam** uçardım.	(*If I were a bird, I would fly.*)
Biraz yavaş yürü**seniz** koşmak zorunda kalmam.	(*If only you would walk slowly, I wouldn't have to run.*)

Uçağı kaçır**saydı** bize haber verirdi. (*Had he missed the plane, he would have let us know.*)

Daha çok çalış**saydı** bütün sınavları geçerdi. (*Had he worked harder (more) he would have passed all the exams.*)

Sabah erken kalk**san** işe geç kalmazsın. (*If you would get up early, you won't be late for work.*)

How to form unreal / hypothetical conditionals

If	Present	Present / past verb affirmative	Verb negative	Non-verbal -(y)se / sa	değil
Eğer / Şayet*	-**sE**m	-**sEydI**m	-mEs**EydI**m	-diysEm	değil**sem**
	-**sE**n	-**sEydI**n	-mEs**EydI**n	-diysEn	değil**sen**
	-**sE**	-**sEydI**	-mEs**EydI**	-diysE	değil**se**
	-**sE**k	-**sEydI**k	-mEs**EydI**k	-diysEk	değil**sek**
	-**sE**nIz	-**sEydI**nIz	-mEs**EydI**nIz	-diysEnİz	değil**se**niz
	-**sE**lEr	-**sEydI**lAr	-mEs**Eydi(lEr)**	-diysElEr	değiller**se**
If...can / not		-(y)Ebil**seydi**	-(y)EmEz**sE**		

When (-sEydI/-mEsEydI) is used in the conditional part of the sentence, the second part can only be in the past forms given below,

Conditional part	Second part	
	-IrdI+	*would have*
	-(y)Ebilirdi+	*could have*
	-(y)EcEktI+	*would have*
-**sEydI**+	-mElIydI+	*should have*
-mEs**EydI**+	-mEzdI+	*would not have*
	-(y)EmEzdI+	*could not have*
	-mEyEcEktI+	*would not have*

Eğer Ali çok çalış**saydı** başarılı olurdu. (*If Ali had worked hard (but he did not), he would have been successful.*)

B Complete with the unreal / hypothetical -se / sa conditional forms.

1 Siz bana daha önce haber ver_____________, ben de sizinle gelebilirdim.
2 Havaalanından şehir merkezine bir servis olduğunu bil_____________, taksiye binmezdim.
3 Biz dün geç yat_____________, bu sabah uçağı kaçırmazdık.
4 Zamanım yok. Zamanım ol_____________, bu kitabı okumak isterdim.
5 Çok param ol_____________, dünyadaki tüm fakir çocuklara yardım ederim.
6 Amerika'ya vize gerek_____________, bu hafta sonu giderdik.

The word **keşke** *can be used to give emphasis to the regret situation.*

Keşke haberimiz olsaydı biz de yardım ederdik.	(If only we knew (lit. we had news of it), we would also have helped.)
Keşke evlerini satmasalardı, şimdi Londra'da ev fiyatları çok arttı.	(If only they hadn't sold their house, house prices have increased a lot in London now.)
Geldiğiniz zaman keşke evde olsaydım.	(I wish I had been home when you came round.)

-se / -sa can also be used in a question form for not expressing a wish but seeking guidance about something:

Doğumgünü için ne hediye istediğini sor**sam mı**? (*Should I ask her what she wants for her birthday?*)

Sevdiği şarkıcının konseri için bilet al**sa mıydım**? (*Should I have bought tickets for the concert of the singer she likes?*)

In questions formed in the past tense, the question marker comes before the past tense ending.

There are also some other contexts where a conditional form is used with slightly different meanings like *whatever, however much / as much as*. De / da and bile are also used with the conditional in such contexts:

Seyahat harcamaları ne kadar tut**acaksa** ona göre bütçe yapmaları lazım. (*Whatever their travel expenses come to, they should budget accordingly.*)

Ne demek is**tiyorsa** açıkça söylesin. (*Whatever he means to say, he should spell it out (say it) openly.*)

Onu ne kadar özle**sem** de telefon etmeyeceğim. (*However much I may miss him, I shan't call him.*)

Çok üzül**sem** bile aldırmıyor gibi davranıyorum. (*Even if I am upset, I act as if I don't care.*)

C **Match the conditional clauses with the second part.**

1	Neye karar verdiğini bilirsek	a	beraber gidelim.
2	Uçaklarda ek bagaj parası vermek istemiyorsak	b	sen ne yapardın?
3	Erasmus programına katılacaksan	c	gitmek istediğin okula yazmalısın.
4	Hava güzel olursa	d	daha çok şehir görebilirdim.
5	Vaktim olsaydı	e	bu hafta sonu Şile'ye gidip denize girmek istiyorum.
6	Sen bu konsere gitmediysen	f	yorgun olması normal.
7	Benim yerimde olsan	g	az eşyayla seyahat etmeye çalışmalıyız.
8	Bütün gün çok yüzmüşse	h	ona göre bir program yaparız.

D **Complete with the correct conditional forms.**

Bodrum'a gitmeye karar verdiyseniz ve deniz kenarında kalacak yer olarak kamp yapmayı düşün (1) __________ hazırlıklı gitmelisiniz. Önemli bir kamp malzemesini yanınıza almayı unut (2) __________ çok önemli değil, çarşıda bu tür malzeme satan dükkanlar var. Alışveriş yapmak iste (3) __________pazarları tercih edin. Bodrum'un farklı koylarını gezmeyi hedefle (4) __________ ve arabanız yok (5) __________ dolmuşlarla her yere gidebilirsiniz. Kahve tiryakisi (6) __________kafelerde Türk kahvesi içip tavla oynayabilirsiniz. Tarihi yerleri ziyaret edeyim de (7) __________ Bodrum kalesine ve Sualtı Arkeoloji müzesine muhakkak gitmelisiniz. Bodrum yemek konusunda da seçeneği bol bir belde. Deniz ürünleri, meze ve balık ilk tercihiniz (8) __________ kıyıya yakın lokantalarda güneşin batışını seyrederek yemek yiyin. Kasabanın bir başka öne çıkan özelliği ise gece hayatı. 'Tatilimde müzik, dans ve eğlence ol (9) __________ sıkılırım' diyorsanız Bodrum bu isteğinizi de karşılayabilen bir yer. Sizin için en güzel tatil hem eğlenmek hem de tarihi yerleri görmek (10) __________Bodrum biçilmiş kaftan.

Vocabulary

E **Complete with a verb from the box.**

keşfetmek	düzenlemek	uzaklaşmak	dahil etmek	hazırlamak

1 Bazen şehrin kalabalığından __________ çok iyi geliyor.
2 Gezi programımıza o ünlü müzeyi de __________ çok iyi bir fikirdi.
3 Daha önce görmediğim ülkelere gidip yeni yerler __________ hayatımın önemli bir parçasıdır.
4 Yolculuklardan önce çanta __________ hep zordur.
5 Yurtdışından gelen öğrenciler için bir konser __________ istiyoruz.

Reading

F **Read the first paragraph of the letter and indicate if the statements given here are D (doğru / *true*) or Y (yanlış / *false*).**

Sevgili John,

Nasılsın? Her şey yolunda mı? İspanya'daki festival çok güzeldi. Fotoğrafları görüp bazılarını beğenmişsin bile. Keşke festival senin proje hazırladığın zamana rastlamasaydı da sen de gelebilseydin. **Projeni tamamlayabildin mi?**

1 John festivale gidebilmiş. D / Y
2 Festival John'un proje hazırladığı zamana rastlamış. D / Y

G **Read the rest of the letter and answer the following questions.**

Neyse üzülme, biz şimdi seninle buluşabilmek için başka planlar yapalım. **Tatilinde Türkiye'ye gelmek ister misin? Hangi tarihler arasında gelebilirsin?** Bana gelebileceğin tarihleri bildirirsen ben de ona göre işlerimi ayarlarım. Kalacak yer aramana gerek yok, bizde kalabilirsin. **Ne dersin?** Otelde kalmak istiyorsan, sana yardımcı olabilirim. Ama lütfen bizde kal. **Birlikte tatil yapmak çok eğlenceli olmaz mı?** İstanbul'da görülecek öyle çok yer var ki, hepsini yazsam sayfalar sürer. Onun için sana ekte İstanbul'da gidilecek yerler, müzik festivalleri ile ilgili daha detaylı bilgi gönderiyorum. Konserler İstanbul'un çeşitli yerlerine dağılmış olsa da bu sorun değil. Gezi programlarımızı gündüz alışveriş ve tarihi yerler, aksam konser şeklinde düzenlersek hem çok yer görür hem de konserlerimizi kaçırmayız. İstanbul civarında da Şile gibi doğası zengin güzel yerler var; ayrıca şehre yakın olduğu için hafta sonları bile gidilebilir oralara.

Yazın geleceksen ve bol bol denize girmek istiyorsan biraz sıcak olsa da Bodrum'a gidebiliriz. Önceden alırsak ucuz uçak bileti bulmak mümkün. Temmuz sonunda Bodrum Klasik Müzik festivali var, ayrıca ünlü şarkıcıların konserleri de oluyor. Müzik sevdiğini bildiğim için bunları sıraladım ama seçeneğimiz çok. İstersen, tarihi yerlere de gidebiliriz.

Bana hemen cevap ver lütfen. Senin geliş tarihin belli olunca arkadaşlara da haber verirsem festivaldeki kadar büyük bir grup olmasak da çoğumuz en azından İstanbul'da toplanırız. **Tatil için İstanbul mu? İstanbul ve Bodrum mu yoksa ikisi de mi?** Bence biraraya gelince nerede olursak olalım, nereye gidersek gidelim eğleniriz. Seni çok özledim. Cevabını dört gözle bekliyorum.

En güzel dilekler ve sevgilerle,

Ayşe

1 Ayşe, John'un tatilini nerede geçirmesini istiyor?

____

2 Eğer John tatilini İstanbul'da geçirmeye karar verirse nerede kalabilir?

____

3 İstanbul'da neler yapabilirler?

____

4 John'un tercihi Bodrum olursa seçenekleri neler olabilir?

____

V

tamamlamak	*to complete*	**ikisi de**	*both*
bildirmek	*to inform, notify*	**yoksa**	*otherwise, or*
ayarlamak	*to arrange*	**dört gözle beklemek**	*to look forward to*
sıralamak	*to list in order*	**nerede olursak olalım**	*wherever we are*
civarında	*nearby*	**doğa**	*nature*

H Find the words and phrases that match these definitions / synonyms. They are all in the letter in the Reading.

1 alternatif _______________
2 ayrıntılı _______________
3 bir araya gelmek _______________
4 yanıtlamak _______________
5 sabırsızlıkla beklemek _______________

Writing

I Write a letter responding to your friend covering the following points. Write 100–120 words:

- Mektuptaki soruların hepsine cevap vermeye çalışın ve merak ettiğiniz konular varsa sorun.
- Seyahat tarihlerinizi yazın ve arkadaşınıza bu tarihlerin uygun olup olmadığını sorun.
- Gideceğiniz yeri seçin ve bu yeri neden seçtiğinizi açıklayın.
- Bu seyahatiniz için ne kadar para gerektiğini sorun.

____

____

____

Self-check

Tick the box which matches your level of confidence.

1 = very confident   2 = need more practice   3 = not confident

Aşağıdaki kutuları yeterlilik düzeyinize göre işaretleyin.

1 = çok yeterli   2 = daha çok alıştırma lazım   3 = yetersiz

	1	2	3
Use real conditional forms			
Use unreal / hypothetical conditional forms			
Can understand detailed travel information in fairly complicated texts (CEFR B2)			
Can write clear and detailed information in a letter (CEFR B2)			

17 Yeni bir eve taşınma zamanı

It is time to move to a new home

In this unit you will learn how to:

- Use reflexive verbs, reflexive pronouns and causative forms
- Understand their different usages and meanings

CEFR: Can understand issues related to renting a property (B1); Can write a letter of complaint expressing demands (B2).

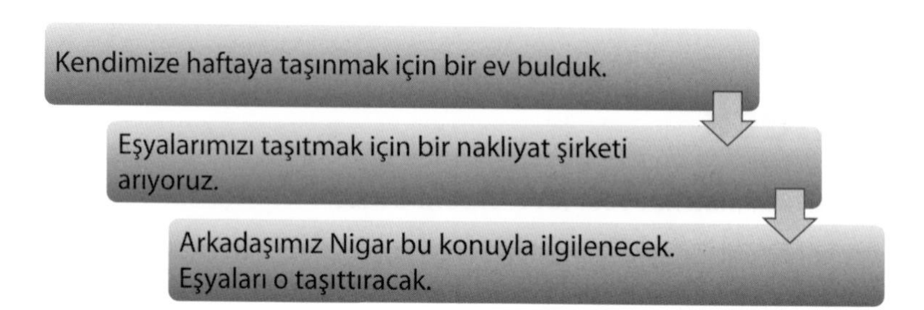

Kendimize haftaya taşınmak için bir ev bulduk.
Eşyalarımızı taşıtmak için bir nakliyat şirketi arıyoruz.
Arkadaşımız Nigar bu konuyla ilgilenecek. Eşyaları o taşıttıracak.

Meaning and usage

Reflexive verbs

1 In reflexive verbs, the action is not done to another person or thing but the subject does it to himself / herself / itself. The subject and the object are the same in the sentence.

Oya perdeleri yıkadı.	(*Oya washed the curtains.*)
Oya yıka**n**dı.	(*Oya washed herself.*)
Necdet merdiveni duvara dayadı.	(*Necdet propped the ladder up against the wall.*)
Necdet duvara daya**n**dı.	(*Necdet propped himself up against the wall.*)

How to form reflexive verbs

The words *myself, oneself, himself* are used in combination with reflexive verbs in English to indicate that the subject is doing a directed action. However, to form the reflexive verbs, the suffix **-(I)n** is added to the verb stem; **-n** if the verb stem ends with a vowel and **-In** with a consonant in accordance with the vowel harmony rules.

A Complete the reflexive verbs with the -(I)n suffix.

Active verb		Reflexive verb	
bakmak	*to look*	bak**ın**mak	*to look around*
yıkamak	*to wash*	yıka**n**mak	*to wash oneself*
taramak	*to comb*	tara____mak	*to comb one's hair*
taşımak	*to carry*	taşı____mak	*to move (as in moving house)*
örtmek	*to cover*	ört**ün**mek	*to cover oneself*
söylemek	*to speak*	söyle**n**mek	*to mutter, talk to oneself*
soymak	*to undress somebody*	soy**un**mak	*to undress oneself*
kurumak, kurulamak	*to dry something*	kuru**n**mak, kurula**n**mak	*to dry oneself*
övmek	*to praise*	öv____mek	*to praise oneself, to boast*
sarmak	*to wrap*	sar____mak	*to wrap oneself*
dayamak	*to prop up*	daya**n**mak	*to prop oneself up*
kapamak	*to shut*	kapa**n**mak	*to shut oneself off*
görmek	*to see*	gör____mek	*to seem, to appear*
süslemek	*to decorate*	süsle**n**mek	*to glam oneself up*
dövmek	*to beat*	döv____mek	*to beat one's chest in despair*
aramak	*to search*	ara**n**mak	*to search, to look around*
gezmek	*to tour, visit*	gez**in**mek	*to stroll*
giymek	*to dress, put on (something)*	giy____mek	*to dress oneself*

Çok çalıştığı için arkadaşlarını göremedi, iyice içine kapandı. (She has been studying very hard so she hasn't been able to see her friends and has really shut herself off.)

Kapanmak *is currently also used to express that a woman has taken up the veil or is covering herself to avoid showing her hair.*

Soymak *also means to peel or to rob but does not have a reflexive alternative in either of those meanings.*

Plaja gidince mayosunu giyebilmek için kabinde soyundu. (When she got to the beach she undressed herself in the beach hut so that she could put on her swimsuit.)

B Complete with the verbs in the box and change them to the reflexive form.

övmek	yıkamak	taşımak	görmek	süslemek	gezmek

1 Küçük kardeşim eve kir içinde geldi ve hemen ________________.
2 Bütün gün yeni aldıkları yüzme havuzlu evleriyle ________________.
3 Onlar yeni evlerine yarın mı ________________?

4 Emel bu akşamki doğum günü partisi için sabahtan beri ________________ .
5 Bugün işim yoktu, yeni mahallemde ____________ .
6 Yemek çok güzel ____________, umarım lezzeti de güzeldir.

Less predictable reflexive verbs or reflexives which have totally different meaning:

Active verb		Reflexive verb	
dinlemek	*to listen*	dinlenmek	*to rest*
etmek	*to do*	edinmek	*to acquire, get for oneself*
kaçmak	*to escape, to run away*	kaçınmak	*to avoid, to abstain*
geçmek	*to pass*	geçinmek	*to get along, to earn a living*
sevmek	*to love*	sevinmek	*to be pleased*

C Complete with the verbs by changing them to reflexive and translate into English.

etmek kaçmak söylemek geçmek dinlemek sevmek

1 Ayşe dün daha güzel bir eve taşınacaklarını duyunca çok ________________ .
When Ayşe heard yesterday that they were going to move to a better house she was very
________________ .
2 Bir ev kiralamadan önce bilgi ________________ lazım.
You should ________________ *some information before renting a house.*
3 Babaannem yeni evine alışıncaya kadar biraz ________________ ama şimdi mutlu.
Until she got used to her new house, my grandmother ________________ *to herself but now she is happy.*
4 İki aydır kirayı ödemedikleri için ev sahibinin telefonlarına cevap vermekten ____________.
As they hadn't paid their rent for two months, they ________________ *picking up the landlord's phone calls.*
5 John stresli olduğu zaman kitap okuyarak ________________.
When John is stressed he ________________ *himself by reading a book.*
6 Onunla________________, aynı evi paylaşamayız.
We don't ________________, *we can't share the same house.*

Meaning and usage

Reflexive pronoun

1 The reflexive pronoun consists of the word **kendi** *self*, followed by the possessive suffix determined by the subject. It can take all the suffixes that other pronouns take. The third person singular **kendi** and plural **kendileri** take **-n** if there is a case ending following them.

Kendim	*myself*	Kendim seçtim.	*I myself chose this.*
kendin	*yourself*	Bunu kendin yapabilirsin.	*You yourself can do this.*
kendi/kendisi	*himself, herself, itself*	Bunun yanlış olduğunu kendi/ kendisi biliyor.	*He himself knows that this is wrong.*
Kendimiz	*ourselves*	Taşınmayı kendimiz istedik.	*We ourselves wanted to move.*
Kendiniz	*yourselves*	Buraya kendiniz mi geldiniz?	*Did you yourselves come here?*
Kendileri	*themselves*	Evi kendileri tamir etti.	*They themselves repaired the house.*

Bunu kendi istedi. (*He himself wanted this.*)

Bunu kendi**n**e sor. (*Ask yourself this.*)

Kendime geniş bir kanepe aldım. (*I bought myself a large sofa.*)

Çok üzgün, kendi**n**de değil. (*She is very upset, not herself.*)

Kendi**n**den çok emin. (*He is very sure of himself.*)

Onlar kıymetli eşyalarını kendileri**n**e ayırdılar. (*They kept their valuable possessions for themselves.*)

Kendiyle övünmekte haklı, zor bir işi bitirdi. (*She is right to praise herself, she completed a difficult task.*)

Murat kendisi**n**e metroya çok yakın bir daire buldu. (*Murat found himself a flat very close to the metro.*)

2 **Kendi** as an adjective means *own.*

Bu benim kendi kitabım, kütüphanenin değil. (*This is my own book, not the library's.*)

Kendi bigisayarını kullansan daha iyi olur. (*It will be better if you use your own computer.*)

D Complete the sentences by using forms of kendi.

1 ________________ geniş bir kanepe aldım.
2 __________________ yardım ettiğim için bana çok teşekkür ettiler.
3 Hem __________ annesi hem de eşinin annesi bir süre onlarda kalacak.
4 Sen bu evde oturmayı __________ istedin. Şikayet etme.

3 The reflexive pronoun can be reduplicated as kendi kendi-. The appropriate possessive suffix is then added to this expression to indicate the person.

kendi kendime	*by myself, on my own*
kendi kendine	*by yourself*
kendi kendine / kendi kendisine	*by oneself*
kendi kendimize	*by ourselves*
kendi kendinize	*by yourselves*
kendi kendilerine	*by themselves*

4 Another expression which has a similar meaning to **kendi kendine** is **kendi başına** or **tek başına** (*on his / her own*. Both are formed just like **kendi kendine** with the possessive suffix coming after **baş-** followed by the appropriate case ending.

Annem gece kendi başımıza konsere gitmemize izin verdi. (*My mum allowed us to go to the concert at night by ourselves.*)

Arkadaşlarıyla yaşamaktansa tek başına yaşamayı tercih ediyor. (*Rather than live with her friends, she prefers to live on her own.*)

Kutular çok ağır olduğu için tek başıma taşıyamadım. (*As the boxes were very heavy, I couldn't carry them on my own.*)

Bunu kendi başlarına yapmaya karar vermişler, ondan sonra bize söylediler. (*Apparently they decided to do this on their own, (and) then told us later.*)

E Complete the sentences by using forms of kendi kendine and tek başına.

1 Karanlık yolda ________________ yürümekten korktum.
2 İki yaşındaki oğlum __________________ giyinmeye başladı.
3 Sana bir şey demedim, _______________ konuşuyorum.
4 ________________ oturmaktan sıkılmıyor musun?

Meaning and usage

Causative

1 The causative form is used when the subject causes the action to happen rather than doing it directly or makes / allows it to be done by someone or something else. It has different suffixes depending on the verb base it is used with; **-DIr-**, **-t-**, **-It-**, **-Ir-**, **-Er-**.

F Underline the causative verb and find the suffix used to make it causative.

Verbs	Causative
Ali evi temizledi.	Ali evi temizletti.
Bardaklar düştü.	Oya bardakları düşürdü.
Eşyaları taşıdım.	Eşyaları taşıttım.
Otobüs durdu.	Biz otobüsü durdurduk.
Çocuk arabadan indi.	Ali çocuğu arabadan indirdi.

2 Another function of the causative is to make intransitive verbs transitive. Intransitive verbs do not need a direct object but when they are made transitive by a causative suffix, they get a direct object.

Su kaynadı. (*The water boiled.*)
In this sentence, there is no direct object.

Annem suyu kayna**tt**ı. (*My mother boiled the water.*)
In this sentence, su becomes the direct object and takes the accusative case ending.

3 A less common use of the causative is when the subject does not cause but lets or permits an action to happen. This meaning is particularly used in negative form.

Kızım çiçekleri sulamayı çok seviyor, çiçekleri ona sula**tı**yorum. (*My daughter loves to water the flowers, I let her water them.*)

Bugün sigorta işlemleri biraz ters gitti ama bu beni kız**dır**madı. (*Today the insurance processes didn't go to plan but this did not make me angry.*)

Üst katımızdaki dairede yüksek sesle ağlayan bebek bizi uyu**t**madı. (*The loudly crying baby in the flat upstairs did not allow us to sleep.*)

How to form causatives

Causative structures are formed by introducing an additional agent to the sentence. The subject of the sentence causes this agent to perform what the verb indicates.

1 The most common form of the causative is **-DIr.** The vowel of the suffix harmonizes with the base as usual. -DIr cannot be used after verbs with more than one syllable or after verbs that end in a vowel or verbs ending in r or l.

Olcay yatakları yaptı.	(*Olcay made the beds.*)
Olcay kızına yatakları yap**tır**dı.	(*Olcay got her daughter to make the beds.*)
Sinan sofrayı kurdu.	(*Sinan set the table.*)
Sinan sofrayı kur**dur**du.	(*Sinan got the table set.*)

G Complete the gaps with -DIr .

Verbs		Causative verbs with –DIr	
unutmak	*to forget*	unut**tur**mak	*to make forget*
bilmek	*to know*	bil**dir**mek	*to announce, inform*
yapmak	*to make*	yap____mak	*to get something done*
etmek	*to do*	et**tir**mek	*to make do*
kesmek	*to cut*	kes**tir**mek	*to cause to cut*
kalkmak	*to get up, to stand*	kal____mak	*to wake, to lift*
ölmek	*to die*	öl**dür**mek	*to kill*
basmak	*to print, to step on*	bas**tır**mak	*to make print, to press, compress*
yazmak	*to write*	yaz_____mak	*to make write*
değişmek	*to change*	değiş**tir**mek	*to make change*
artmak	*to increase*	art**tır**mak	*causing to increase*
dolmak	*to be full*	dol____mak	*to fill up*
biçmek	*to cut out, mow*	biç**tir**mek	*to make cut out, to make mow*

Ev sahibi eski koltuğu yenileyeceğini bildirdi.	(*The landlord notified us that she would replace the old armchair.*)
Yeni çift ev sahibine evi daha düşük fiyata satmayı kabul ettirdi .	(*The new couple made the home owner accept to sell the house for a lower price.*)

H Complete the sentences with one of the causative verbs with -DIr.

1 Ali'ye surpriz yapacağım, odasını oyuncak hayvanlarla ______________.
2 Oya, her ay çimleri bahçıvana ______________.
3 Evsahibi kirayı %10 ________________biz de kabul ettik.
4 Emlakçı kira sözleşmesini______________ ve bir kopyasını kiracıya verecek.

2 -t- suffix is used with verb bases containing more than one syllable and ending in a vowel or if the verb ends in r or l.

I Complete the gaps with -t-.

Verbs		Causative verbs with -t-	
bekl**e**mek	*to wait*	bekle**t**mek	*to make wait*
söyl**e**mek	*to say*	söyle__mek	*to make say*
hatırl**a**mak	*to remember*	hatırla__mak	*to remind*
temizl**e**mek	*to clean*	temizle__mek	*to make clean*
ok**u**mak	*to read*	oku**t**mak	*to make read*
otu**r**mak	*to sit*	otur**t**mak	*to seat, to cause to sit*
onaylamak	*to approve*	onaylatmak	*to make approve*
boy**a**mak	*to paint*	boya__mak	*to make paint*
imzal**a**mak	*to sign*	imzala**t**mak	*to make sign*
ayı**r**mak	*to separate, to book*	ayır__mak	*to book*
parlamak	*to shine*	parla__mak	*to make shine*
belirmek	*to appear*	belir__mek	*to point out*
aza**l**mak	*to become less*	azal**t**mak	*to reduce*

Banka garantör evraklarını vermek için bizi çok bekle**t**ti. (*The bank made us wait a lot to give the guarantor documents.*)

Ev sahibi demirbaş listesini emlakçıya hazırla**t**tı. (*The landlord made the estate agent to prepare the inventory list.*)

J Gül has invited her husband's family over for dinner. Underline the causative forms.

Önümüzdeki hafta kayınvalidemler yeni taşındığımız evi görmek için akşam yemeğine gelecekler. Evi boyatırken halıya boya döküldü. Boyacı sildi ama leke tam çıkmadı temizletmem lazım. Kabul ederse zeytinyağlı yaprak dolmasını anneme yaptırmak iyi fikir. Ben de fırında sebzeli tavuk yaparım ama fırın çalışmıyor, onu da tamir ettirmem lazım. Eşime söyleyeyim yemek takımlarını üst raftan indirip gümüş çatal bıçakları parlatsın. En önemlisi bana yemekleri yaparken süt ürünleri kullanmamamı hatırlatsın. Kayınvalidem süt ürünleri yemiyor. Evde yemek yerine güzel bir lokantada yer ayırtsam mı?

3 A few monosyllabic verb stems ending in k take the **-IT-** suffix (-ıt, -it, –ut, -üt)

K Complete the table with the Turkish causative (infinitive) form.

korkmak	*to fear*	1 ________________ *to frighten*
akmak	*to flow*	2 ________________ *to cause to flow, to pour*
sarkmak	*to lean out, to hang down*	3 ________________ *to let something hang down*
ürkmek	*to be scared*	4 ________________ *to scare someone*

Eskiden alışveriş için evimizin altındaki bakkala sepet sarkıtırdık. (*In the past, we used to hang down a basket from the window to the corner shop under our house (flat) for our shopping.*)

Issız bir bölgeye taşınmak onu korkutuyor. (*Moving to a secluded area frightens him.*)

Köpeğin aniden havlaması bebeği ürküttü. (*The dog's sudden bark scared the baby.*)

Ispanağı yıkamak için bol su akıttı. (*He let (made) a lot of water to flow to wash the spinach.*)

4 **-Ir** suffix is used to turn a limited number of mono syllabic stems into causatives.

yatmak	*to lie*	yat**ır**mak	*to put to bed, to deposit money*
duymak	*to hear*	duy**ur**mak	*to make hear, to announce*
pişmek	*to get cooked*	piş**ir**mek	*to cook*
içmek	*to drink*	iç**ir**mek	*to make drink, to cause to absorb*
kaçmak	*to escape*	kaç**ır**mak	*to miss something (transport, appointment)*
geçmek	*to pass*	geç**ir**mek	*to make something or someone pass*
bitmek	*to come to an end, to expire*	bit**ir**mek	*to finish something*

Yazmakta olduğu raporu bitirir bitirmez kayak tatiline çıkacak. (*As soon as he finishes the report he is writing, he will go on a skiing holiday.*)

Ev sahibi kiracıya kirayı arttıracağını duyurdu. (*The landlord informed the tenant that he will increase the rent.*)

5 **-Er** or **-Ert** (-er,-ar, or -ert,-art)

çökmek	*to collapse, kneel*	çök**ert**mek	*to cause to collapse, kneel*
kopmak	*to break off*	kop**ar**mak	*to snap, break something*
çıkmak	*to come out*	çık**ar**mak	*to take out, extract, subtract*
	gitmek *to go*	gid**er**mek	*to remove, to quell, to alleviate*

Oğlum evden ayrılacağı için biraz endişeliydim ama annem endişemi giderdi. (*I was rather anxious as my son was moving out, but my mother quelled my concerns.*)

Kirayı ödemeyen kiracılarını evden çıkarmak için avukatla görüşecekler. (*They will talk to their lawyer in order to get their tenant who has not been paying the rent evicted.*)

6 Some irregular causative forms are;

görmek	*to see*	göstermek	*to show*
kalkmak	*to get up*	kaldırmak	*to cause to get up, to lift, to remove*
gelmek	*to come*	getirmek	*to bring*

Yeni mutfağımızı arkadaşlarıma göstermek istiyorum. (*I want to show our new kitchen to our friends.*)

L **Complete the sentences with the verbs in the box and change them to causative.**

çıkmak	**uçmak**	**geçmek**	**kalkmak**	**görmek**	**çökmek**	**gelmek**

1 Çocuk dün üstünde zıplaya zıplaya kanepeyi __________.
2 Annem oturma odasındaki halıyı Türkiye'den __________.
3 Emlakçı dün bize kiralık evleri _________________bir tanesini beğendik.
4 Sibel'in ofisi çok sıcaktı ceketimi __________sonra orada unuttum.
5 Bazen eski evimizi özlüyorum orada çok güzel günler ____________.
6 Komşunun 3 yaşındaki oğlu bize gelince, annem hep kırılacak eşyaları ____________.

Meaning and usage

Multiple causatives

1 When intransitive verbs are turned into transitive verbs, a second causative can be added to indicate that the subject causes the action to happen. If a verb has two causatives and the first causative is **-Ir** or **-DIr** then the second causative is -t.

2 If the first causative is **-t**, then the second causative is **-DIr**.

İntransitive verbs		**Causative**		**Double causative**
ölmek	*to die*	öl**dür**mek	*to kill*	öldür**t**mek
bitmek	*to finish*	bit**ir**mek	*to finish something*	bitir**t**mek
pişmek	*to cook*	piş**ir**mek	*to cook something*	pişir**t**mek
uçmak	*to fly*	uç**ur**mak	*to fly something*	uçur**t**mak
geçmek	*to pass*	geç**ir**mek	*to make something pass*	geçir**t**mek
durmak	*to stop*	dur**dur**mak	*to stop something*	durdur**t**mak
doğmak	*to be born*	doğ**ur**mak	*to give birth to*	doğur**t**mak
anlamak	*to understand*	anla**t**mak	*to explain*	anlat**tır**mak
kurumak	*to dry*	kuru**t**mak	*to make dry*	kurut**tur**mak

M Choose the correct intransitive verb and complete using causatives if necessary.

1 Proje ____________ (*The project is finished.*)
2 Mimar projeyi ____________ (*The architect finished the project.*)
3 İnşaat sirketi mimara projeyi ______________ (*The construction company made the architect finish the project.*)

3 If the verb is already transitive and the subject is causing or getting an agent to do the action, this agent may be specified or not.

Garajın kapısını tamir ettireceğim. (*I will get the garage door repaired.*) (the agent is not mentioned)

Garajın kapısını Hasan ustaya tamir ettireceğim. (*I shall get Hasan the handyman to repair the garage door.*) (Hasan is the agent)

4 If the agent performing the action is mentioned and used as the object of the sentence, then it takes the -(y)E dative suffix.
Hasan usta**ya**

Transitive verbs can also take a double causative and the agent rule applies similarly.

Evi temizlettim. (*I got the house cleaned.*) Evi emlakçıya temizlettirdim. (*I got the estate agent to have the house cleaned.*)

Ev sahibi kontratı imzalattı. (*The landlord got the agreement signed.*) Ev sahibi kontratı emlakçı aracılığıyla kiracıya imzalattırdı. (*The landlord got the tenant to sign the agreement through the estate agent.*)

Orkun eşyalarını yükletti. (*Orkun got his furniture loaded up.*) Orkun eşyalarını bir şirkete yüklettirdi. (*Orkun got a company to load up his furniture.*)

N Rewrite the sentences with the causative or double causative.

Example: Ahmet evrakları okudu. (karısı) . Ahmet evrakları karısına okuttu.

1 Annem beni uyandırdı. (kardeşim)
Annem beni ____________ uyan________________.
2 Kitaplığın yerini değiştirdim. (Hakan)
Kitaplığın yerini _____________ değiş_____________.
3 Depozito bankaya yattı. (kiracı)
Depozitoyu _______________ bankaya yat_______________.
4 Bakkalın çırağı her sabah ekmek ve gazete getirir. (bakkalın çırağı)
Babam ____________________ her sabah ekmek ve gazete getir__________.

Vocabulary

O Categorize the words and phrases in the box for people renting a property: university students, a couple with children and an elderly couple. Some can be used more than once.

üniversiteye yakın, bahçe, torunlara yakın, tuvalet ve banyoda tutunma barı, oyun parkına yakın, ucuz, parka yakın, spor tesisi içinde, bisiklet yeri, geniş mutfak, garaj, girişte güvenlik görevlisi, kolay ulaşım, okula yakın, kolay ısınma, merdivensiz, alışveriş merkezine yakın, spor tesisine yakın

Üniversite öğrencisi	Çocuklu çift	Yaşlı çift

Reading

P Read the first part of the estate agent's letter to Leyla Oduncu, the new tenant of the property mentioned, and answer the questions.

1 Ev sahibi depozitoyu kaç TL'ye indirecek?

____

2 Leyla Oduncu' nun evi kiralamadan önce ne yapması gerekiyor?

____

Sayın Leyla Oduncu

Sağlık sokak, Derya apartmanı, No:77/8 Yenişehir /Ankara adresindeki eşyalı evi kiralamak istediğinizi ve taleplerinizi ev sahibine bildirdim. 2500 liralık depozitoyu 2000 liraya indirmeyi kabul etti. 6 aylık kirayı peşin öderseniz kirayı da biraz düşürecek ve kiranız 2400 TL olacak. Müracaat formunuzda bazı eksikler var, bunları sözleşmeden önce doldurmanız gerekiyor. Demirbaş listesini kontrol edip eksikleri de yazmanız lazım. Ben sizin eklediklerinizi ev sahibine kabul ettirmeye çalışacağım ve listeyi kendisine imzalattıracağım. Böylece eksikleri kabul ettiğini onaylatmış olacağız.

Q Now read the rest of the letter. Indicate if the statements are D (doğru / *true*) or Y (yanlış / *false*). If the statements are false, correct them.

Aşağıda kiracı ile ilgili hususlar belirtilmektedir.

- Taşındığınız günden itibaren elektrik, gaz, su, telefon faturalarının kiracının adına geçirilmesi gerekiyor.
- Daire, kiracı veya kiracıların dışında başka birine kiralatılamaz.
- Kira sözleşmesini kiracı veya kiracılar kendileri imzalamak zorundadır. Başkasına imzalatılamaz.

- Çıkarken evi temizletmeniz gerekiyor. Ev sahibi temizlikten memnun değilse temizletme tutarını depozitodan düşürebilir.
- Eşyalara zarar verdiyseniz zarar tutarı da depozitodan düşürülecektir.
- Ev sahibi izin vermeden evdeki eşyaları değiştiremezsiniz. Örneğin bir eşyayı atıp yenisini alamazsınız veya odanın duvarlarını başka renge boyatamazsınız.
- Kontrat süresinden önce çıkmak istiyorsanız bu isteğinizi ev sahibine iki ay önce bildirmeniz gerekir.
- Bahçenin bakımı ve çimlerin biçtirilmesi kiracıya aittir.
- Sözleşmenin süresi, kiracının ödeyeceği kira ücreti, bu ücreti hangi bankaya hangi tarihte yatıracağı sözleşmede belirtilecektir
- Sözleşmeye belirlenen kira bedelinin hangi zamanlarda ve hangi oranlarda arttırılacağı, taşınırken mülk sahibi tarafından depozito alındıysa, depozitonun miktarı ve hangi durumlarda geri alınacağı yazdırılacaktır.
- Kiracı kontrol ettikten sonra tamir ettirilen ve yeni alınan eşyaları gösteren son demirbaş listesi sözleşmeye eklenecektir.
- Kiracı kişisel bilgilerini, banka detaylarını, referansları, garantörün bilgilerini içeren müracaat formunu eksiksiz doldurmalıdır.

Teşekkür ediyorum ve cevabınızı bekliyorum.

Saygılarımla.

Reha Kotaran

Etkin Emlak A.Ş.

1	Kira sözleşmesini kiracı kendi imzalamak zorunda değildir.	D / Y
2	Bahçenin bakımı ev sahibine aittir.	D / Y
3	Sözleşmede kira süresi, kira bedeli ve ödeme detayları belirtilmelidir.	D / Y
4	Son demirbaş listesi sözleşmeye eklenmeyecektir.	D / Y
5	Kiracı kendisi dışında birisine daireyi kiralatamaz.	D / Y

R **Find and underline the reflexive pronouns and causatives in the letter – there are at least ten.**

Writing

S Write a letter of complaint in reply to the estate agent after you have visited the property with the inventory list. Write about 100–120 words. Try to use causative forms.

- Kira ve depozito tutarını kabul ediyor musunuz?
- Demirbaş listesinde yazan eşyaların bir kısmı yok veya bozuk, aldırtmak tamir ettirmek ve temizletmek gerekiyor.
- Örneğin; çalışma masası, çamaşır kurutma makinası ve çim makinası yok, yatak çok eski, kanepenin ayağı kırık, mikrodalga çalışmıyor, halı, perdeler kirli.

Self-check

Tick the box which matches your level of confidence.

1 = very confident 2 = need more practice 3 = not confident

Aşağıdaki kutuları yeterlilik düzeyinize göre işaretleyin.

1 = çok yeterli 2 = daha çok alıştırma lazım 3 = yetersiz

	1	2	3
Use reflexive verbs, reflexive pronouns and causative forms.			
Understand their different usages and meanings.			
Can understand issues relating to renting a property (CEFR B1).			
Can write a letter of complaint expressing demands (CEFR B2).			

18 Çevremizi koruyalım!

Let's protect our environment!

In this unit you will learn how to:

- Use ki forms
- Use diye forms

CEFR: Can understand sentences related to environmental issues (B1); Can write a presentation about global and environmental issues using complex sentences (B1).

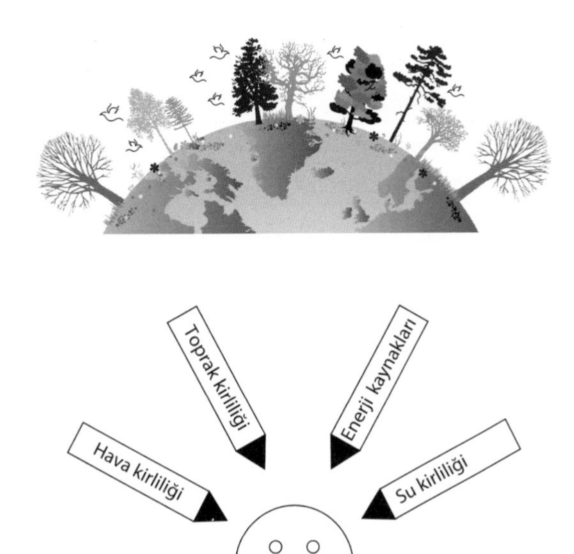

Meaning and usage

Various usages of **ki**

1 **ki** can be used like the conjunction *that* in English to combine two sentences. It is written separately and is non-harmonic, always staying as ki.

Çevremizi korumalıyız. Bunu biliyoruz.	(*We should protect our environment. We know this.*)
Biliyoruz **ki**, çevremizi korumalıyız.	(*We know that we need to protect our environment.*)
Herkes geri dönüşüm konusunda elinden geleni yapacaktır. Buna eminim.	(*Everyone will do their best regarding recycling. I am sure of that.*)
Eminim **ki**, herkes geri dönüşüm konusunda elinden geleni yapacaktır.	(*I am sure that everyone will do his/her best regarding recycling.*)

ki provides an alternative form for indirect speech.

Ali dedi **ki**, yarın bir toplantı olacak. (*Ali said that there would be a meeting tomorrow.*)

Ali yarın bir toplantı olacağını söyledi. (*Ali said that there would be a meeting tomorrow.*)

ki is also used to express established facts.

Biliyoruz **ki**, hava kirliliği ozon tabakasını deliyor. (*We know that air pollution makes a hole in the ozone layer.*)

Hava kirliliğinin ozon tabakasını deldiğini biliyoruz. (*We know that air pollution makes a hole in the ozone layer.*)

Other forms in different tenses are as follows:

sandım ki	*I thought that*	biliyoruz ki	*We know that*
düşündüm ki	*I thought that*	haber aldık ki	*I learned/found out that*
korkarım ki	*I am afraid that*	istedim ki	*I wanted that*
anladım ki	*I understood that*	belli ki	*it is obvious that*
ümit ederim ki	*I hope that*	şüphesiz ki	*it is undoubtedly that*
anlaşılıyor ki	*it has been understood that*		

A Rewrite the sentences with ki.

Example: Türkiye'de ve dünyada faaliyet gösteren birçok çevreci kuruluş var. Bu biliniyor.
Biliniyor ki Türkiye'de ve dünyada faaliyet gösteren bir çok çevreci kuruluş var.

1 Çevreye zararı olmayan maddelerden üretilmiş el sabunu, bulaşık deterjanı gibi ürünleri daha ucuza alabiliriz. Bunu ümit ediyorum.

____

2 Çocuklarımızı daha küçük yaşlarda çevre konusunda bilinçlendirebiliriz. Buna inanıyorum.

____

3 Sosyal ve ekolojik bilince yönelik seminerler ve sempozyumlar düzenlenmeli. Bu anlaşılıyor.

____

4 Daha çok ağaçlandırma kampanyaları yaparak halka ulaşmak gerekiyor. Bu şüphesiz.

____

2 **ki** can also be used to express cause and effect relationships. It is usually used with **o kadar… ki** or **öyle… ki** meaning *such… that, so … that.*

Cause: Elif doğayı çok seviyor. (*Elif likes nature very much.*)

Effect: Elif her gün çiçek resimleri yapıyor. (*Elif draws pictures of flowers every day.*)

Elif doğayı **o kadar** çok seviyor **ki** her gün çiçek resimleri yapıyor. (*Elif likes nature so much that she draws pictures of flowers every day.*)

Cause: Dünya nüfusu çok yüksek. (*The world population is very high.*)

Effect: Yakında su rezervleri bitecek. (*Soon water reserves will dry up.*)

Dünya nüfusu öyle yüksek ki yakında su rezervleri bitecek. (*The world population is so high that soon water resources will dry up.*)

In colloquial Turkish, sometimes we finish the sentence with ***ki*** *expecting the rest of the sentence to be inferred. This form usually indicates excitement, surprise, praise or anxiety.*

Gençlere o kadar güveniyorum ki! (I have so much trust in young people.)

Bütün sorunları çözmek o kadar zor ki! (It is so difficult to solve all the problems.)

Bize yardım etmez ki! (He/she just won't help us.)

B Combine the sentences with o kadar...ki.

1 Derneğin çok parası var. Yeni bir projeye başlayabilirsiniz.

____

2 Doğal beslenmek önemli. Kendi bahçemi oluşturdum.

____

3 Çevre meseleleriyle ilgili çok yazdı. Bir kitap yazabilir.

____

4 Çimlerin üzerinde ateş yakmak çevreye çok zarar veriyor. Kesinlikle ateş yakmamalıyız.

____

5 Bazı günler hava kirliliği çok yoğun olabiliyor. Evden dışarı çıkmıyoruz.

____

6 Kağıt tasarrufu yapmak çok önemli. Çıktı almadan önce iki defa düşünmeliyiz.

____

C Complete the sentences in a meaningful way with one of the phrases from the box.

sağlığımızı tehdit ediyor
erken yattım
~~mutlaka kabul edilecek.~~
direkt çöpe atmamalıyız
sürekli muslukları kontrol ediyor
kullanmamaya özen gösteriyorum

Example: Bu projemiz o kadar iyi ki, mutlaka kabul edilecek.

1 Dün o kadar yorgundum ki, ______________________.
2 Plastik su şişeleri o kadar zararlı ki, ______________________.
3 Boş piller çevreye o kadar zarar verebilir ki, ______________________.
4 Ali su israfına o kadar dikkat ediyor ki, ______________________.
5 Saç spreyi ve deodorant gibi kozmetikler çevre için o kadar zararlı ki, ben ______________________
______________________.

3 **ki** can express surprise or amazement. It is usually formed with the negative aorist tense and, when it is used in the passive form, it expresses a generalization.

Havası bu kadar kirli olan bir şehirde yaşayamazsın **ki**! (*But you can't live in a city which has such high air pollution.*)

Havası bu kadar kirli olan bir şehirde yaşa**n**maz **ki**! (*It is not possible to live in a city which has such high air pollution.*)

İnsanlar çevre konusunda duyarsız kalamaz **ki**? (*People can't remain insensitive regarding the environment.*)

4 **ki** can be used to indicate purpose or cause-result relationship with the meaning *so that, in order to* in English. The first part of the sentence usually expresses a wish, possibility or reason. In such sentences, both of the verbs have either optative or imperative forms.

Çevremizi koruyalım **ki** çocuklarımıza güzel bir dünya bırakalım. (*Let us protect the environment so that we can leave our children a beautiful world.*)

Geri dönüşüme önem vermeliyiz **ki** çöplerin azaltılmasına katkıda bulunalım. (*We should give importance to recycling so that we can contribute to the decrease in rubbish.*)

Daha çok ağaç dikmeliyiz **ki** erozyon olmasın. (*We should plant more trees so that there won't be any (soil) erosion.*)

5 **ki** can be used as an informal alternative for **-dIk için** to indicate a reason of an action. The verb in the ki sentence is always in the negative form and the verb in the main sentence is either in the optative or imperative form.

Yardım kuruluşları bilgi vermedikleri için göndermedim. (*I didn't send it, as aid organizations did not give any information.*)

Yardım kuruluşları bilgi vermedi **ki** gönder**eyim**. (*The aid organizations did not give any information so why should I send it?*)

Bizim evde plastik şişe kullanılmadığı için o içecekten almıyoruz. (*As no plastic bottles are used in our house, we do not buy that drink.*)

Bizim evde plastik şişe kullanılmıyor **ki** o içecekten al**alım.** (*Plastic bottles are not used in our house so why should we buy that drink?*)

D Rewrite the sentences with the ki and the optative forms.

Example: Denizlerimizi temiz tutmak için dikkatli olmamız lazım.
Dikkatli olalım ki, denizlerimiz temiz kalsın.

1 Dünyamızı korumak için çocuklarımıza çevremizin önemini anlatmamız lazım.
Çocuklarımıza çevremizin önemini anlat____________, dünyamızı kor____________.

2 Ayşe'nin Çevre Bakanlığında iş bulmasına öyle sevindim____________.

3 Hava kirliliğine karşı çözüm bulabilmek için büyük fabrikalar ciddi araştırmalar yapmalıdır. Büyük fabrikalar ciddi araştırmalar yap____________, hava kirliliğine karşı çözüm bula____________.

4 Denize çöp atılmaz____________.

5 Organik tarım konusunda bilgi edin____________, organik beslenmenin önemini anla____________.

6 **ki** is also used to link two sentences expressing that the second action just occurred at the time of the first sentence. It is translated as *when* into English. We can use the word **tam** before the verb to indicate that the second action *exactly, sharply, just about* happened.

Dün (tam) arkadaşımı arayacaktım **ki** o beni aradı. (*I was just about to call my friend when he called me.*)

Toplantı (tam) başlamıştı **ki** konuşmacının cep telefonu çaldı. (*The meeting had just started when the mobile phone of the presenter rang.*)

7 **ki** can be used to express *although, even though* and act as an informal alternative for **-dlk halde**. The verb in the **ki** sentence is always in the negative form and the second part is in a question form.

Kendin geri dönüşüm yapmadığın halde neden bizi uyarıyorsun? (*Although you yourself do not do recycling why do you warn us?*)

Kendin geri dönüşüm yapmıyorsun **ki**, neden bizi uyarıyorsun? (*You yourself do not do recycling (so) why do you advise us to?*)

Termik santraller çevreye faydalı olmadığı halde neden hükümet destekliyor? (*Since fossil fuel plants are not beneficial to the environment, why does the government support it?*)

Termik santraller çevreye faydalı değil **ki**, neden hükümet destekliyor? (*Fossil fuel plants are not beneficial to the environment (so) why does the government support it?*)

E Rewrite the sentences with ki.

1 Şişeyi çöpe atacaktım. Yanlış çöp konteyneri olduğunu anladım.

____

2 Hayvansız bir çevre düşünülemediği halde neden onları korumuyoruz?

____

3 Seminer bilgilerini göndermediğiniz halde nasıl gelmemizi beklersiniz?

____

4 Dün haberleri izliyordum. Uzun zamandır göremediğim arkadaşım geldi.

____

5 Siz bize yetki vermediğiniz halde nasıl bir şey yapmamakla suçluyorsunuz?

____

6 Çevre bilinci konusunda kamuoyu oluşturmakta yardımcı olmadığınız halde nasıl bizi eleştirebilirsiniz? ______________________________

ki *in this sense it is equivalent to* **acaba** (I wonder).

8 **ki** can be added to the end of the questions to indicate a sense of *I wonder if / what …* in English.

Orman yangınları önlenebilir mi?	(*Can forest fires be prevented?*)
Orman yangınları önlenebilir mi **ki**?	(*I wonder if forest fires can be prevented?*)
Biz doğayı korumak için ne yapabiliriz **ki**?	(*I wonder what we can do to protect nature?*)
Büyük şirketler bize yardımcı olabilir mi **ki**?	(*I wonder if big companies could help us?*)

9 **ki** can follow the question particle mI to express that the main clause cannot possibly be / have been realized. In these sentences, the main verb is usually formed with the optative suffix.

Daha önce bize bir mesaj gönderdiniz **mi ki** haberimiz ol**sun**?

(*Did you send us a message earlier to warn us?*)

Hükümet yeni bir anlaşma yaptı **mı ki** çevre örgütleri ona göre kararlar al**sın**?

(*Did the Government make a new agreement so that environmental organizations can make decisions accordingly?*)

F Match the situation with a suitable reaction.

	Situation		Reaction
1	Ali bu sabah çevre konusundaki protestolara katıldı ve hala gelmedi. Merak ediyorum.	a	Beyaz çamaşırlar temizlenir mi ki?
2	Elektrik faturası yüksek geldi.	b	Rüzgar, su ve güneş gibi yenilenebilir enerji kaynakları çözüm olamaz mı ki?
3	Çamaşırlarınızı düşük ısılarda yıkamalısınız.	c	Toplu taşıma araçlarını kullanamaz mısınız ki?
4	Daha az karbondioksit salınımı için arabanızı kullanmak istemiyorsunuz.	d	Neden geç kaldı ki?
5	Çevreye daha az zarar veren ve sağlığımızı bozmayan enerji kaynakları kullanmalıyız.	e	Sadece kullandığınız odaları ısıtamaz mısınız ki?
6	Eviniz çok büyük ve kışın enerji tasarrufu yapmak istiyorsunuz.	f	Kısa bir sure bile olsa kullanmadığınız ışıkları kapatıyor musunuz ki?

Meaning and usage

Various usages of diye

diye is an adverbial form of the verb demek *to say* and literally means *saying* in English. This form is used for different purposes.

1 **diye** is used to present direct speech when quotation marks and other verbs than demek are used.

Ali 'Çevremizi yeterince düşünmüyoruz'diyor. (*Ali is saying 'We do not think enough about our environment'.*)

Ali 'Çevremizi yeterince düşünmüyoruz' **diye** kızıyor. (*Ali is angry, saying 'We do not think enough about our environment'.*)

Zeynep 'Vatandaş olarak neler yapabiliriz?' dedi. (*Zeynep said 'What can we do as a citizen?'*)

'Vatandaş olarak neler yapabiliriz?' **diye** sordu Zeynep. (*'What can we do as a citizen?' asked Zeynep.*)

Bakan görüşlerini 'Gelecek nesillere temiz bir çevre bırakmak hepimizin görevidir' **diye** ifade etti. (*The Minister expressed his views saying 'It is the duty of all of us to leave a clean environment for future generations'.*)

Remember that **dedi** to say *becomes* **söyledi** to tell *in the indirect sentence.*

2 **diye** can be used to express something that you heard, read, believe in, thought etc.

In this sense, it is an alternative for factive clauses using the **-DIK** and **-(y)EcEK** participle forms.

Küresel ısınmaya karşı basit önlemler alabiliriz **diye** düşünüyorum.

Küresel ısınmaya karşı basit önlemler alabil**eceğimizi** düşünüyorum. Both sentences can be translated as:

(*I think that we could take simple precautions against global warming.*)

Organik ürünler tüketmemiz gerekiyor **diye** okudum.

Organik ürünler tüketmemiz gerek**tiğini** okudum. Both sentences can be translated as:

(*I have read that we should consume organic produce.*)

G Rewrite the sentences with diye.

Example: Geri dönüşüme önem vererek çöplerin azaltılması sağlanmalı. Bunu okudum.
Geri dönüşüme önem vererek çöplerin azaltılması sağlanmalı diye okudum.

1 Termik santraller çevreye çok zarar veriyor. Bunu biliyorum.

____

2 Çevre kirliliği iklim değişikliğine sebep oluyor. Bunu duydum.

____

3 Hepimiz çevre konusunda daha duyarlı olmalıyız. Bunu düşünüyorum.

____

4 Sadece organik ürünler tüketilmeli. Bunu yazıyorlar.

____

3 **diye** can be used to express the reason of the action in the main sentence, translated into English *as saying that, thinking that, because, as.*

Elektrik tasarrufu önemli **diye** bilgisayar ve televizyonlarımızı uyur konumda bırakmıyoruz.

(*We do not leave our computers and TVs on sleep mode, thinking that electricity saving is important.*)

Geri dönüşümlü ürünlerin üretiminde daha az enerji gerekiyor **diye** bunları tercih ediyorum.

(*I prefer recycled products because they need less energy in their production.*)

Uzaktan gelen meyve ve sebzeler CO_2 salınımına neden oluyor **diye** yerel ürünler tüketelim.

(*Let us consume local produce because fruits and vegetables coming from afar cause CO_2 emissions.*)

H Rewrite the sentences with diye.

Example: Cam ambalajlar tekrar kullanılabilir. Onun için bunlar tercih edilmelidir.

Cam ambalajlar tekrar kullanılabilir diye bunlar tercih edilmelidir.

1 Çalışmalarımız gelecek nesiller için faydalı olacak. Onun için pes etmeden devam etmeliyiz.

____

2 Çeşitli alanlarda uzman olan kurucu üyelerimiz var. Bu yüzden derneğimiz çok yenilikler getirmektedir.

____

3 Çevre bilincinin artması önemli. Onun için dünyanın her yerinde çevresel sorunlarla ilgili projeler yapılıyor.

____

4 Çeşitli hastalıklar artıyor. Onun için bunların çevremizle ilgili bağlantılarını araştırmamız lazım.

____

5 Bazı hükümetler çevre konusunda üstlerine düşen görevleri yapmıyorlar. Bunun için çocuklarımızın geleceğini tehlikeye atamayız.

____

4 **diye** can express purpose and intention and is translated as *in order to, so that* in English. It is an alternative for the **-mEk için** structure. The **diye** clause is formed with the optative form.

Ben	anlay**ayım**		*... so that I understand*
Sen	anla/anlay**asın**	**diye**	*... so that you understand*
O	anla**sın**		*... so that s/he/it understands*
Biz	anlay**alım**		*... so that we understand*
Siz	anlayın/anlay**asınız**		*... so that you understand*
Onlar	anla**sınlar**		*... so that they understand*

Daha az kağıt tükete**lim diye** kağıtların arka yüzlerini de kullanmak lazım. (*In order to use less paper, we should also make use of the back of the papers.*)

Önemini anlasınlar **diye** öğrencilere çevre bilinci verilmeli. (*In order to make them understand its importance, schoolchildren should be given awareness of the environment.*)

Elektrik israfı yapmay**ayım diye** ihtiyacım olduğu kadar su kaynatıyorum. (*I only boil as much water as I need in order not to waste electricity.*)

A very common question form is **ne diye?** (*lit. with what intention? Saying what?*)

Ne diye yanına o çantayı aldın? Süpermarketinkini kullanmayayım diye. (*Why did you take that bag with you? So that I won't have to use the supermarket's.*)

5 **diye** can also express *in case* in English. Usually that part of the sentence with **diye** states the condition. It can be used with and without the -se/se forms having the same meaning.

Ali geç **gelir /gelirse diye** toplantıyı saat 2'ye ayarladım. (*I arranged the meeting for 2 o'clock in case Ali is late.*)

Unutur**uz diye** çevre örgütlerinin listesini yanıma aldım. (*I took the list of the environmental organizations with me in case we forgot them.*)

6 **diye** is also used after nouns with the meaning of *so-called, named, by the name of*.

Dün Elif Yılmaz **diye** birisi beni aramış; bir sivil toplum kuruluşunun başkanıymış. (*Yesterday someone called Elif Yılmaz apparently tried to contact me; she is supposedly the head of an NGO.*)

WWF **diye** bir yabancı çevreci kuruluş duydun mu? (*Have you heard of a foreign environmental organization called the WWF?*)

Vocabulary

V

Fixed expressions with ki

mademki	*since, seeing that, considering that*	**demek ki**	*that is to say*
halbuki	*though, whereas*	**farzet ki**	*suppose that*
oysaki	*in fact, though,*	**yeter ki**	*as long as*
sanki	*as if*	**bu sebeptendir ki**	*it's for this reason that*
çünkü	*because*	**bundan dolayıdır ki**	*it's on account of this that*

I **Complete the sentences with one of the expressions in the box.**

bundan dolayıdır ki   çünkü   mademki   farzet ki

1 ___________ çevre konusunda bu kadar hassassın neden bu kadar plastik çanta kullanıyorsun?
2 Çevre kirliliği tüm dünyayı ilgilendiriyor; ___________ hiç bir hükümet bu konuya duyarsız kalamaz.
3 ___________ sihirli bir değneğin var ve bu dünyadaki tüm problemleri yok edebiliyoruz. Ne hoş olurdu.
4 İşe giderken toplu taşımayı kullanmalıyız ___________ tek başına bir araba kullanınca enerji tasarrufu etmemiş oluyoruz.

J **Match the Turkish with the English.**

1	sunum	a	disposal, saving
2	doğa	b	presentation
3	denge	c	interaction
4	bireysel	d	recycle
5	etkileşim	e	to protect
6	tehdit etmek	f	balance
7	korumak	g	individual
8	geri dönüşüm	h	to threaten
9	israf	i	nature
10	tasarruf	j	waste

Reading

K **Read the first part of the presentation and answer the question.**

Sunumun konusu nedir?

____

Bugünkü sunumumda, hepimiz için önemli olan bir konudan bahsetmek istiyorum:

Çevre ve çevremizin önemi

Hemen hemen her yerde çevre, çevre kirliliği, çevresel etki, kaynakların azalması gibi kavramlardan bahsediliyor. Madem ki çevre bu kadar önemli bu konuda neler yapıyoruz diye kendimize sormamız gerekmez mi?

L **Now read the rest of the presentation and answer the questions.**

Çevre, insanların ve hayvanların yaşam ortamı diye tanımlanabilir. Yaşayabilmek için içtiğimiz su, nefes alıp verdiğimiz hava, ulaşım için büyük önemi olan ve içinde çeşitli balık ve bitkilerin yaşadığı deniz, bizler için oksijen kaynağı olan ağaçlar ve üstünde yaşadığımız toprak çevre diye belirttiğimiz bu ortamın parçalarıdır. Bu parçalar birbiriyle uyumlu olarak saat gibi işleyen bir denge içinde görevlerini yapar. Ekolojik denge diye bilinen bu dengeyi insanlar yanlış hareketleriyle bozarsa çevre kirliliği başlar. Bu dengeyi bozmamaya çalışmalıyız ki bizden sonraki kuşaklar rahat yaşasınlar.

Başlıca çevre sorunlarını şöyle sıralayabiliriz; Hava Kirliliği, Su Kirliliği, Toprak Kirliliği ve Enerji kaynaklarının kullanımı

Bu sorunlar karşısında birey olarak ne yapabiliriz ki diye düşünmek yerine neler yapmalıyız, diye düşünmeliyiz.

Birey olarak yapabileceklerimiz:

Çevremizi sahiplenip önemini çocuklara öğretmeli ve bu konuda rol model olmalıyız ki onlar da bu konunun önemini anlasınlar. Bilinçli bir tüketici olabilir, ürün seçerken çevre dostu olup olmadıklarını kontrol edebiliriz.

- **Hava kirliliği:** Piknikten sonra ateşi söndürelim ki orman yangınları çıkmasın ve oksijen kaynağı ağaçlarlar yok olmayıp temiz havanın devamını sağlasınlar. Arabamıza kurşunsuz yakıt koymak da kirliliği önlemede etkili olur.
- **Toprak kirliliği:** Çöpleri, çöp poşetinin ağzını sıkıca bağlandıktan sonra çöp kutusuna, kâğıt, teneke, cam, pil gibi maddeleri geri dönüşüm kutularına atalım ki geri dönüşüme katkımız olsun. Tarım ilaçlarını ürünler için yararlı diye gereğinden fazla kullanmayalım.
- **Su kirliliği:** Doğada kendi kendine erimeyen plastik şişeleri, poşetleri denize atmamalı ve atanları uyarmalıyız ki sularımız temiz kalsın.
- **Enerji kaynakları:** Su tüketimine dikkat etmemiz, evlerimizde enerji ampulü kullanmamız enerji tasarrufu sağlayacaktır.

Birey olarak ben de çevre kirliği konusunda sorumluyum diye düşünmez, bu konuda çalışan örgütlere katkıda bulunmaz, onlarla birlikte çalışmazsak bu sorunlar nasıl çözümlenebilir ki?

Devlet, sivil toplum örgütleri ve kurumların yapabilecekleri;

- **Hava kirliliği:** Egzoz gazlarını azaltmak için büyük şehirlerde toplu taşıma olanakları artırılmalıdır. Yeşil alanlar artırılmalı ki bireylerin doğa ile ilişkileri kopmasın.
- **Toprak kirliliği:** Belediyeler geri dönüşümü daha çok teşvik edebilir, devlet tarım ilaçlarının kullanımını kısıtlayabilir.
- **Su kirliliği:** Suların temizliği ki bu sağlıklı bir çevre için şarttır, su arıtma tesislerinin kurulmasıyla sağlanabilir. Kurumların denizleri çöplük olarak kullanmasının yasalarla engellenmesi de şüphesiz ki önemlidir.
- **Enerji kaynakları:** Fosil enerji kaynaklarından güneş, rüzgar, su ve jeotermal enerji gibi kendi kendini yenileyebilen enerji kaynaklarına geçilmelidir ki uzun vadede enerji tasarrufu sağlansın.
- İnanıyorum ki bireyler, devlet kurumları, sivil toplum örgütleri birlikte çalışırsa, çevre bir problem olmaktan çıkar ve çevre deyince aklımıza olumsuz değil, olumlu şeyler gelir.

1 Çevre tanımında hayvanlar da var mı?

___

2 Ekolojik denge bozulursa ne olur?

___

3 Ne tür çevre sorunları vardır?

___

4 Bireysel olarak toprak kirliliğini önlemek için neler yapabiliriz?

___

5 Kurumsal olarak enerji kaynakları konusunda neler yapılabilir?

___

M **Underline ki and diye forms in the Reading and explain their function.**

Writing

N **Write a presentation on one of the environmental issues given in the Reading and describe what you can do on an individual basis or what could be done at an institutional level to help. Try to use ki and diye constructions. Write about 100–120 words.**

- Parçadaki bireysel olarak verilen önerilerden hangilerini SİZ kendiniz yapıyorsunuz?
- Kurumların yapabileceği çevre katkılarından hangileri sizin yaşadığınız yerde uygulanıyor?

Self-check

Tick the box which matches your level of confidence.

1 = very confident 2 = need more practice 3 = not confident

Aşağıdaki kutuları yeterlilik düzeyinize göre işaretleyin.

1 = çok yeterli 2 = daha çok alıştırma lazım 3 = yetersiz

	1	2	3
Use ki forms			
Use diye forms			
Can understand sentences related to environmental issues (CEFR B1)			
Can write a presentation about global and environmental issues using complex sentences (CEFR B1)			

19 Kariyer ve mesleğiniz

Your career and profession

In this unit you will learn how to:

- Use reciprocal forms
- Use various word formation strategies

CEFR: Can understand a fairly complex text about the professional world of work (B2); Can write a cover letter (B1).

öğrencilik
mimarlık
uzmanlık
emeklilik
özellik sorumluluk
mühendislik
profesyonellik
gençlik yenilikçilik
yardımlaşmak
haberleşmek yararlanmak

Meaning and usage

Reciprocal suffix -(I)ş

1 The reciprocal suffix –**(I)ş** has a restricted usage with specific verbs. It infers a reciprocal action indicating that the action has been done together between two or more people and is often expressed in English as *(with) each other*.

The most commonly used verbs that can take the -(I)ş suffix are

tanımak	*to know*	tanışmak	*to meet*
bulmak	*to find*	buluşmak	*to meet up with someone*
görmek	*to see*	görüşmek	*to get together with someone*
bakmak	*to look at*	bakışmak	*to look at each other*
öpmek	*to kiss*	öpüşmek	*to kiss each other*
sevmek	*to love*	sevişmek	*to love each other / make love*
yazmak	*to write*	yazışmak	*to write to each other / to correspond*

2 If reciprocal verbs are used, and the aim is to state together with whom the action has been done, then that person needs to take the **ile/-(y)lE** form.

Dün yeni müdürümüz **ile** tanı**ş**tık. (*Yesterday we met our new director.*)

Yarın insan kaynakları müdürü**yle** görüşeceğim. (*Tomorrow I will see the human resources director.*)

A Complete the sentences with one of the verb forms in the box.

görüşemedik	**öpüşmeyin**	**tanışamadım**	**göremedim**	**buluştuk**	**buldum**

1 İki yıldır bu şirkette çalışıyorum ama hala genel müdür ile ________________.
2 Dün diplomamı ararken mezuniyet fotoğraflarımı________________.
3 İş görüşmelerinde kesinlikle ________________, sadece elinizi uzatıp tokalaşın.
4 Bu sabah iş arkadaşımla ________________ve raporları bitirdik.
5 Dün evraklarda Ali'nin imzasını ________________.
6 Ela Hanımla toplantı öncesinde ________________, keşke konuşabilseydik.

3 Some verbs in Turkish have -(I)ş at the end as part of their root and do not indicate a reciprocal meaning. The verb **barışmak** *to make peace* comes from the noun **barış** *peace.*

B Now check the meanings of the verbs below. Are they reciprocal verbs?

yetişmek	bağışlamak	değişmek
danışmak	alışmak	dönüşmek

4 Some verbs in Turkish can take the suffix -(I)ş but can have a different meaning. Tutmak (*to hold, to keep*) becomes tutuşmak which means *to catch fire.*

As we learned, the **–(I)ş** *suffix cannot be added to all verbs and sometimes it has a completely different meaning. So, try to memorize the verbs, but do not forget it still helps to recognize and be aware of the reciprocal suffix.*

5 Reciprocal pronouns are used when two or more people are mutually involved in the action expressed by the verb. In Turkish, the reciprocal pronoun is birbir (*each other*) and has three forms:

Nominative	birbiri**miz**	birbiri**niz**	birbiri/birbirl**eri**
(lit.)	*our each other*	*your each other*	*their each other*
Genitive	birbirimiz**in**	birbiriniz**in**	birbirinin/birbirlerinin
Dative	birbirimize	birbirinize	birbirine/birbirlerine
Accusative	birbirimizi	birbirinizi	birbirini/birbirlerini
Ablative	birbirimiz**den**	birbiriniz**den**	birbirinden/birbirlerinden
Locative	birbirimiz**de**	birbiriniz**de**	birbirinde/birbirlerinde
ile	birbirimizle	birbirinizle	birbiriyle/birbirleriyle

Telefon numaralarınızı birbirinize vermediniz mi?	*(Have you not given each other your phone numbers?)*
Birbirlerinin özgeçmişini okumuşlar.	*(They have read each other's CVs.)*
Birbirinizle daha önce tanışmadınız mı?	*(Have you not met each other before?)*

C **Complete with one of the reciprocal pronouns.**

1 Biz________________ çalışmalarından çok memnunuz.
2 ________________ yardımcı olabilir misiniz?
3 Yeni elemanlar ________________ çok iyi anlaşıyorlar.
4 Bazı iş arkadaşlarım ________________ nefret ediyorlar.
5 Biz ________________ asla yalan söylemeyiz.

6 The -(y)Iş suffix forms nouns out of verbs and some of these nouns have a specific meaning. Others can indicate the manner of doing the action expressed by the verb.

açılış	*opening*	kapanış	*closing*
çıkış	*exit*	anlayış	*understanding*
giriş	*entrance*	alış veriş	*shopping*
gidiş	*one way*	dönüş	*return*
satış	*sale*	sunuş	*presentation*
davranış	*behaviour*	görüş	*view*
varış	*arrival*	yürüyüş	*walk*
bitiş	*end*	yanlış	*mistake*
buluş	*discovery*	kuruluş	*foundation*

Sometimes we use two nouns together to create a fixed noun.

Gidiş-dönüş bileti (a return ticket)
Giriş-çıkış kapısı (entrance door)

Meaning and usage

The -LIK suffix (Noun -forming suffix)

1 The -lIK (lik, lık, lük, luk) suffix can be added to adjectives to form a noun usually expressing the quality referred to by the adjective.

güzel	*beautiful*	güzellik	*beauty*
zor	*difficult*	zorluk	*difficulty*
dürüst	*honest*	dürüstlük	*honesty*
özel	*special*	özellik	*speciality*

kararlı	*determined*	kararlılık	*determination*
kararsız	*uncertain, indecisive*	kararsızlık	*hesitation*
benzer	*similar*	benzerlik	*resemblance*
sorumlu	*responsible*	sorumluluk	*responsibility*

2 The -lIK suffix can be added to nouns indicating phases of life and profession.

V

bebeklik	*babyhood*	**babalık**	*fatherhood*
çocukluk	*childhood*	**doktorluk**	*medical profession*
öğrencilik	*being a student*	**mimarlık**	*architecture*
gençlik	*youth*	**mühendislik**	*engineering*
yaşlılık	*old age*	**memurluk**	*being a civil servant*
emeklilik	*retirement*	**müdürlük**	*directorship*
annelik	*motherhood*		

3 The -lIK suffix can be added to nouns and adjectives forming a new noun directly associated with the stem. It can also be used to indicate what a particular item is for.

üretkenlik	*productivity*	evlilik	*marriage*
profesyonellik	*professionalism*	küresellik	*globalism*
uzmanlık	*specialism*	iyimserlik	*optimism*
farkındalık	*awareness*	danışmanlık	*consultancy*
özgürlük	*freedom*	başkanlık	*presidency*
kahramanlık	*heroism*	kitaplık	*bookshelf*
dostluk	*friendship*	gözlük	*glasses*
bakanlık	*ministry*	kulaklık	*earpiece*
insanlık	*humanity*		

4 The -CI suffix indicates the status or mentality of person which is often expressed as *-ist* in English. -CILIK can be translated as *-ism*.

Atatürkçü	*Kemalist*	Atatürkçülük	*Kemalism*
milliyetçi	*nationalist*	milliyetçilik	*nationalism*
ırkçı	*racist*	ırkçılık	*racism*
solcu	*leftist*	solculuk	*leftism*
yenilikçi	*reformist*	yenilikçilik	*reformism*
gelenekçi	*traditionalist*	gelenekçilik	*traditionalism*

The -CI suffix can also be used to form words that indicate a profession, a means of earning a living: **dişçi** *dentist* **sütçü** *milkman* **eczacı** *pharmacist* **futbolcu** *footballer*

D **Complete the sentences with one of the words in the box adding the correct -lIK suffix and further necessary endings.**

göz	kararsız	~~özel~~	uzman	emekli	bakan

Example: Başvurduğun pozisyona uygun özelliklerini detaylı bir şekilde yazmalısın.

1 ________________ alanına göre mesleğini seçmelisin.
2 Çalışırken para biriktirmek gerekir ki ________________ rahat edelim.
3 Gazetedeki iş ilanlarını okuyamıyorum. Lütfen ________________ getirir misin?
4 Hangi işe başvurmam gerektiğini bilmiyorum. ________________ çok zor.
5 Dışişleri ________________ eleman alımı yapıyormuş.

Meaning and usage

-lE, -lEş, -lEn (Verb -forming suffix)

1 In Turkish, verbs can be derived from nouns and adjectives by adding suffixes. Some of the most common verb forming suffixes are -lE, -lEş and -lEn.

-lE		-lEş	
baş**la**mak	*to start*	güzel**leş**mek	*to become beautiful*
damga**la**mak	*to stamp*	kolay**laş**mak	*to get easier*
düzen**le**mek	*to organize, to arrange*	zor**laş**mak	*to get harder*
denge**le**mek	*to balance*	zengin**leş**mek	*to get richer*
uygu**la**mak	*to apply, to put into practice*	yoksul**laş**mak	*to get poorer*
belge**le**mek	*to certify*	yakın**laş**mak	*to get closer*
yol**la**mak	*to send*	ilginç**leş**mek	*to get interesting*
sıra**la**mak	*to list*	genç**leş**mek	*to get younger*
yük**le**mek	*to load, to upload*	kalabalık**laş**mak	*to get crowded*
algı**la**mak	*to detect, to perceive*	haber**leş**mek	*to keep in touch*
ezber**le**mek	*to memorize*	yardım**laş**mak	*to help each other*
şişman**la**mak	*to put on weight*		
geniş**le**mek	*to enlarge*		
güncel**le**mek	*to update*		

-lEn	
değer**len**mek	*to gain value*
güç**len**mek	*to become stronger*
hazır**lan**mak	*to get ready*
kaygı**lan**mak	*to become worried*
sabırsız**lan**mak	*to get impatient*
umut**lan**mak	*to become hopeful*
yaş**lan**mak	*to grow older*
yarar**lan**mak	*to benefit*

E Complete the sentences with one of the verbs in the box. Make the necessary changes.

yaşlanmak	**dengelemek**	**güncellemek**	**zorlaşmak**	**umutlanmak**	**yüklemek**

1 En kısa zamanda özgeçmişimi ____________________ lazım. Çok eskidi.
2 Gittikçe iş bulmak ____________________. İşsizlik çok yüksek.
3 Özel ve mesleki hayatı ____________________ lazım. Yoksa insan mutsuzlaşır.
4 Fazla ____________________ istemiyorum ama iş mülakatım çok iyi geçti.
5 ____________________ korkmuyorum çünkü emeklilik maaşım oldukça iyi ve rahat bir hayat geçirebilirim.
6 Dün bilgisayarıma yeni CVmi ____________________ ama şimdi bulamıyorum.

Vocabulary

F Here is a list of additional useful vocabulary related to work and career. Can you guess the missing words?

başvuru	*application*	4 __________	*job interview*
1 __________	*job application*	**güncellemek**	*to update*
başvurmak	*to apply*	**ilgi alanı**	*field of interest*
CV	*CV*	**eğitim durumu**	*level of education*
özgeçmiş	*CV*	**lisans eğitimi**	*BA*
2 __________	*to earn money*	**yüksek lisans**	*MA*
geçimini sağlamak	*to live off*	**doktora**	*PhD*
maaş	*salary*	5 __________	*retired*
iş deneyimi	*work experience*	**emeklilik maaşı**	*pension*
3 __________	*unemployed*	**önyazı**	*cover letter*
eleman	*employee*	6 __________	*human resources*

G Find the odd one out.

1 zorlaşmak | güçleşmek | kolaylaşmak | ağırlaşmak
2 güzelleşmek | şişmanlamak | zayıflamak | ezberlemek
3 ilkokul | lise | üniversite | emekli
4 maaş | ücret | para | CV
5 öğrencilik | bakanlık | çiçekçilik | hemşirelik|

Reading

H Read the CV and answer the question.

Canan doktorasını yapmış mı?

____

Canan Özyılmaz

KİŞİSEL BİLGİLER

- **Doğum Yeri:** İstanbul
- **Doğum Tarihi:** 15.02.1993
- **Uyruğu:** Türk
- **Medeni Durumu:** Bekar
- **Askerlik Durumu:**
- **Ehliyet:** B
- **Adres:**
- **E-posta:**

ÖĞRENİM DURUMU

- Boğaziçi Üniversitesi, İşletme Yüksek Lisans 2016-2017
- Marmara Üniversitesi, Pazarlama Lisans 2011-2015
- Beşiktaş Lisesi

İŞ TECRÜBELERİ

- 2015-2018 Can Danışmanlık A.Ş./ Istanbul. Halkla ilişkiler
- 2014-2015 TOKER İthalat ve İhracat koordinasyon stajı

YABANCI DİL VE DÜZEYİ

- Almanca ve İngilizce Çok iyi
- Arapça ve Farsça Orta

BİLGİSAYAR BECERİLERİ

- Word, excel, power point

KURS VE SERTİFİKALAR

- Risk yönetimi kursu
- Global pazarlama kursu

İLGİ ALANLARI

- Spor, fotoğrafçılık, gezmek

REFERANSLAR

- İstek üzerine ekleyebilirim

I **Now read the cover letter of Canan and indicate if the statements are D (doğru / *true*) or Y (yanlış / *false*). If the statements are false, correct them.**

Sayın Yetkili,

İnsan kaynakları sayfanızda yayınlanan 'Pazarlama Direktörü' ilanınız ile ilgili yazıyorum. Bu pozisyonun benim ilgi alanıma, deneyimime ve becerilerime uygun olduğunu düşünüyorum.

Marmara Üniversitesi, Pazarlama Bölümünü bitirdikten sonra Yüksek Lisans Eğitimimi Boğaziçi Üniversitesinde tamamladım. Marmara Üniversitesinde, son sınıftaki zorunlu staj eğitimimi Toker İthalat ve İhracat koordinasyonu departmanında yaptım. Daha sonra Can Danışmanlık A.Ş.'de halka ilişkiler uzmanı olarak görevime başladım ve çalışmaya devam ederken Yüksek lisans eğitimimi Boğaziçi Üniversitesinde tamamladım.

Hem öğrencilik yıllarımda hem da mezun olduktan sonra çalıştığım şirketlere araştırmacı, yeniliklere açık kişiliğimle, gerek yurt içinde gerekse yurt dışında yaptığım başarılı pazar analizleriyle katkıda bulundum.

Hem kişisel hem de mesleki özelliklerime son derece güveniyorum. Şirketinizin pazarlama direktörü pozisyonuna uygun görüldüğüm takdirde inanıyorum ki başarılı çalışmalarımı sürdüreceğim.

Bana bir fırsat verirseniz bir iş görüşmesine gelmeyi ve sizinle tanışmayı çok arzu ederim.

Ekte özgeçmişimi ekliyorum.
Zaman ayırdığınız için teşekkür ederim.
Canan Özyılmaz

1 Canan iş ilanını gazetede gördü. D / Y
2 Canan öğrencilik yıllarında çalıştı. D / Y
3 Canan kişiliğinin bu işe uygun olduğunu düşünüyor. D / Y
4 Canan sadece yurt içinde pazar analizleri yapmış. D / Y
5 Canan kendisine bir fırsat vermelerini istiyor. D / Y
6 Canan bir özgeçmiş eklememiş. D / Y

Writing

J **Find a job application of interest to you and write a cover letter mentioning your CV to apply for this job. Try to make use of the vocabulary covered in this unit. Write 100-120 words.**

- Neden bu işe başvuruyorsunuz?
- Eğitiminiz ve deneyiminiz bu iş için uygun mu?
- Bu işin size katkısı ne olacaktır?
- Sizin bu işe katkınız ne olacaktır?
- Sizi bu işe neden almaları gerektiğini düşünüyorsunuz?

Self-check

Tick the box which matches your level of confidence.

1 = very confident 2 = need more practice 3 = not confident

Aşağıdaki kutuları yeterlilik düzeyinize göre işaretleyin.

1 = çok yeterli 2 = daha çok alıştırma lazım 3 = yetersiz

	1	2	3
Use reciprocal forms			
Use various word formation strategies			
Can understand a fairly complex text about the professional world of work (CEFR B2)			
Can write a cover letter (CEFR B1)			

20 Daha iyi bir dünya için çalışmaktayız

We have been working for a better world

In this unit you will learn how to:

- Use -mEktE forms and suffixes
- Use various word formation strategies

CEFR: Can understand issues related to social responsibility projects (B1); Can write a blog expressing opinion (B2).

Yıllar önce engelli çocuklar için bir sosyal sorumluluk projesinde çalışmaktaydım.

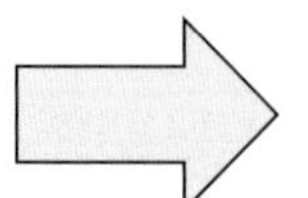

Şimdi o çocuklar büyüdü. Pek çoğu sosyal sorumluluk projelerinde çalışmaktalar.

Meaning and usage

-mEktE (*have been ….ing*)

1 To explain actions that have started in the past and continue into the present, suffixes and phrases indicating time are used together with the present tense to give the sense of this time reference. Alternatively, **-mEktE** can be used for the same function. This form is not frequently used in speaking but widely used in journals, articles, biographies, reports and in formal and literary texts.

Raporları okuyorum.	(*I am reading the reports.*)
Üç gündür raporları okuyorum.	(*I have been reading the reports for three days.*)
Raporları okumaktayım.	(*I have been reading the reports.*)
Üç gündür raporları okumaktayım.	(*I have been reading the reports for three days.*)
Hayvanları Koruma Derneği 1955 yılından beri sokak hayvanları için çalışmaktadır.	(*The Animal Welfare Association has been working for the welfare of street animals since 1955.*)
Vehbi Koç Vakfı eğitim, sağlık kültür gibi alanlarda topluma hizmet vermektedir.	(*The Vehbi Koç Foundation provides (has been providing) public services in areas such as education, health and culture.*)

How to form (*have been ... ing*)

1 To form -**mEktE**, the locative case ending -**DE** is added to the infinitive form of the verb and the personal ending of *to be* is added afterwards. -**DIr** is often added after the third person (singular and plural) ending to make the statement more certain and formal.

A Underline -mEktE and -DIr forms in the sentences and notice the usage of -DIr.

Sağlıklı beslenme kampanyası yürüten derneğimiz okullardaki yemekleri incelemektedir. (*Our association, which runs the campaign on healthy eating, has been examining school meals.*)

Yeni web sitesi kurmak için haftalardır çalışmaktayım, önümüzdeki hafta bitireceğim. (*I have been working on setting up a new website for weeks, I will finish it next week.*)

Kadın dayanışma grubumuzun üyeleri öncelikle kadına şiddet konusuyla mücadele etmektedirler. (*Members of our women's solidarity group have been tackling issues about violence against women.*)

Affirmative -mekte / -makta	Negative	Interrogative	Negative interrrogative
çalış-makta-yım	çalışmamaktayım	çalışmakta mıyım?	çalışmamakta mıyım?
yap-maktasın	yapmamaktasın	yapmakta mısın?	yapmamakta mısın?
art-makta (dır)	artmamakta (dır)	artmakta mı (dır)?	artmamakta mıdır?
izle-mekte-yiz	izlememekteyiz	izlemekte miyiz?	izlememekte miyiz?
tartış-makta-sınız	tartışmamaktasınız	tartışmakta mıyız?	tartışmamakta mıyız?
düşün-mekte-ler(dir)	düşünmemekte(dir)ler	düşünmekteler mi?	düşünmemekteler mi?

B Complete the sentences with one of the verbs in the box using -mekte / makta.

topla-	art-	yap-	izle-	güven-	incele-

1 Olcay, yıllardır bir dernekte eğitim çalışmaları ________________ .
2 Öğrenciler günlerdir engellilere yardım projesi için bağış ______________ .
3 Şirketimiz istatistik çıkarmak için sosyal yardım kurumlarını ________________ .
4 Biz, sizin bu projeyi başarıyla yöneteceğinize __________________ .
5 Sizin ülkenizde çalışan kadın sayısı ________________ mı?
6 Sağlıklı yaşam konusundaki televizyon programalarını yıllardır ________________ ve her seferinde yeni bir şey öğreniyoruz.

2 **-mEktE** often follows the passive, **-(y)Ebil** and causative suffixes.

C Underline -mEktE and find out the suffixes added after the verb stem.

1. Alternatif Yaşam Derneği 2008 yılından beri engellilere yönelik faaliyetler düzenlemektedir. (*Since 2008, the Alternative Life Association has been organizing activities for the disabled.*)
2. Kurumlar ve dernekler tarafından pek çok sosyal sorumluluk projeleri yürütülmektedir. (*Many social responsibility projects are being carried out by organizations and associations.*)
3. Bağışlarınız banka hesabımıza internet transferi yoluyla yatırılabilmektedir. (*Your donation can be credited to our bank account via internet transfer.*)

3 **-mEktE** is also used in participles and in verbal nouns such as -mEktE olan / -mEktE olduğu.

Bir hayır kurumunda çalışmaktayım. Bu kuruluşu size tanıtmak istiyorum. (*I have been working for a charity. I would like to introduce this charity to you.*)

Çalışmakta olduğum hayır kurumunu size tanıtmak istiyorum. (*I would like to introduce the charity that I have been working with to you.*)

Derneğimiz 2017 yılından beri eğitim alanında çalışmaktadır. Bu yıl sanatsal faaliyetlere ağırlık vermeyi planlamaktadır. (*Our association has been working in the area of education since 2017. It has been planning to focus on art-related activities this year.*)

2017 yılından beri eğitim alanında çalışmakta olan kurumumuz bu yıl sanatsal faaliyetlere ağırlık vermeyi planlamaktadır. (*Our institution, which has been working in the area of education since 2017, has been planning to focus on art-related activities.*)

D Complete by using -mEktE and -DIr.

Mahmut Üstün kimdir?

Mahmut Üstün 2005 yılında Yaşlılara Okuma Derneğini kurmuş (1) __________ . 4 dil bil (2)____________. Dernek Başkanlığını 3 yıldır yap (3) ____________ . Yarım elma gönül alma düşüncesiyle bu işe başlayan Üstün, görme zorluğu çeken yaşlılara gazete ve kitap okumaktan çok zevk aldığını ifade et (4)____________ . İleride farklı dillerde de hizmet vermek için projeler hazırla (5)____________.

The meaning of **yarım elma gönül alma** *is* 'Even half an apple can touch the heart of a person and makes him/her happy.'

4 **-mekteydi / -maktaydı**

-mekteydi, the past form of **-mekte**, indicates actions that had started in the past, continued for a certain period of time and then finished. It has a similar meaning to *used to*, and the past and past perfect tense. **-mEktEydİ** takes the same possessive endings as **-mEktE**. The negative suffix **-mE** comes before **-mekteydi / -maktaydı**.

Harf devriminden önce 1927 yıllarında Türkiye nüfusunun çoğunluğu okuma yazma bilmemekteydi. (*Before the language reform, in the years around 1927, the majority of the Turkish population had not known reading and writing.*)

Mezunlar Derneğimiz geçen yıl 80 öğrenci okutmaktaydı ama bu yıl öğrenci sayısını ikiyüze çıkarmıştır. (*Our Alumni Association educated 80 students last year but this year it has increased its student number to 200.*)

Eskiden evlenecek çiftlerde erkeğin kadından yaşça büyük olması önemli görülmekteydi. (*In the past, it was considered important that the man was older than the woman in couples who were to be married.*)

E Complete with -mekteydi / -maktaydı and add the passive where needed.

1 Geçen yıl derneğimizde 35 gönüllü çalış__________ bu yıl sayımız 120 ye ulaştı.
2 Endüstri devriminden önce üretimdeki sayma, kutulama, paketleme gibi işlemler elle yap__________ şimdi makineyle yapılıyor.
3 On yıl önce kapalı yerlerde sigara iç __________ama yasaklandığından beri içilmiyor.
4 Eskiden çocuklar okula anneleri tarafından götür __________ şimdi servisle gidiyorlar.

Meaning and usage

Word formation

1 In Turkish, words can be derived from verbs, nouns and adjectives to form new verbs, nouns and adjectives by adding suffixes. This process is interchangable. An adjective can be derived from a noun, or a verb can be used as an adjective or as a verb in a sentence depending on the meaning or it can take other suffixes.

Bazı değerler **evrensel**dir. (*Some values are universal.*)

Evrensel değerleri tartıştık. (*We discussed some universal values.*)

2 **-SEL suffix- (forming adjectives from nouns)**

-sEl is added to the end of nouns to form adjectives.

Noun		-sel / sal	
bilim	*science*	bilimsel	*scientific*
kurum	*institution*	kurumsal	*institutional*
evren	*universe*	evrensel	*universal*
sanat	*art*	sanatsal	*art -related*
tarih	*history*	tarihsel	*historical*
ulus	*nation*	ulusal	*national*
para	*money*	parasal	*monetary*
beden	*body*	bedensel	*physical*
kişi	*person*	kişisel	*personal*
birey	*individual*	bireysel	*individual*
toplum	*society*	toplumsal	*social*
zihin	*mind*	zihinsel	*cognitive, mental*

Bedensel ve zihinsel engelli çocuklarımızı topluma kazandırmaya çalışıyoruz. (*We are trying to integrate children with physical and mental disabilities into society.*)

Tarihsel zenginliğimizi korumalıyız. (*We must protect our historical richness.*)

3 -GIN Suffix (forming nouns and adjectives from verbs)

This suffix is added to the verb stem to make nouns and adjectives.

-GIN (-kIn,-kın)			
gergin	*tight*	yorgun	*tired*
bilgin	*scientist*	şaşkın	*surprised, confused*
ilişkin	*related*	yatkın	*inclined to do*
kızgın	*angry*	üzgün	*upset*
saygın	*honourable*	suskun	*silent*
uygun	*suitable*	etkin	*effective*

If the last consonant of the verb stem ends with voiceless consonants p, t, k, ç, s, ş then the -GIn suffix becomes **-kIn / -kın.**

F State the different usages of the word 'suskun' in these sentences.

1 Ali çok suskun. (*Ali is very silent.*)
2 Suskun insanlar başarılı olabilirler mi? (*Can silent people succeed?*)
3 Bu konuda suskun kalmak imkansız. (*It is impossible to remain silent on this topic.*)

G Complete the sentences by choosing one of the words in the box.

parasal ulusal etkin ilişkin

1 Sizin anlattığınız şeyler bu konuya ____________ değil.
2 Projelerimizin finansmanında devletten de ________________ destek almaktayız.
3 Onun çok _______________ çözümleri var. Diğer arkadaşlarınkine benzemiyor.
4 Derneğimiz _____________ faaliyetler yanında uluslararası faaliyetler de yürütmektedir.

4 -(y)IcI suffix

This suffix has the same function with the -CI suffix but it is only used to derive adjectives and nouns from verbs.

From verb to		Noun and adjective	
akmak	*to flow*	akıcı	*fluent*
üzmek	*to upset*	üzücü	*upsetting*
geçmek	*to pass*	geçici	*temporary*
vermek	*to give*	verici	*giving*
sürüklemek	*to drag*	sürükleyici	*fastmoving*

dondurmak	*to freeze*	dondurucu	*freezing*
kesmek	*to cut*	kesici	*cutting*
öldürmek	*to kill*	öldürücü	*killing*
kırmak	*to break*	kırıcı	*offending*
beslemek	*to feed, nourish*	besleyici	*nourishing*
okumak	*to read*	okuyucu	*reader*
yapmak	*to do*	yapıcı	*positive, constructive*
bulaşmak	*to get smeared*	bulaşıcı	*contagious*

Hasan'ın yapıcı eleştirileri grup çalışmasında yararlı oluyor. (*Hasan's constructive criticisms are beneficial in group work.*)

H Match the adjectives with the nouns.

1 akıcı — a söz
2 dondurucu — b roman
3 besleyici — c alet
4 verici — d hastalık
5 kırıcı — e insan
6 geçici — f hava
7 kesici — g yiyecek
8 bulaşıcı — h iş

5 -Im Suffix - forming nouns from verbs.

These suffixes are added to verb stems to make nouns.

From verb to		Noun	
yutmak	*to swallow*	yudum	*sip, mouthful*
kes-	*to cut*	kesim	*part, portion*
doğ-	*to be born*	doğum	*birth*
bil-	*to know*	bilim	*science*
yatır-	*to lay, deposit*	yatırım	*investment*
tut-	*to hold*	tutum	*behaviour*
geliş-	*to develop*	gelişim	*development, improvement*
dağıt-	*to distribute*	dağıtım	*distribution*
değiş-	*to change*	değişim	*change*
üret-	*to produce*	üretim	*production*
seç-	*to choose, to elect*	seçim	*choice, election*
birik-	*to accumulate*	birikim	*savings*

verbs ending with vowel take -M			
bağlamak	*to link*	bağlam	*context*
kapsa-	*to include*	kapsam	*scope, content*
gözle-	*to observe*	gözlem	*observation*
anla-	*to understand*	anlam	*meaning*
işle-	*to operate*	işlem	*process*
kavra-	*to grasp, to comprehend*	kavram	*concept*

Dünyada hala bir yudum suya muhtaç insanlar var. Ne üzücü. (*There are still people in this world who need a sip of water. How sad this is.*)

Şirketler kendilerini tanıtmak için sosyal sorumluluk projelerine yatırım yaparlar. Bu yatırımın karlı olması da önemlidir. (*Companies invest in social responsibility projects to promote themselves. It is also important to make these investments profitable.*)

Vocabulary

I Match the adjectives with the nouns in a meaningful way.

Adjectives	**Nouns**
1 zor	**a** oturum
2 seri	**b** bilim
3 sosyal	**c** seçim
4 açık	**d** birikim
5 yapıcı	**e** üretim
6 parasal	**f** tutum

J Put the words in order and form sentences

1 bu / veremiyorum / çok / bir / zor / seçim / karar

____

2 seri / şimdi / mal / üretiyorlar / üretimle / çok

____

3 bu / için / parasal / birikimimiz / yok / proje

____

4 Sedat / bilim / sosyal / araştırma / alanında / yapıyor / mu?

____

Reading

K **Read the first part of the blog and answer the questions.**

1 Blog yazarı bloğunda neyi tanıtıyor? ______________________________

2 Bu projeler nasıl önem kazanmaya başladı? ______________________________

Blog

Bu blog yazımda Türkiye'de sosyal sorumluluk projelerinin gelişimini kısaca anlatmak ve bir sosyal sorumluluk projesini tanıtmak istiyorum.

Sosyal sorumluluk projelerinin gelişimi: Sosyal sorumluluk projeleri gruplar, dernekler, vakıflar, ve kurumlar tarafından yürütülmekte olan projelerdir. Eskiden bu projeler daha çok devlete bağlı vakıflar tarafından yürütülmekteydi. Kurumsallaşma ve özel sektörün gelişmesiyle önem kazanmaya başladılar. Günümüzde kurumlar kendilerini tanıtmak, şirket isimlerini duyurmak, saygınlıklarını korumak amacıyla son yıllarda bu projelere daha fazla ağırlık vermektedirler. Sosyal, kültürel ve sanatsal alanlarda projeler düzenlemekte, özel okullar, yurtlar, üniversiteler, çocuk tiyatroları, ve hastahaneler açmaktalar. Dernekler, vakıflar ve kurumlar sağlık, sanat, bilim alanlarındaki ortak çalışmalarla topluma faydalı olmaktadırlar.

L **Now read the rest of the text and answer the questions.**

Blog

Tanıtacağım proje bir eğitim projesi. Projeyi yürüten derneğin tanıtım yazısını aktarıyorum.

Projenin adı: Hem okul hem yuva hem de üretim yeri.

Projenin süresi: 2 yıl

Amacı ve kapsamı: Köyün ortaokulu yok. Çocuklar 15 km uzaklıktaki bir okula her gün yürüyerek gidip gelmekteler . Dondurucu soğukta yürümek onlar için çok zor olmakta.

Derneğimiz bu duruma çözüm bulmak için köylülerle görüştü ve ihtiyaçlarını saptadık . Öğrenciler ve köy halkı için çok amaçlı bir bina yapmayı amaçlamaktayız. Amacımız aynı binayı okul, yuva, akşam kursları ve sosyal etkinlikler ve köy ürünlerinin satışı için kullanmak. İlk yılda ortaokul ve 0-5 yaş grubu için bir yuva açmayı, ikinci yılda kooperatif kurmayı hedefliyoruz.

Proje için yaptıklarımız:

Bu konuda parasal yardım için sosyal medya kanalıyla web sitemizde de köyün tanıtımı yapılmıştır. Sivil toplum kuruluşlarına, özel kuruluşlara duyurduk, kendi derneğimiz ve diğer derneklerin üyelerinden de bağış istemekteyiz. Konserler ve sunumlar düzenlemekteyiz.

Proje için yapacaklarımız:

Eğitim konusunda çalışan diğer dernek ve kurumlarla görüşmelere devam edeceğiz.

Köydeki üretimi artırmak ve üretilenlerin satışını sağlamak, kooperatif kurmak, bu binayı etkin hale getirmekte önemlidir.

Projeye katılım: En büyük desteğimizi gönüllü olarak çalışan ve bağış yapan üyelerimiz oluşturmaktadır. 3 ay önce kurulan proje grubumuzda aktif olarak 30 kişi çalışmaktaydı. Bugün aktif üye sayımız 95'e çıkmıştır.

Eğitime verdiğiniz önemi bildiğimiz için size projemizin ön yazısını gönderiyoruz.

İlgileneceğinizi umarak teşekkürlerimizi sunuyoruz.

Bu tip projeler beni umutlandırıyor. Bence eğitime yapılan her katkı çok önemli. İyi bir gelecek için en doğru yatırım.

1 Projeyi yürüten dernek köyde ne yapmayı amaçlamaktadır?

____

2 Proje için neler yapmışlardır?

____

3 Dernek proje için neler yapacaktır?

____

4 Proje katılımda en büyük desteği kimler oluşturmaktadır?

____

5 Blog yazarına göre eğitime yapılan katkı niçin önemli?

____

köy halkı	*villagers*	**çok amaçlı**	*multipurpose*
tanıtım	*promotion*	**destek**	*support*
katkı	*contribution*	**umutlandırmak**	*to give hope to*

Writing

M **Write a short blog about a social responsibility project or charity work that you are interested in. Try to use -mEktE forms and suffixes used in word formation. Write about 100–120 words.**

- İlgilendiğiniz veya önemli gördüğünüz bir sosyal sorumluluk projesi var mı?
- Bu projenin amacı ve kapsamı nedir?
- Bu projede kimler çalışmakta ve neler yapmaktalar?

Self-check

Tick the box which matches your level of confidence.

1 = very confident 2 = need more practice 3 = not confident

Aşağıdaki kutuları yeterlilik düzeyinize göre işaretleyin.

1 = çok yeterli 2 = daha çok alıştırma lazım 3 = yetersiz

	1	2	3
Use -mEktE forms and suffixes			
Use various word formation strategies			
Can understand issues related to social responsibility projects (CEFR B1)			
Can write a blog expressing opinion (CEFR B2)			

Unit 1

A

1 yorgun musun **2** Zengin miyiz? **3** Üzgün müsünüz?

B

1 zengin değilim. **2** zengin değil miyim? **3** zenginsin. **4** zengin mi(dir)? **5** zenginiz. **6** zengin değiliz. **7** zengin değiliz miyiz? **8** zengin misiniz? **9** zengin değiller.

C

1 Londra'da **2** Kimi **3** Adana'ya **4** nereye **5** kimin **6** Kartondan

D

1 Ayşe nereye gitti? **2** Neden hoşlanmadılar? **3** Mehmet nerede? **4** Kimi aradın?

E

Benim adım Yağmur. 2011'**de** Ankara'**da** doğdum. Öğrenci**yim**. Veteriner olmak istiyorum çünkü hayvanları çok seviyorum. **Biz** bir apartman**da** yaşıyoruz. Üst **katta** anne**min** arkadaşı Zeynep Teyze oturuyor. **Onun** bir **oğl**u var. Adı Cenk. Dün sokak**ta** bir yavru kedi bulduk. **Ona** kutu**dan** bir yuva yaptık. Kutu**ya** yumuşak bir yastık koyduk. **O** şimdi uyuyor.

F

1 konsere **2** bize **3** evde **4** Onların **5** Osman'ı

G

1 Benim kızım **2** Onun ablası **3** Senin baban **4** Onların evi **5** Çiğdem'in arkadaşı **6** Okulun kütüphanesi

H

1 çocuğumuz **2** Sizin **3** kitabın **4** zamanı **5** Onların **6** param

I

1 Doktor **2** Avukat **3** Öğretmen **4** Tarihçi **5** Ressam **6** Ahçı **7** Mimar **8** Postacı

J

1b **2**f **3**c **4**a **5**e **6**d **7**h **8**g

K

1 Evet, Nesrin işini seviyor

2 Hayır, Pelin Nesrin'in arkadaşı değil, kızı.

L

Kim?	Nerede Doğdu?	Nereli?	Mesleği Ne/Ne Iş Yapıyor?	Nerede Çalışıyor?	Evli Mi? Bekar Mı? Nişanlı Mı?	Nereyi Çok Seviyor?	İşi Nasıl? İşini Seviyor Mu?
Selin	Londra'da	Yarı Türk Yarı İngiliz	Bankacı	Türk bankasında	Bekar	Marmaris'i	İşi ağır
John	Venedik'te	İtalyan	Mimar	Mimarlık firmasında	Kız arkadaşı var	Venedik'i	İşini çok seviyor
Dorota	Lubnin'de	Polonyalı	Avukat	Hukuk bürosunda	Evli	Dublin'i	İşi zor ama işini seviyor
Michael	Berlin'de	Fransız	Ahçı	Lokantada	Nişanlı	Nice	Yoruluyor ama işini seviyor

M

Answers will vary.

Unit 2

A

Verbs		Time expressions
çalışmak	almak	her sabah
sevmek	kaydetmek	sonra / -DEn sonra
uyanmak	düzenlemek	genellikle
kalkmak	bitmek	asla
duş yapmak	dönmek	zaman zaman
giyinmek	uğramak	bazen
kahvaltı etmek	alışveriş yapmak	akşam / akşamları
içmek	televizyon izlemek	önce / -DEn önce
yemek	çalışmak	ara sıra
çıkmak	ziyaret etmek	çoğunlukla
gitmek	yatmak	
okumak		

B

3 izlemiyor **4** anlamıyoruz **5** bekliyorsunuz **6** gitmiyorlar

C

1 gidiyoruz **2** oynuyor **3** izliyorsunuz/ seyrediyorsunuz **4** çalışıyorum

5 ders çalışıyorsun **6** içmiyorlar **7** söylüyor **8** öğreniyor

D

1 yazıyorum **2** uyanıyorum **3** ediyorum **4** çıkıyor / çıkıyorum **5** gidiyorum **6** başlıyor **7** bitiyor **8** anlaşıyoruz

E

1 pilot**tun** **2** zengin değil**di** **3** Almanya'da**ydık** **4** nerede**ydiniz** **5** emekli**ydi** / emekli değil**di**

F

1 çaldı **2** oynadı **3** neredeydiniz **4** izlemedik **5** yaptık **6** duymadın mı **7** aldım **8** teslim etmediniz mi?

G

1 başlıyor **2** çıkmıyorum **3** giyiniyorum **4** yiyorum **5** tatildi **6** ettik **7** keyifli değildi **8** pişirdik

H

2 sisli *foggy* **3** yağmurlu *rainy* **4** rüzgarlı *windy* **5** karlı *snowy*

I

1 Almanya'da hava 16 derece ve yağmurlu.

Almanya, 16 derece ve yağmurlu.

2 İngiltere'de hava 13 derece ve bulutlu.

İngiltere, 13 derece ve bulutlu.

3 İtalya'da hava 20 derece ve rüzgarlı.

İtalya, 20 derece ve rüzgarlı.

4 Polonya'da hava eksi 4 derece ve karlı.

Polonya, eksi 4 derece ve karlı.

J

1 Cuma **2** gece **3** İlkbahar **4** dakika **5** ay

K

Pazartesi, Cuma, Cumartesi ve Pazar

L

1 Ahmet mühendis.

2 Boş zamanlarında bloğunda gezi notları yazıyor.

3 İki hafta önce Karadeniz Bölgesine gitti ve yolculuktan önce o haftanın hava durumunu inceledi.

4 Salı ve Perşembe günü kapalı yerleri gezdi çünkü hava durumuna göre hava çoğunlukla bulutlu, ara ara yağmurlu ve sisliydi.

5 Cumartesi ve Pazar günü hava çok sıcak ve güneşliydi onun için civardaki şelaleleri ve yaylaları dolaştı. Ayrıca Karadeniz pidesi ve muhlama yedi.

M

1 hafta sonu **2** ipucu vermek **3** sağanak yağmur **4** açık hava aktiviteleri **5** şanslı olmak

N

Answers will vary.

Unit 3

A

1 sırt çantan **2** kara kalem **3** çalışma odası **4** deniz gözlüğü **5** doğum günü **6** kahve fincanım

B

Compound nouns	Compound verbs
Cumartesi günleri	yardım etmek
çocuk kitapları	takas etmek
el arabası	memnun olmak
dostluk havası	şikayet etmek

C

1 evimizi **2** evi**miz** **3** odası **4** kardeş**im** **5** O**nun** **6** oda**sı** **7** oda**m** **8** oda**sında** **9** öğrenci**si** **10** evimiz**in** **11** bahçe**sinde** **12** evi**mizi**

D

1h **2**c **3**g **4**d **5**b **6**e **7**a **8**f

E

1 okur **2** ister / istemez **3** alır **4** kalkar **5** kızmaz **6** yemem

F

1c **2**a **3**d **4**b **5**f **6**e

G

1e **2**c **3**a **4**f **5**b **6**d

H

1 bekledik **2** kaldık **3** yemek yapar **4** seyahat edecek / eder **5** teşekkür ederim / ediyorum **6** dikkat et

I

1 arkadaş **2** makas **3** ağlamak **4** durgun

J

1 Ayşe hanım Sıla'ya mektup / e-posta yazıyor.

2 Londra'da yaşıyorlar.

K

1 Mühendis, özel bir şirkette çalışıyor.

2 Temizlik ve yemek yapar.

3 Yavaş ol düşersin. Denizden çık. Şapkanı tak. Gel, biraz gölgede otur.

4 Ilgın neşeli ve uslu bir çocuk.

5 Ayvalık'ta.

L

Answers will vary.

Unit 4

A

1 görür görmez **2** içer içmez **3** biter bitmez **4** girer girmez **5** evlenir evlenmez **6** izler izlemez **7** giyer giymez **8** öğrenir öğrenmez

B

1 şarkı söylerken **2** yemek yaparken **3** batarken **4** çocukken **5** beklerken **6** gelirken **7** gençken **8** çalışırken

C

5 Şubat, 2018

Bugün aklıma büyükbabam ve babaannem geldi…

Büyükbabam pul koleksiyonu yapardı. Pulları dikkatle (1) ayıklar/ayıklardı, (2) temizler/temizlerdi sonra albüme (3) dizerdi. Pullarla saatlerce (4) uğraşırdı ve hiç (5) bıkmazdı. Bu işten çok (6) zevk alırdı . Ben ona sorular (7) sorardım o büyük bir sabırla (8) yanıtlardı. Bu sırada mutfaktan kurabiye kokuları (9) gelirdi. Babaannem "haydi biraz ara verin kurabiye ve süt zamanı" (10) derdi. Büyükbabam sütünü sıcak içmeyi (11) severdi ama ben sıcak sütü hiç (12) sevmezdim, babaannem de bana bazen soğuk süt bazen vişne suyu (13) verirdi. Ne güzel günlerdi.

D

1 bugünkü **2** sahildeki **3** seyrederken **4** satardı **5** çocukken **6** girerken **7** otururdu **8** derken **9** gelirdi **10** mahallemizdeki **11** havuzdaki **12** atardık **13** içindeki

E

1 muhafazakar, disiplinli, istikrarlı, kanaatkar, tedbirli

2 çok çalışkan, kuralcı, saygılı, teknolojiden uzak, işlerine sadık

3 sadık, çalışkan, sabırlı, gerçekçi, rekabetçi, kuralara uyumlu, otoriteye saygılı

4 özgürlükçü, adaletçi, sabırsız, hırslı, bireyci, sorgulayıcı, otorite tanımaz kurallardan

hoşlanmaz

5 mobil, yaratıcı, duygusal, sabırsız, çabuk tüketir, empati duyguları ve özgüvenleri

yüksektir

F

1 hazırladım **2** geç kaldım **3** eğlendik **4** çekerdi **5** çalardım **6** haber verdi

G

1 yeni **2** büyük **3** öndeki **4** genç **5** geç **6** disiplinsiz

H

1 Ankara'da toplandılar.

2 Kerimcan

I

1 Herkese haber vermek için.

2 Fotoğraflardan ve şarkılardan bir video gösterisi hazırladılar.

3 Video kameralarıyla kayıt yaparlardı.

4 Kerimcan şiir okudu. 16 yaşındaki Emre gitar çalarken 15 yaşındaki Zeynep şarkı söyledi. Fotoğraf, video çektiler, anılarını anlattılar. Teyzesinin anılarına çok güldüler.

5 Partiyi haber vermek, çeşitli yiyecekler, eski ve yeni müzikler, anıları paylaşmak, hazırlıklara çocukları ve gençleri katmak .

J

Answers will vary.

Unit 5

A

1 gideceğiz **2** dolaşacak **3** gideceksiniz? **4** yapacağım **5** gelecek misin? **6** yıkayacağım

B

1 yapacaktık **2** gezeceğiz **3** olacaksınız **4** alacaktık **5** gidecektim **6** gelmeyecek

C

1 Osman yarın (akşam) yeni alışveriş merkezine gidecek kız arkadaşına hediye alacak çünkü kız arkadaşının doğum günü.

2 Tom yarın (sabah) bakkala gidecek ve kahve ve süt alacak çünkü misafiri gelecek.

3 Alice yarın renkli kalem ve silgi için kırtasiyeye gidecekti ancak artık gitmeyecek çünkü evde buldu.

4 Nihan yarın (öğleden sonra) meyve ve çerez almak için süpermarkete gidecekti ancak gerek kalmadı. Arkadaşı meyve ve çerezi getirecek.

D

1 gidince **2** gidip **3** inince **4** edip **5** olunca **6** gidip

E

Kıyafet alışverişi	Gıda alışverişi	Kırtasiye alışverişi
pantolon	çerez	dosya
etek	sebze	zarf
tişört	meyve	not defteri
pijama	bisküvi	defter
ceket	makarna	kitap
çorap	peynir	kalem
iç çamaşırı	pirinç	silgi
gömlek	bakliyat	cetvel
bluz	çay	sözlük
şort	süt	kağıt

F

1e **2**g **3**d **4**f **5**h **6**c **7**a **8**b **9**l

G

İstanbul'un ünlü semt pazarlarını

H

1 Ali taze köy ürünleri almak için yarın Kastamonu pazarına gidecek.

2 Deniz yarın Feriköy Organik pazarına gidecek çünkü orada alışveriş yapacak, oturup arkadaşıyla sohbet edecek ve belki ünlü bir kişiyi görecek.

3 Elif Cumartesi günü Beşiktaş Sosyete Pazarına gidecek çünkü orası ünlü. Arabası yok onun için trafik sorunu yaşamayacak.

4 Mustafa kıyafet almak için hem Beşiktaş Semt Pazarına hem de Ulus Sosyete Pazarına gidip bakacak.

5 Yarın Osman sertifikalı, organik ürünler almak için Feriköy Organik Pazarına gidecek.

I

1 beslenmek **2** önermek **3** tezgah **4** ihraç fazlası **5** sertifika **6** keyifli **7** sahte olmayan **8** popüler

J

Answers will vary.

Unit 6

A

1 sizin yanınızda

2 onların karşısında

3 benim sağımda

4 Ali ile Ayşe'nin arasında

5 bizim bahçemizin ortasında

6 kütüphanenin sol tarafında

7 üniversitenin çevresinde

8 öğrencilerin arasında

B

1 içine **2** yanına **3** tarafında **4** önünden **5** karşısına **6** etrafında **7** karşıma **8** önümüze

C

1 hakkında **2** için **3** kadar **4** hakkında **5** için **6** kadar **7** onunla **8** ile/ danışmanım**la**

D

1 Almanca**dan başka** **2** özgeçmişiniz**den dolayı** **3** sınav**dan önce** **4** çocukluğum**dan beri**

E

1 özgeçmiş **2** staj **3** önyazı **4** insan **5** mülakat **6** üye

F

1 mezun olmak **2** destek vermek **3** etkilemek **4** deneyim kazanmak **5** hedef **6** üniversite harcı **7** burs **8** kampüs

G

1 Susan Boğaziçi Üniversitesi'nde okuyor.

2 Evet, çok memnun. Çok mutlu ve kendisini evde gibi hissediyor.

H

1 D **2**D **3**D **4**Y Oxford Üniversitesi, Fransa'daki üniversitelere benzemiyor. Eğitim metotları farklı ve eski gelenekler takip ediliyor. **5**D **6**D

I

	I	Postpositional phrases	Sentence connectors
a	Susan Jones –Boğaziçi Üniversitesi, hala öğrenci	- Boğaz'a karşı - öğrenciler için - öğrencilere karşı - ilgi alanına göre - Bana göre - Eylül'den beri - evde gibi	- Bundan başka - Ayrıca - Bundan dolayı
b	Kerem Tunç- Koç Üniversitesi, 2013 Mezunu	- benim için - özelliğinden dolayı - Mezuniyetime kadar - sosyal olanakları ile - öğrencilerle iletişimi - bunların ötesinde - bugün gibi	- Ancak - Bunun yanısıra - Bundan dolayı -Ayrıca
c	İsimsiz Öğrenci – Oxford Üniversitesi, hala öğrenci	- Fransa'ya göre - benim için - cenneti gibi	- Ayrıca - bundan dolayı - Bunun yanısıra

J

Answers will vary.

Unit 7

A

1 içsin

2 yemeyeyim

3 verelim mi?

4 yanmasın

5 kursun

6 kaldıralım

7 söz vermeyeyim

8 görsün(ler)

B

1f **2**h **3**e **4**g **5**a **6**c **7**b **8**d

C

1 Salatam için zeytinyağı getirebilir misiniz lütfen?

2 Biraz parmesan peyniri alabilir miyim lütfen?

D

1 yapamam, kontrol edebilirim **2** kaçabilir **3** yiyemez **4** katılmaz / katılamayabilir **5** alabilirsiniz **6** içemem

E

1 yetişemeyebilir

2 gelmeyebilir

3 beceremeyebilir

4 seçemeyebiliriz

5 yürüyemeyebilir

6 alamayabilirim

7 istemeyebilir

8 soğumayabilir

F

	Vegan		Vejeteryan		Peskateryan	
	Yiyebilir	**Yiyemez**	**Yiyebilir**	**Yiyemez**	**Yiyebilir**	**Yiyemez**
Başlangıçlar	Mercimek çorbası, Dolma	Balık çorbası, Yoğurtlu patlıcan salatası	Mercimek çorbası, Dolma, Yoğurlu patlıcan salatası	Balık çorbası,	Mercimek çorbası, Dolma, Balık çorbası, Yoğurtlu patlıcan salatası	______
Ana yemek	Etsiz türlü	Izgara köfte pilav, Levrek buğulama, Deniz ürünleri yahnisi, Tavuk çöp şiş	Patatesli patlıcan, Etsiz türlü	Izgara köfte pilav, Levrek buğulama, Deniz ürünleri yahnisi, Tavuk çöp şiş	Deniz ürünleri yahnisi, Levrek buğulama, Patatesli patlıcan, Etsiz türlü	Izgara köfte pilav, tavuk çöp şiş
Tatlı	Kabak tatlısı	Ayva tatlısı, Baklava	Ayva tatlısı, Baklava, Kabak tatlısı	______	Ayva tatlısı, Baklava, Kabak tatlısı	______

G

1i **2**g **3**h **4**j **5**c **6**f **7**b **8**d **9**a **10**e

H

yemeğin ve içeceğin kalitesi, ortam, temizlik, servis, personel ve fiyatın kaliteyi yansıtması.

I

1 Çünkü yanınızdaki masadakilerin konuşmalarını duyuyorsunuz.

2 Ana yemeği biraz beklediler. Yemekler arasındaki zamanı daha iyi ayarlayabilirlerdi.

3 Soğuk mezeleri daha iyi olabilirdi. Patlıcan salatasının sarımsağı daha az olabilirdi.

4 Ispanaklı börek biraz kuruydu. Biraz daha yağ koyabilirlerdi.

5 İçki fiyatlarını daha düşük tutabilirler/ içkiler pahalıydı.

6 Ortamı güzel, temiz, servis hızlı, yiyecekler çok taze ve balık lezzetli

J

Answers will vary

Unit 8

A

1 sormuş **2** inmiş **3** demiş **4** demiş / demişler **5** gülümsemiş **6** çalmış **7** demiş

B

1 When my brother/sister was very small he/she was apparently very clever. **(I was told, reported action)**

2 Today is Elif's birthday. Has Mehmet bought the present? /Did he buy the present? **(completed action)**

3 Yesterday I called you but you were not at home. I talked to your mother and apparently you were out shopping. **(I was told, reported action)**

4 The new telephone model will apparently arrive tomorrow. **(reported action)**

5 My friend told me that she/he would at least go to 5 shops before she/he buys something. **(I was told, reported action)**

6 How sturdy this bag is! I have not been expecting this. **(actions realized by the speaker later or suddenly)**

7 Yesterday I must have lost my wallet at the new shopping centre. **(actions realized by the speaker later or suddenly)**

8 I did not buy the jewellery because I had bought a similar piece last week. **(Past Perfect)**

C

1 daha rahat **2** daha dayanıklı **3** daha yaygın **4** daha yaratıcı

D

1 A ürünü B ürününden daha ucuz. C sırt çantası aralarında en pahalı sırt çantasıdır.

2 A ürününün genişliği B ürününün genişliğinden daha büyük ama C ürünü en geniş sırt çantasıdır.

3 A sırt çantası C sırt çantasından daha hafif(tir). Ama B sırt çantası aralarında en hafifidir/ hafif olanıdır.

E

1 en **2** en **3** daha **4** en **5** daha **6** en

F

1 marka **2** ofis **3** gerçekçi **4** sıkıcı

G

1 algı **2** araştırması **3** sloganı **4** reklam **5** markasına **6** indirim

H

1c **2**e **3**f **4**i **5**d **6**j **7**h **8**g **9**b **10**a

I

Bakanlık tüketiciyi korumak, daha kaliteli, sağlıklı ve güvenli ürünler tüketmesini sağlamak amacıyla Tüketicinin Korunması Hakkında Kanunda kapsamlı değişiklikler yapmıştır.

J

1 Hayır, Ali Çınar daha önce de bu mağazadan alışveriş yapmış.

2 Mağazadaki elemanların hiçbiri yardımcı olmamış, saygısızca davranmışlar onun için çok hayal kırıklığına uğramış.

3 Ayşe Doğan'a daha önce de defalarca ücret iadesi yapılmış.

4 Ayşe Doğan müşteri hizmetlerini aramış ve bir hafta sonra parayı yatıracaklarmış.

5 Zeliha Yörük cep telefonuyla bir sorun yaşamış.

6 Garanti kapsamına girmiyormuş onun için değiştirmemişler.

K

Answers will vary.

Unit 9

A

Sağlıklı olmak nedir?

Hepimiz sağlıklı ve **mutlu olmak** istiyoruz. **Sağlıklı olmaktan** ne anlıyoruz? Beden sağlığımız mı ruh sağlığımız mı önemli? Aslında ikisi de kendimizi **iyi hissetmemiz** için çok önemli. Biri bozulunca diğeri de bozuluyor. Bu konudaki önerileri **dikkate almakta** fayda var. Bunlar **sağlıklı beslenmeye** ve **spor yapmaya çalışmak**, insanlarla iyi ilişkiler **kurmak**, arkadaşlarımıza ve ailemize daha çok **vakit ayırmak**, yeni bir şeye **başlamaktan** korkmamak gibi öneriler. Belki çoğumuz bunları biliyoruz ama bunları **uygulamakta** zorluk çekiyoruz. İşte bu sayımızda uzmanlarımız bunlar için kolay yöntemler sunuyorlar.

Yazılarımızın ve önerilerimizin size yardımcı **olmasını** diliyorum. Dergimizi **geliştirmek** istiyoruz, bunun için sizin de sorularınızı, önerilerinizi bize **yazmanızdan** mutluluk duyarız.

Editörünüz Gülşin

B

1 Ailece sakin bir kasabada bir hafta tatil yapmaktan hepimiz hoşlandık.

2 Bülent'in sigarayı bırakması uzun zaman aldı.

3 Kızımın günde 12 saat bilgisayar kullanmasına engel olamıyoruz.

4 Aylin'in insan ilişkilerinde çok başarılı olması şirket için faydalı sonuçlar verdi.

C

1 izlemem **2** okumanı **3** başlamasına **4** yatmamızda **5** sormanızdan **6** açmalarına

D

1 üzereydim **2** dans edişi **3** heyecanlanmamak için **4** çalışmama rağmen **5** ertelemektense **6** hayata bakışımız **7** yemektense **8** zevk almasına rağmen

E

1c **2**d **3**e **4**f **5**a **6**b

F

1c **2**d **3**a **4**f **5**b **6**e

G

1 aktif olmak **2** fark ettim **3** bağ kurmayı **4** zor geliyor **5** karar vermem **6** verici olmak

H

1g **2**j **3**e **4**h **5**f **6**i **7**k **8**d **9**a **10** c **11** b

I

1 Bu test zihinsel iyi hissetmemizi, mutluluğumuzu ölçüyor.

2 Warwick ve Edinburgh Üniversiteleri

J

1 Aktif olmak için spor yapmamız, yürümemiz, vücudumuzu hareket halinde tutmamız lazım.

2 Ailemiz ve arkadaşlarımızla birlikte vakit geçirmemiz, onlarla ilgilenmemiz lazım.

3 Öğrenmek; yeni şeyler denemek, hobi edinmek, üretmek ve yaratıcı olmak demektir.

4 Sürekli almak ve sahip olmak yerine vermeyi seçmemiz, insanlara yardım etmemiz, önüllü çalışmamız lazım.

K

Answers will vary

Unit 10

A

1	bilmek	bilen / bilmeyen	bilecek olan / bilmeyecek olan	bilmiş olan / bilmemiş olan
2	mezun olmak	mezun olan / mezun olmayan	mezun olacak olan / mezun olmayacak olan	mezun olmuş olan / mezun olmamış olan
3	öğretmek	öğreten / öğretmeyen	öğretecek olan / öğretmeyecek olan	öğretmiş olan / öğretmemiş olan
4	başarılı olmak	başarılı olan / başarılı olmayan	başarılı olacak olan / başarılı olmayacak olan	başarılı olmuş olan / başarılı olmamış olan

B

1 mezun olan / mezun olmuş olan

2 okumayan / okumamış olan

3 öğretecek olan

4 olan

C

1 Ölümlerinden sonra meşhur olan

2 Hababam Sınıfında oynayan / oynamış olan

3 Dün toplantıya gelmeyen

4 Bu konuda bana yardım edemeyen

5 Başarısında çok katkısı olan

6 Asla unutulmayan mutlu

D

1 yarın gideceğim önemli iş görüşmesi

2 Birlikte çalıştığım çok yardım sever müdür

3 Hiç bir profesörün asistan olarak kabul etmediği Einstein

4 Arkadaşımın bana yaptığı büyük iyilik

5 Uyumadan önce babaannemin bize anlattığı hikayeler

6 Hafta sonu gitmek istediğiniz tiyatro oyunu

E

1 Babam**ın** öğrenciyken ailesine yaz**dığı** mektubu saklıyorum.

2 Yarın gide**ceğimiz** seminere lise arkadaşım da gelecek.

3 Daha önce izle**diğim** bu filmin detaylarını hiç hatırlamıyorum.

4 Önümüzdeki hafta katıla**cağımız** şiir dinletisi iki dilde sunulacak.

F

1 tanıdığı **2** başlayan **3** eden **4** doğan / doğmuş olan **5** gittiği **6** yaptığı **7** ürettiği **8** gelen

G

1 Seni öldürme**yen** şey, seni güçlendirir. (Nietzche)

2 Benim acı çek**en** bir yüreğim var Diego. Seni sevmeye başla**dığım** o günden beri, acı çek**en** bir yüreğim var. (Frida Kahlo)

3 Hiç hata yapma**yan** insan, hiçbir şey yapma**yan** insandır. Ve hayatta en büyük hata, kendini hatasız sanmaktır. (Yunus Emre)

4 Bir şeyler değiştirmek iste**yen** insan önce kendinden başlamalıdır. (Sokrates)

5 Milletleri kurtar**an**lar yalnız ve ancak öğretmenlerdir. (Mustafa Kemal Atatürk)

6 Aynı dili konuş**an** değil, aynı duyguları paylaş**an**lar anlaşabilirler. (Mevlana)

H

1 yaşayan **2** izlediğimiz **3** anlattığı **4** görmediğim **5** değiştiren **6** tanımadığın **7** gelemeyecek

I

1 engel **2** vasat **3** vatandaşlık **4** zarar veren **5** pişman olmak

J

Bu makaleye göre hayatımıza giren bir kişi, bir kitap, bir film, müzik ve bir hikaye bize ilham verebilir.

K

1 Mehmet Saygın'ın çok etkilendiği kitap İnce Memed'tir ve kitap Cumhuriyet döneminin ilk yıllarında kırsal bölgede yaşanan zalimliği, sefalete karşı isyanı anlatıyor.

2 Mehmet Saygın okuma alışkanlığı edinmesinde yardımcı olan Türkçe öğretmeni Elif Hanım'a minnettardır.

3 Sanat eleştirmeni Canan Morati'nin çocukluğunda okuduğu ve dinlediği eserler Dante, Çehov ve Beethoven'e aitti.

4 Anneannesi kitap okuduktan sonra veya belli bir müziği dinledikten sonra neler hissettiğini anlatmasını isterdi.

5 Osman Tekyol içinde bulunduğu bazı koşullar nedeniyle üniversiteye gidişini ertelemeye karar vermişti.

6 Ankara, Kızılay'da bindiği taksinin şoförü.

L

Subject participle	Object participle
-giren	-unutamadığınız
Mehmet Saygın	
- etkileyen	- unutamadığım
- yaşanan	- kullandığı
-öyküsü olan	-çektiği sıkıntıları
- başlayan kitap okuma alışkanlığım	-okuduğum bu kitap
Canan Morati	
- Maddi durumu iyi olmayan	- okuduğum
- ben yapan	-dinlediğimiz
- burs veren	-orada okuduğum
	-defalarca dinlediğimiz
	-hissettiğimi

Osman Tekyol	
- Taksiyi kullanan	- bulunduğum bazı koşullar
	-Gideceğim yere
	-Dediklerimi
	-yapabileceklerini
	-hiç tanımadığım
	- görmediğim

M

Answers will vary.

Unit 11

A

1 açıklanmak **2** vurgulamak **3** belirtilmek **4** duyurulmak **5** sorgulanmak **6** tartışmak **7** düzenlenmek **8** üretmek **9** yapılmak **10** değinilmek

B

1 Hezarfen Ahmet Çelebi

2 Picasso

3 Alexander Graham Bell

4 Ayla Kutlu

C

1 Önümüzdeki yıl yeni çocuk parkları belediyeler **tarafından** hizmete sun**ul**acak.

2 Hükümet aleyhinde öğrenciler **tarafından** birçok eylem gerçekleştir**il**di.

3 Toplantıda alınan kararlar tüm ülke temsilcileri **tarafından** destekle**n**di.

4 Dünya Basın Yarışmasındaki büyük ödül jüri üyeleri **tarafından** İstanbullu bir sanatçıya ver**il**di.

D

1 çekilen **2** basılan **3** yayınlanmamış olan **4** sergilenecek

E

a photo studio fotoğrafçı **b** restaurant lokanta **c** box office gişe **d** pharmacy, medicine eczane, ilaç

F

1 alınacak **2** yapılır **3** edilir / edilmektedir **4** kutlandı / kutlanıldı **5** üretiliyor, üretilmektedir **6** açıklanacak

G

1f **2**a **3**e **4**b **5**c **6**d

H

1 toplantı **2** eserlerin **3** çay **4** açık artırmada **5** zeytin / zeytinyağı

I

1c **2**a **3**e **4**h **5**g **6**f **7**b **8**d

J

1 Türkiye bir tarım ülkesi olarak bilinirdi.

2 Akdeniz bölgesinde.

K

1 Çay üretimine 1930'lı yıllarda başlandı.

2 Hükümet çay üretimini destekledi. / Çay üretimi hükümet tarafından desteklendi.

3 Üreticiye devlet bankalarından faizsiz kredi verildi.

4 Batı Avrupa ülkeleri ve Çin Türkiye'den fındık alır.

5 Türkiye'de pazarlarda en çok satılan meyve elmadır.

L

Answers will vary.

Unit 12

A

Yeni bir dil öğrenmek

Satranç oynamak

Kitap okumak

Bir enstrüman çalmak

Çizim yapmak

Blog yazmak

Örgü örmek

Spor yapmak

Bahçe işleriyle uğraşmak

Koleksiyon yapmak

Balık tutmak

Yemek pişirmek

Dans kursuna gitmek

Fotoğraf çekmek

B

1 Zeynep model uçak maketleri yapıp pazarda satacakmış.

2 Çok araştırma yaparak bu kursun en iyi olduğuna karar verdik.

3 Kurs öğretmenimin verdiği tarife dikkatlice baka baka yemeği pişirdim.

4 Dün çarşıdan gerekli malzemeleri almayı unutup kurstaki arkadaşımın malzemelerinden kullandım.

5 Kardeşim haftaya tablosunu tamamlayıp anneme doğum gününde hediye edecek.

6 Ayşe bir çanta modeli tasarlayarak bu işe başladı.

C

1 bitirince **2** yaparken **3** görünce **4** toplarken **5** öğrenirken

D

1 seyrederken **2** bitince / gidip **3** ağlayarak **4** iner inmez **5** giderken **6** olunca

E

1 gördükçe **2** katıldıktan sonra **3** gitmektense **4** çıkmadan önce **5** gitmedikçe **6** araştırdıktan sonra

F

1 Hem Ali hem de Ayşe tango kursuna gitmek istiyor.

2 Yalçın gerek rafting yaparak gerekse tekvando yaparak stres atıyormuş.

3 Büşra ne avcılığı ne de arıcılığı seviyor.

4 İş arkadaşlarımızla ya çömlekçilik kursuna ya da dericilik kursuna gideceğiz.

5 Ne ben ne de eşim hobisiz yapabiliyor / yapabiliyoruz.

G

hobi edinerek	*by acquiring a hobby*
pul biriktirmektense	*rather than collecting stamps*
bile bile	*intentionally, deliberately, knowingly*
denedikten sonra	*after trying*
öğrendikçe	*the more I learn*
başlayalı	*since starting*

H

1 ip ve eldiven

2 palet ve tuval

3 boncuk ve klips

4 tripod ve flaş

5 tüy top ve raket

6 kil ve oklava

7 testere ve maket bıçağı

8 tekne ve yağmurluk

I

O yıllarda hem imkanları hem de seçenekler azdı.

J

1D 2D 3Y Bazı hobiler kapalı alanda yapılabilir. **4D 5Y** Hobiler mesleğe dönüşebilir ve para bile kazabilirsiniz. **6Y** Aile ve arkadaşlarınıza danışabilirsiniz.

K

-**<u>hem</u>** imkanları **<u>hem de</u>** seçenekler

-tanımla**yarak**

- **<u>ya</u>** keyif almak için **<u>ya da</u>** formda kalmak için **<u>yahut da</u>** düzenli

- sev**erek**

- gider**ip**

- sağ**larken**

- stresimizi azalt**ıp**

- ne yap**arken**

- kapalı alanda mı ya da açık alanda

- **sorup**

- **ne** kişiliğinize **ne de** becerilerinize

- hobi ol**arak**

- konuş**urken**

- sev**e** sev**e**

- ekle**yerek**

L

1 farklı **2** ilginç **3** seve seve **4** kazanmak **5** sonlandırmak

M

Answers will vary.

Unit 13

A

1 Onun **2** istediğini **3** Melih'in ....başlayacağını **4** arttığını **5** tamamlayacaklarını **6** tamamlandığını

B

1 Direct: Metin 'Çok yaratıcısın' dedi.

2 Direct: Berrin 'İş yerim evime çok uzak değil' dedi.

3 Direct: Necdet 'Ayşe'nin çok sevdiği bir işi var' diyor.

4 Direct: 'Gördüğümüz film umduğumuz kadar iyi değildi' dediler.

5 Direct: Savaş muhabiri ' Suriye'de yardıma muhtaç çok çocuk var' dedi.

6 Direct: Kerem 'Gelecekle ilgili büyük beklentilerim yok' dedi.

C

1 Babam sonucun iyi olması için kararlarımızı düşünerek almamızı istedi./söyledi.

2 Ulaşamayacağımız hedefler seçmememizi önerdi./söyledi.

3 Sinan, başkalarının beklentilerine göre karar almamamı istedi./söyledi.

4 Psikolog Özdağ, hayatı kontrol etmeye çalışmamamızı, bazen beklentilerimizi bir kenara bırakmamızı öneriyor./ söylüyor.

5 Anneannem gençken önemli olan şeylerin yaşlanınca değişeceğini unutmamamızı önerdi. / söyledi.

6 Müdür projeyi Ali'nin bitirmesini istedi./söyledi.

D

1 Öğretmenlik için neler gerekiyor?

2 Öğretmenlik nasıl bir meslek?

3 Maddi kazancı ne kadar?

4 Size uyuyor mu?

E

1 Aydın onların bu konuda kararsız olup olmadıklarını sordu.

2 Babam onun fabrikasında çalışıp çalışmayacağımı sordu.

3 Can Nazlı'nın ne zaman kendi işini kuracağını sordu.

4 Ali bana hangi mesleği seçtiğimi sordu.

5 Ali o kursun fiyatının ne kadar olduğunu sordu.

6 Oktay bana nasıl bir plan yapacağımı sordu.

F

1 Öğretmen tarih sınavına hazırlanmamızı söyledi.

2 Müdür önümüzdeki ay maaşlarımızın artacağını bildirdi.

3 Aylin tatile gitmek için on gün izin aldığını söyledi.

4 Dil öğrenirken tekrar etmenin önemli olduğunu söylüyorlar.

5 Patron iş için seyahat edip edemeyeceğimi sordu.

6 Arkadaşım doğum günü partisine gelip gelemeyeceğimi sordu.

G

1 karar **2** engelli **3** yüksek **4** hayalci **5** önemli **6** emekli

H

1 Y Aldıkları en iyi kararın ne olduğunu sordu.

2 D

3 Y Emeklilik planlarının olup olmadığını sordu.

I

1 Nurdan Yolcu en büyük hayalinin babasıyla kasabalarında bir kooperatif kurmak ve gülden elde ettikleri gül reçeli, gül suyu, sabun gibi ürünleri geliştirmek olduğunu söylüyor.

2 Nurdan Yolcu emeklilik planının olmadığını söylüyor.

3 Murat Özgün hayatta aldığı en iyi kararın müzikle bilgisayar yazılımını birleştirmek olduğunu belirtiyor.

4 Murat Özgün emekli olunca bir sahil kasabasına yerleşeceğini söylüyor.

5 Vedat Öz hayatı boyunca şiir ve roman yazmaya devam edeceğini açıklıyor.

J

Answers will vary.

Unit 14

A

1 Aslı yattığında çok geçti.

2 Ali öykü yazmaya başladığında altı yaşındaydı.

3 Ayşe kütüphaneye geldiğinde Ahmet'i göremedi.

B

1 Hasan resim yapmayı sevdiği için ona bir resim sehpası ve boya takımı aldım.

2 Burcu bilet bulamadığı için bu akşam konsere gelemiyor.

3 Gelecek ay bir dram filminde başrol oynayacağım için şimdiden çalışmaya başladım.

C

	Adverbial clause	Function
1	başladığından beri	*Time*
2	verildiği gibi	*Manner*
3	getirildiği için	*Reason*
4	gösterildiği sırada	*Time*
5	bıraktığı gibi	*Manner*
6	uzattığınızda	*Time*

D

1 kurulduğundan beri **2** açıklandığına göre **3** yazdıklarından başka **4** toplandığı için

E

1 vazgeçtiği için **2** olmadığı takdirde **3** yaptığı gibi **4** saklayacağına / saklayacağı yerde **5** olduğu gibi

F

1 harcadığı halde

2 söylemediği takdirde

3 gideceğine / gideceği yerde

4 istediği halde

5 olduğuna göre / olduğu için

6 bulduğu takdirde

G

Resim	Film	Edebiyat
Objeler, insan, tema, tuval, resim sehpası, boya takımı, fırça, renk, ışık, galeri, eleştirmen	Objeler, insan, tema, hikaye akışı, komedi, dram, kısa metrajlı, yönetmen, prodüktör, çekim, televizyon, müzik, ses, renk, ışık dublaj, eleştirmen	Objeler, insan, tema, şiir, roman, hikaye, hikaye akışı, komedi, dram, eleştirmen, yayınevi

H

1 Time **2** Comparison **3** Comparison **4** Condition **5** Manner **6** Contrast

I

1 Kış uykusu filmi 2014'de gösterime girmiştir.

2 Hayır, bu film bir dram.

J

1 Kış uykusu filminin aldığı ödül Altın Palmiye ödülüdür.

2 Film üç ana karakterin derin şekilde incelemesine dayandığı halde toplumsal ve evrensel sorunları, aynı ülkenin insanları arasındaki sınıf ve kültür farkını tartışıyor.

3 Nihal, Aydın'dan yaşça genç, vaktini çevredeki okullara yardım ederek geçirdiği halde Necla tarafından takdir edilmeyen bir karakter.

4 Nihal'e göre Aydın genel olarak adil, eğitim görmüş, dürüst göründüğü halde aslında kinci, bencil, kimseyi beğenmeyen, kibirli ve korkak bir kişidir.

5 Film insanların kendileriyle yüzleştikleri zaman gerçek duygularını daha iyi anlayacaklarını vurguladığı, toplumsal ve evrensel değerleri derinlemesine tartıştığı için herkese hitap ediyor.

K

aldığı zaman, olduğu gibi, sürdüğü halde, dayandığı halde, kazandığından başka, geçirdiği halde, alındığı gibi, göründüğü halde, gösterdiğinde, geçtiği için, değerlendirildiği halde, yüzleştikleri zaman, tartıştığı için

L

Answers will vary.

Unit 15

A

1c **2**d **3**f **4**b **5**a **6**e

B

1 koymalısınız **2** düşürmelisiniz **3** kaldırmalısınız **4** aktive etmelisiniz **5** bırakmamalısınız **6** kullanmalısınız

C

Answers will vary.

2 Gelmeliydi. / Haber vermeliydi.

3 Geç yatmamalıydın.

4 Dikkatli olmalıydı. / Yedeklemeliydi.

5 Telefonunu kapatmalıydı / sessize almalıydı.

6 Gitmeliydik.

D

1 öğrenci **2** uzmanlar **3** bir problem **4** mesaj **5** gençler **6** yeni model

E

2 ailelerin hiçbiri /ailelerden hiçbiri

3 web sitelerinin bazıları

4 araştırmaların hepsi

5 dosyaların birkaçı/ dosyalardan birkaçı

6 ekranın tümü

F

1 çoğu **2** Birçok **3** yarısı **4** ikisi **5** Bazı **6** hiçbiri

G

1 araşrımaya göre **2** akıllı **3** kadınlardan **4** gençlerdir **5** mesajlaşmak **6** değiştiriyor

H

1 b **2** f **3** d **4** a **5** c **6** e

I

Teknolojinin insanların hayatındaki fayda ve zararlarını

J

1 Y Hem kolaylaştı hem de hız kazandı.

2 D

3 Y Teknoloji sayesinde birçoğumuz uzaktaki sevdikleriyle istediği anda görüşebilir.

4 Y Türkiye'de telefon kullanıcıların gün içinde akıllı telefonlarına bakma ortalaması 79'dir.

5 D

6 Y Bazı yöntemler geliştirerek zaman zaman teknolojiden uzaklaşmaktır.

K

Quantifiers	Partitive structure
kimi	çoğunu
birkaç	Hiçbirimiz
her	Birçoğumuz
hiç bir	Birçoğu
herhangi bir	biri
birçok	birkaçı
bazı	
bazı	

L

Answers will vary.

Unit 16

A

1 ararsan/arayacaksan **2** kaybederseniz/ kaybettiyseniz **3** yoksa **4** olursa / olacaksa **5** görmediysen **6** gittiysen **7** katılacaksa / katılacaklarsa **8** gelmeyecekse

B

1 verseydiniz

2 bilseydim

3 yatmasaydık

4 olsa

5 olsa

6 gerekmeseydi

C

1h **2**g **3**c **4**e **5**d **6**a **7**b **8**f

D

1 düşünüyorsanız / düşünürseniz

2 unuttuysanız / unutursanız

3 istiyorsanız / isterseniz

4 hedefliyorsanız / hedeflerseniz

5 yoksa

6 tiryakisi**yseniz** / iseniz

7 derseniz / diyorsanız

8 tercihiniz**se** / ise

9 olmazsa

10 görmekse

E

1 uzaklaşmak **2** dahil etmek **3** keşfetmek **4** hazırlamak **5** düzenlemek

F

1 John festivale gidebilmiş. Y

2 Festival John'un proje hazırladığı zamana rastlamış. D

G

1 Türkiye'de geçirmesini istiyor.

2 John tatilini İstanbul'da geçirmeye karar verirse Ayşe'lerde kalabilir.

3 Tarihi yerlere ve konserlere gidebilirler, alışveriş yapabilirler, İstanbul civarındaki doğası zengin yerlere gidebilirler.

4 Seçenekler çok, örneğin denize girebilirler, müzik festivalleri ve konserlere gidebilirler, Bodrum kalesini ve arkeoloji müzesine ziyaret edebilirler.

H

1 seçenek

2 detaylı

3 toplanmak

4 cevap vermek

5 dört gözle beklemek

I

Answers will vary

Unit 17

A

taramak	taranmak
taşımak	taşınmak
övmek	övünmek
sarmak	sarınmak
görmek	görünmek
dövmek	dövünmek
giymek	giyinmek

B

1 yıkandı. **2** övündüler. **3** taşınıyorlar? **4** süsleniyor. **5** gezindim. **6** görünüyor

C

1 sevindi (*pleased*)

2 edinmek (*get*)

3 söylendi (*muttered*)

4 kaçınıyorlar (*are avoiding*)

5 dinlenir / dinleniyor (*relaxes*)

6 geçinemiyoruz (*get along / get on well*)

D

1 Kendime **2** Kendilerine **3** kendi **4** kendin

E

1 tek başıma **2** kendi kendine **3** kendi kendime **4** Tek başına

F

	Causative
Ali evi temizledi.	Ali evi temizle**tt**i.
Bardaklar düştü	Oya bardakları düş**ür**dü.
Eşyaları taşıdım.	Eşyaları taşı**tt**ım.
Otobüs durdu.	Biz otobüsü dur**dur**duk
Çocuk arabadan indi.	Ali çocuğu arabadan in**dir**di.

G

yapmak	yaptırmak
kalkmak	kaldırmak
yazmak	yazdırmak
dolmak	doldurmak

H

1 dolduracağım **2** biçtirir/biçtiriyor **3** arttırdı **4** bastıracak

I

söylemek	söyletmek
hatırlamak	hatırlatmak
temizlemek	temizletmek
boyamak	boyatmak

ayırmak	ayırtmak
parlamak	parlatmak
belirmek	belirtmek

J

Önümüzdeki hafta kayınvalidemler yeni taşındığımız evi görmek için akşam yemeğine gelecekler. Evi boyatırken halıya boya döküldü. Boyacı sildi ama leke tam çıkmadı, temizletmem lazım. Kabul ederse zeytinyağlı yaprak dolmasını anneme yaptırmak iyi fikir. Ben de fırında sebzeli tavuk yaparım ama fırın çalışmıyor, onu da tamir ettirmem lazım. Eşime söyleyeyim yemek takımlarını üst raftan indirip gümüş çatal bıçakları parlatsın. En önemlisi bana yemekleri yaparken süt ürünleri kullanmamamı hatırlatsın. Kayınvalidem süt ürünleri yemiyor. Evde yemek yerine güzel bir lokantada yer ayırtsam mı?

K

korkmak	korkutmak
akmak	akıtmak
sarkmak	sarkıtmak
ürkmek	ürkütmek

L

1 çökertti **2** getirdi **3** gösterdi **4** çıkardım **5** geçirdik **6** kaldırıyor

M

1 bitti **2** bitirdi **3** bitirtti.

N

2 kardeşime uyandırttı

3 Hakan'a değiştirttim

4 kiracı yatırdı

5 bakkalın çırağına getirtir

O

Üniversite öğrencisi	Çocuklu çift	Yaşlı çift
Üniversiteye yakın, ucuz, bisiklet yeri, spor tesisine yakın, kolay ulaşım, kolay ısınma	Bahçe, kolay ulaşım, okula yakın, geniş mutfak, spor tesisi içinde, parka yakın, garaj, ucuz, alışveriş merkezine yakın, kolay ulaşım, kolay ısınma	bahçe, torunlara yakın, tuvalet ve banyoda tutunma barı, girişte güvenlik görevlisi, kolay ulaşım, kolay ısınma, ucuz, merdivensiz, alışveriş merkezine yakın, garaj, spor tesisi içinde.

P

1 İki bin liraya indirecek

2 Müracaat formunu doldurması, demirbaş listesini kontrol edip eksikleri yazması lazım.

Q

1 Y Kendi imzalamak zorundadır.

2 Y Bahçenin bakımı kiracıya aittir.

3 D

4 Y Son demirbaş listesi sözleşmeye eklenecektir.

5 D

R

Reflexive: kendisine, taşındığınız, kendileri, taşınırken.

Causative: bildirdim, indirmeyi, düşürecek, doldurmanız, kabul ettirmeye, imzalattıracağım, onaylatmış, belirtilmektedir, geçirilmesi, kiralatılamaz, imzalatılamaz, temizletmeniz, temizletme, düşürülecektir, değiştiremezsiniz, boyatamazsınız, bildirmeniz, biçtirilmesi, belirtilecektir, arttırılacağı, yazdırılacaktır, tamir ettirilen, eklenecektir, doldurmalıdır.

S

Answers will vary

Unit 18

A

1 Ümit ediyorum ki çevreye zararı olmayan maddelerden üretilmiş el sabunu, bulaşık deterjanı gibi ürünleri daha ucuza alabiliriz.

2 İnanıyorum ki çocuklarımızı daha küçük yaşlarda çevre konusunda bilinçlendirebiliriz.

3 Anlaşılıyor ki sosyal ve ekolojik bilince yönelik seminerler ve sempozyumlar düzenlenmeli.

4 Şüphesiz ki daha çok ağaçlandırma kampanyaları yaparak halka ulaşmak gerekiyor.

B

1 Derneğin o kadar çok parası var ki yeni bir projeye başlayabilirsiniz.

2 Doğal beslenmek o kadar önemli ki kendi bahçemi oluşturdum.

3 Çevre meseleleriyle ilgili o kadar çok yazdı ki bir kitap yazabilir.

4 Çimlerin üzerinde ateş yakmak çevreye o kadar zarar veriyor ki kesinlikle ateş yakmamalıyız.

5 Bazı günler hava kirliliği o kadar yoğun olabiliyor ki evden dışarı çıkmıyoruz.

6 Kağıt tasarrufu yapmak o kadar önemli ki çıktı almadan önce iki defa düşünmeliyiz.

C

Answers will vary.

1 Dün o kadar yorgundum ki, erken yattım.

2 Plastik su şişeleri o kadar zararlı ki, sağlığımızı tehdit ediyor.

3 Boş piller çevreye o kadar zarar verebilir ki, direkt çöpe atmamalıyız.

4 Ali su israfına o kadar dikkat ediyor ki, sürekli muslukları kontrol ediyor.

5 Saç spreyi ve deodorant gibi kozmetikler çevre için o kadar zararlı ki, ben kullanmamaya özen gösteriyorum.

D

1 anlatalım ki / koruyalım **2** ki **3** yapsın ki / bulalım **4** ki **5** edinelim ki / anlayalım

E

1 Şişeyi çöpe atacaktım ki yanlış çöp konteyneri olduğunu anladım.

2 Hayvansız bir çevre düşünülemez ki neden onları korumuyoruz?

3 Seminer bilgilerini göndermediniz ki nasıl gelmemizi beklersiniz?

4 Dün haberleri izliyordum ki uzun zamandır göremediğim arkadaşım geldi.

5 Siz bize yetki vermediniz ki nasıl bir şey yapmamakla suçluyorsunuz?

6 Çevre bilinci konusunda kamuoyu oluşturmakta yardımcı olmadınız ki nasıl bizi eleştirebilirsiniz?

F

1 d **2** f **3** a **4** c **5** b **6** e

G

1 Termik santraller çevreye çok zarar veriyor diye biliyorum.

2 Çevre kirliliği iklim değişikliğine sebep oluyor diye duydum.

3 Hepimiz çevre konusunda daha duyarlı olmalıyız diye düşünüyorum.

4 Sadece organik ürünler tüketilmeli diye yazıyorlar.

H

2 Çalışmalarımız gelecek nesiller için faydalı olacak diye pes etmeden devam etmeliyiz.

3 Çeşitli alanlarda uzman olan kurucu üyelerimiz var diye derneğimiz çok yenilikler getirmektedir.

4 Çevre bilincinin artması önemli diye dünyanın her yerinde çevresel sorunlarla ilgili projeler yapılıyor.

5 Çeşitli hastalıklar artıyor diye bunların çevremizle ilgili bağlantılarını araştırmamız lazım.

6 Bazı hükümetler çevre konusunda üstlerine düşen görevleri yapmıyorlar diye çocuklarımızın geleceğini tehlikeye atamayız.

I

1 Mademki **2** bundan dolayıdır ki **3** farzet ki **4** çünkü

J

1b **2**i **3**f **4**g **5**c **6**h **7**e **8**d **9**j **10**a

K

Çevre ve çevrenin önemi

L

1 Evet var.

2 Ekolojik denge bozulursa çevre kirliliği başlar.

3 Hava Kirliliği, Su Kirliliği, Toprak Kirliliği ve Enerji kaynaklarının kullanımı.

4 * Çevre konusunda çocuklara rol modeli olmak.

* Bilinçli bir tüketici olabiliriz. Ürün seçerken çevre dostu ürünler seçebiliriz.

* Piknikten sonra ateşi söndürmek.

* Arabalarımıza kurşunsuz yakıt koymak.

* Çöp poşetinin ağzını sıkıca bağladıktan sonra çöp kutusuna atmak.

* Kâğıt, teneke, cam, pil gibi maddeleri geri dönüşüm kutularına atabiliriz.

* Tarım ilaçlarını ürünler için yararlı diye gereğinden fazla kullanmamak.

* Doğada kendi kendine erimeyen plastik şişeleri, poşetleri denize atmamak ve atanları uyarmak.

* Su tüketimine dikkat etmek.

* Evlerimizde enerji ampulü kullanmamak.

5 * Egzoz gazlarını azaltmak için büyük şehirlerde toplu taşıma olanakları artırılmalıdır.

* Yeşil alanlar artırılmalı ki bireylerin doğa ile ilişkileri kopmasın. * Belediyeler geri dönüşümü daha çok teşvik edebilir.

* Devlet tarım ilaçlarının kullanımını kısıtlayabilir.

* Su arıtma tesisleri kurulabilir.

* Yeni yasalar belirlenebilir.

* Fosil enerji kaynaklarından güneş, rüzgar, su ve jeotermal enerji gibi kendi kendini yenileyebilen enerji kaynaklarına geçilmelidir

M

Bugünkü sunumumda, hepimiz için önemli olan bir konudan bahsetmek istiyorum:

Çevre ve çevremizin önemi

Hemen hemen her yerde çevre, çevre kirliliği, çevresel etki, kaynakların azalması gibi kavramlardan bahsediliyor. **Madem ki** (*fixed expression*) çevre bu kadar önemli bu konuda neler yapıyoruz **diye** (*factive clause*) kendimize sormamız gerekmez mi?

Çevre, insanların ve hayvanların yaşam ortamı **diye** (*as, saying*) tanımlanabilir. Yaşayabilmek için içtiğimiz su, nefes alıp verdiğimiz hava, ulaşım için büyük önemi olan ve içinde çeşitli balık ve bitkilerin yaşadığı deniz, bizler için oksijen kaynağı olan ağaçlar ve üstünde yaşadığımız toprak çevre **diye** (*as, so-called, named*) belirttiğimiz bu ortamın parçalarıdır. Bu parçalar birbiriyle uyumlu olarak saat gibi işleyen bir denge içinde görevlerini yapar. Ekolojik denge **diye** (*as, so-called, named*) bilinen bu dengeyi insanlar yanlış hareketleriyle bozarsa çevre kirliliği başlar. Bu dengeyi bozmamaya çalışmalıyız **ki** bizden sonraki kuşaklar rahat yaşa**sınlar**(*in order to, so that*).

Başlıca çevre sorunlarını şöyle sıralayabiliriz; Hava Kirliliği, Su Kirliliği, Toprak Kirliliği ve Enerji kaynaklarının kullanımı.

Bu sorunlar karşısında birey olarak **ne** yapabiliriz **ki** (*I wonder if/what*) **diye** (*saying*) düşünmek yerine neler yapmalıyız, **diye** (*as, saying, thinking*) düşünmeliyiz.

Birey olarak yapabileceklerimiz:

Çevremizi sahiplenip önemini çocuklara öğretmeli ve bu konuda rol model olmalıyız **ki** onlar da bu konunun önemini anla**sınlar** (*in order to, so that*) . Bilinçli bir tüketici olabilir, ürün seçerken çevre dostu olup olmadıklarını kontrol edebiliriz.

- Hava kirliliği; Piknikten sonra ateşi söndür**elim ki** orman yangınları çık**masın** ve oksijen kaynağı ağaçlarlar yok olmayıp temiz havanın devamını sağla**sınlar** (*in order to, so that*). Arabamıza kurşunsuz yakıt koymak da kirliliği önlemede etkili olur.

- Toprak kirliliği: çöpleri, çöp poşetinin ağzını sıkıca bağlandıktan sonra çöp kutusuna, kâğıt, teneke, cam, pil gibi maddeleri geri dönüşüm kutularına at**alım ki** geri dönüşüme katkımız ol**sun** (*in order to, so that*). Tarım ilaçlarını ürünler için yararlı **diye** (*saying that, as, because*) gereğinden fazla kullanmayalım.
- Su kirliliği ; Doğada kendi kendine erimeyen plastik şişeleri, poşetleri denize atmamalı ve atanları uyarmalıyız **ki** sularımız temiz kal**sın** (*in order to, so that*).
- Enerji kaynakları : Su tüketimine dikkat etmemiz, evlerimizde enerji ampulü kullanmamız enerji tasarrufu sağlayacaktır.

Birey olarak ben de çevre kirliği konusunda sorumluyum **diye** (*factive clause*) düşünmez, bu konuda çalışan örgütlere katkıda bulunmaz, onlarla birlikte çalışmazsak bu sorunlar **nasıl** çözümlenebilir **ki** (*I wonder if/what*)?

Devlet, sivil toplum örgütleri ve kurumların yapabilecekleri;

- Hava kirliliği : Egzoz gazlarını azaltmak için büyük şehirlerde toplu taşıma olanakları artırılmalıdır. Yeşil alanlar artırılmalı **ki** bireylerin doğa ile ilişkileri kopma**sın** (*in order to, so that*).
- Toprak kirliliği: Belediyeler geri dönüşümü daha çok teşvik edebilir, devlet tarım ilaçlarının kullanımını kısıtlayabilir.
- Su kirliliği: Suların temizliği **ki** (*which*) bu sağlıklı bir çevre için şarttır, su arıtma tesislerinin kurulmasıyla sağlanabilir. Kurumların denizleri çöplük olarak kullanmasının yasalarla engellenmesi de **şüphesiz ki** (*fixed expression*) önemlidir.
- Enerji kaynakları: Fosil enerji kaynaklarından güneş, rüzgar, su ve jeotermal enerji gibi kendi kendini yenileyebilen enerji kaynaklarına geçilmelidir **ki** uzun vadede enerji tasarrufu sağlan**sın** (*in order to, so that*).

İnanıyorum ki (*conjunction, that*) bireyler, devlet kurumları, sivil toplum örgütleri birlikte çalışırsa, çevre bir problem olmaktan çıkar ve çevre deyince aklımıza olumsuz değil, olumlu şeyler gelir.

N

Answers will vary.

Unit 19

A

1 tanışamadım

2 buldum

3 öpüşmeyin

4 buluştuk

5 göremedim

6 görüşemedik

B

None of the verbs are reciprocal.

yetişmek	*to catch, keep up with*
danışmak	*to consult, refer*
bağışlamak	*to grant, donate, forgive*
alışmak	*to get used to*
değişmek	*to change*
dönüşmek	*to turn into, transform, grow*

C

1 Birbirimizin **2** Birbirinize **3** birbirleriyle **4** birbirinden / birbirlerinden **5** birbirimize

D

1 uzmanlık **2** emeklilikte **3** gözlüğümü **4** kararsızlık **5** bakanlığı

E

1 güncellemem **2** zorlaşıyor **3** dengelemek **4** umutlanmak **5** yaşlanmaktan **6** yüklemiştim

F

1 iş başvurusu **2** para kazanmak kazanmak **3** işsiz **4**iş görüşmesi/ mülakat **5** emekli
6 insan kaynakları

G

1 kolaylaşmak **2** ezberlemek **3** emekli **4** CV **5** bakanlık

H

Hayır, Canan doktorasını yapmamış.

I

1 Y Şirketin insan kaynakları sayfasında gördü.

2 D

3 D

4 Y Hem yurt içinde hem de yurt dışında pazar analizleri yapmış.

5 D

6 Y Canan özgeçmişini eklemiş.

J

Answers will vary.

Unit 20

A

Sağlıklı beslenme kampanyası yürüten derneğimiz okullardaki yemekleri **incelemektedir.** (third person singular, formal).

Yeni web sitesi kurmak için haftalardır **çalışmaktayım**, önümüzdeki hafta bitireceğim. (first person not formal)

Kadın dayanışma grubumuzun üyeleri öncelikle kadına şiddet konusuyla mücadele **etmektedirler.** (third person plural, formal)

B

1 yapmaktadır

2 toplamakta(lar)

3 incelemektedir

4 güvenmekteyiz

5 artmakta

6 izlemekteyiz

C

1 düzenlemektedir	düzenle + mekte+ dir
2 yürütülmektedir	yürü + t (causative) + ül (passive) + mekte + dir
3 yatırılabilmektedir	yat + ır (causative) + ıl (passive) + abil (-(y)Ebil) + mekte + dir

D

1 kurmuştur **2** bilmektedir **3** yapmaktadır **4** etmektedir **5** hazırlamaktadır

E

1 çalışmaktaydı **2** yapılmaktaydı **3** içilmekteydi **4** götürülmekteydi

F

1 as adjective + third person singular

2 as adjective

3 as compound verb

G

1 ilişkin **2** parasal **3** etkin **4** ulusal

H

1b **2**f **3**g **4**e **5**a **6**h **7**c **8**d

I

1c **2**e **3**b **4**a **5**f **6** d

J

1 Bu çok zor bir seçim, karar veremiyorum.

2 Seri üretimle şimdi çok mal üretiyorlar.

3 Bu proje için parasal birikimimiz yok.

4 Sedat sosyal bilim alanında araştırma yapıyor mu?

K

1 Bir sosyal sorumluluk projesi tanıtıyor.

2 Kurumsallaşma ve özel sektörün gelişmesiyle önem kazanmaya başladı.

L

1 Projeyi yürüten dernek köyde öğrenciler ve köy halkı için çok amaçlı bir bina yapmayı amaçlamaktadır.

2 Parasal yardım için sosyal medya kanalıyla web sitelerinde köyün tanıtımını yapmışlar ve sivil toplum kuruluşlarına duyurmuşlardır.

3 Eğitim konusunda çalışan diğer dernek ve kurumlarla görüşmelere devam edecektir.

4 Proje katılımda en büyük desteği gönüllü olarak çalışan ve bağış yapan üyeleri oluşturmaktadır.

5 Eğitime yapılan her katkı çok önemli çünkü iyi bir gelecek için en doğru yatırım.

M

Answers will vary

GLOSSARY OF GRAMMATICAL TERMS

Ablative: one of the six case endings in Turkish; **–DEn** expressing *from, out of, through.*

Accusative: one of the six case endings in Turkish; **–(y)I** indicating a direct object.

Active sentence: a sentence where the subject of the sentence performs the action in the sentence. It is the opposite of passive.

Adjective: a word that modifies or describes a noun. In Turkish adjectives always come before the noun and there are no rules of agreement between them; **ilginç kitap** *interesting book*, **kolay dil** *easy language.*

Adverb: a word or phrase that modifies the meaning of an adjective, verb, or another adverb, expressing manner, place, time, or degree.

Adverbial clause: a subordinate clause (dependent clause) that functions as an adverb. The clause can modify verbs, adverbs, and adjectives by telling when, where, why, how, and under what condition. In Turkish they are also referred as converbs and **–DIK** combinations.

Affirmative sentences: positive sentences.

Aorist: a suffix that indicates the tense of the verb; the suffix used in general is **-(E/I)r**. It expresses habitual activities, daily routines, various kinds of modality forms such as polite requests, generalizations, promises, hypothetical statements, assumptions and is also frequently used for proverbs and jokes.

Case ending: a suffix attached to a noun or pronoun to indicate its relationship to another component of the sentence. Turkish has six case endings; nominative, accusative, dative, locative, ablative and genitive cases.

Causative: a suffix added to a verb base when the subject causes the action to happen rather than doing it directly or makes/allows it to be done by someone/something else. It has different forms depending on the verb base it is used with**; -DIr-, -t-, -It-, -Ir-, -Ar-.**

Clause: a group of words containing a subject and a verb. A clause that stands on its own is a complete sentence, known as independent sentence. Otherwise, it is known as subordinate clause.

Comparative: the form of an adjective/adverb indicating a greater degree of the quality that the adjective describes. In Turkish **daha** *–er, more* is placed in front of the adjective or verb.

Compounds: combinations of two nouns, one adjective and one noun or combinations of nouns and verbs. There are two types of compounds, compound nouns and compound verbs.

Compound nouns: combinations of two nouns in which the first one describes the second. The combined form carries one meaning. In Turkish, the described noun takes the third person possessive ending **-s(I)n** . If the described noun ends in a vowel then 's' in **-(s)I(n)** is used.

Zeytin ağacı. *Olive tree.* **Bahçe kapısı.** *Garden gate.*

Compound verbs: formed by adding verbs to nouns or adjectives. They are mostly formed by adding the verb **etmek** and olmak to nouns in Turkish.

Teşekkür. *Thanks.* **Teşekkür etmek.** *To thank.*

Conditional: Conditional sentences indicate that two situations depend on each other. These can be expressing a real possibility of something happening or unreal / hypothetical possibilities.

Conjunction: one-word or two-words that join two or more words and/or clauses. (e.g. **ve** *and*, **ama** *but*, **hem…hem** *both …and*)

Converbs: verb forms which express in a concise way an adverbial clause. In Turkish converbs do not indicate person or tense. They are directly attached to the stem of a verb.

Dative: one of the six case endings in Turkish; **–(y)E** expressing *to, into, for.*

Demonstratives in Turkish are **bu** *this*, **şu** *this/that* and **o** *that.* They can either be used as adjectives or as pronouns standing in place of a noun. Remember that they can also take the case endings.

Indirect Speech: a form of speech used for reporting something said or written by quoting what was meant indirectly. Turkish uses object participles and verbal noun structures while converting direct sentences into indirect speech.

Türk mutfağını seviyorum. *I like Turkish cuisine*

Türk mutfağını sevdiğini söyledi. *She said that she liked Turkish cuisine.*

Genitive: one of the six case endings in Turkish. **–(n)In** expressing a possession like *'s* or *of* in English. It can also indicate the subject of a subordinate clause.

Imperative: a verb form that expresses a command and order. The verb base without the infinitive **–mEk** is the imperative form in Turkish.

Çabuk ol! *Be quick.* To make it a more polite request, it is used with **lütfen** *please.* **-(y)In** or **–(y)InIz** is added to the verb base for formal use.

Infinitive form: the basic form of a verb. It is the version of the verb which will appear in the dictionary. In Turkish it is the **–mek, -mak** endings; git**mek** *to go.*

Locative: one of the six case endings indicating the location of the noun**; -DE** expressing *in* or *on*.

Modality forms: used when someone wants to express certainty, possibility, willingness, obligation, necessity and ability. Turkish has various suffixes for this.

Nominative: one of the six case endings in Turkish. It is the plain form of a noun with no endings except the plural.

Object: expresses the relationship between a noun and the verb it is affected by. The object of a sentence can be direct or indirect.

Zeynep o arabayı aldı. *Zeynep bought that car (direct)*

Zeynep o arabayı kızına aldı. *Zeynep bought that car to her daughter. (indirect)*

Object participle: In Turkish object participle forms are used for relative clauses, factive clauses, and adverbial clauses also called **-DIK** combinations.

Ankara'da tanış**tığım** öğrenci şimdi Londra'da yaşıyor. *The student whom I met in Ankara lives in London now.*

Optative: a form of the verb that expresses a will or a desire. In Turkish the most common ones are 1st person singular and plural. Gid**eyim**. *Let me go.* Gid**elim.** *Let's go.*

Partitive construction: is used as a noun phrase to express a part of a whole. Öğrenciler**in** hep**si. All of the students. Kitapların yarısı. Half of the books.**

Passive sentence: is used to say that something is done by someone rather than someone does / did it. Bu sorun (Ali tarafından) çöz**ül**dü. *This problem has been solved (by Ali).* In Turkish, the passive endings are **–Il, -In, -n.**

Personal suffixes: These have the function of *to be* in English and are added to the end of nouns or adjectives as *'to be'* is not a full verb in Turkish. The suffixes for the present tense are; -

-(y)Im **-sIn, -(Dir) -(y)Iz -sInIz -DIr(lEr)**

Ben öğretmenim. *I am a teacher.*

Personal Pronouns: in Turkish these are **ben, sen, o, biz, siz, onlar**. Remember that they can also take the case endings.

Possessive: Possessing something or someone is expressed through possessive suffixes or with var *have got* and **yok** *have not got* in Turkish.

Possessive suffix indicates that the word to which it is added is *possessed by* or *belongs to* some other person or thing mentioned earlier in the sentence. That earlier word is referred to as the 'possessor' and it carries the genitive suffix. They are different for each person. Ahmet'in oğlu. *Ahmet's son.*

Postpositional phrase: a word together with the word that precedes it forming a phrase with an adverbial or adjectival function. evin önünde *in front of the house;* Ali'den başka *apart from Ali.* Turkish postpositions usually correspond to prepositions in English.

Quantifiers: determiners that express quantity but do not have to state a specific number. **Bazı** insanlar. *Some people.* **Birkaç** kalem. *A few pens.*

Question marker MI: When it is used, the answer is either yes or no. Oya geldi **mi**? *Did Oya come?*

Reciprocal: the verb form which indicates that the action is being done by two or more people or animals collectively, that they are all participating in the action. It is indicated by the suffix **–(I)ş.**

Bu komik öyküyü dinlerken hepimiz gülüştük. *When we were listening to this funny story, we all laughted (together).*

Kuşlar uçuşuyor. *The birds are all flying about.*

Reflexive verbs are verbs in which the action is not done to another person or thing but the subject does it to himself/herself/itself. The subject and the object are the same in the sentence. The reflexive suffix is **-(I)n.**

Ali arabayı yıkadı. *Ali washed the car.* **Ali yıkandı.** *Ali washed himself.*

Reflexive pronouns: In Turkish the reflexive pronoun consists of the word **kendi** *self,* followed by the possessive suffix determined by the subject. It can take all the suffixes that other pronouns take. When a reflexive pronoun is used in the sentence the verb cannot be the reflexive form.

Kendime güzel bir palto aldım. *I bought myself a nice coat.*

Relative clause: is a subordinate clause that defines or identifies the noun that precedes it. Turkish does not have relative pronouns like *who, which, whose, that* and uses participle forms. The defined noun is the object of the action in the relative clause.

Subject: expresses a relationship between a noun or a pronoun and a verb. The subject of a sentence performs the action of the verb.

Subject participle: In Turkish **-(y)En, -(y)EcEk (olan)** and **–mIş (olan)** are used when the defined noun is the subject of the action in the relative clause.

Ankara'da yaşa**yan** öğrenci bu yaz Ingiltere'ye gidecek. *The student who lives in Ankara will go to Britain this summer.*

Subordinate clause: is a clause that cannot stand on its own as it is not a complete sentence but forms a part of a complex sentence. Examples are relative clauses, adverbial clauses, noun clauses.

Suffix: a letter or a group of letters that is added to a word to modify its meaning or grammatical function. As Turkish is an agglutinative language, it has many suffixes reflecting different meaning and functions.

Superlative: the form of an adjective/adverb used when you compare three or more things. It is the highest degree superior to others and is indicated by the word **en** meaning **most, –est.**

Tense: is mostly expressed through changes in the verb form to indicate when an action took place. In Turkish the main tenses are present continuous tense, past tense, future tense and aorist.

Var / Yok is used to indicate the presence or absence of something. **var** corresponds *to there is/ there are* and yok corresponds to *there isn't/ there aren't* in English. They can be used with possessive suffixes to indicate the possessor having or not having something or someone.

Bu okulda çok öğrenci **var**. *There are lots of students in this school.*

Para**m yok.** *I have no money.*

Verbs express actions (**koşmak:** *to run*), states of being (**olmak**; *to exist*) or sensations. A verb usually has a subject and may also have an object.

Word formation In Turkish, words can be derived from verbs, nouns and adjectives to form new verbs, nouns and adjectives by adding suffixes. This process is interchangeable. An adjective can be derived from a noun or a verb can be derived from an adjective or a noun.

A

açık artırma	*auction*
ağırlık vermek	*to give importance to, to concentrate on*
ait	*belong to*
algılamak	*to perceive, to sense, to comprehend*
alışkanlık	*habit, routine, custom*
alışveriş yapmak	*to do/go shopping*
amaç	*goal, target*
ambalaj	*packaging, wrapping*
anı	*memory*
ara vermek	*to give a break, to pause, to suspend*
araştırmak	*to search, research, to investigate*
aşama	*level, stage, phase, degree*
aşırı	*extreme, extensive*
atölye	*studio, workshop, workplace*
AVM	*AlışVeriş Merkezi: shopping centre*
ayarlamak	*to arrange, to adjust,*
aydın	*luminary, bright, literate, enlightened*
aydınlık	*light, daylight, brightness*
ayıklamak	*to sort out, to pick over*
ayrıntılı	*detailed, thorough,*

B

bağımlılık	*addiction, dependency*
bağımsız	*independent*
bağlamak	*to link, to fasten, to tie, to connect*
başvurmak	*to apply, to consult, to refer*
başyapıt	*masterpiece*
beceri	*skill, ability*
becermek	*to do well, to succeed,*
beden sağlığı	*physical well being*
beklenti	*expectation*
benzetmek	*to associate, to compare*
bıkmak	*to be tired of, to be fed up with*
bırakmak	*to leave, to abandon, to give up*
biçilmiş kaftan	*ideally suited*
bilinçlendirmek	*to raise awareness*
bir araya gelmek/ toplanmak	*to meet up, to gather, to come together*
bir kenara bırakmak	*to leave aside*
bireyci	*individualist, individualistic*
boş zaman	*free-spare time, leisure time*
bozuk	*out of order*

C

canlanmak	*to come to life, to revive, to refresh*

Ç

çalmak	*to play an instrument, to ring the bell, to steal*
çocuk kitabı	*children's book*
çoğunlukla	*mostly, usually, mainly*
çözüm	*solution*

D

dağılmış	*spread, untidy, distributed*
dahil etmek	*to include*

danışmak	*to consult, to refer, ask for advice*
değerlendirmek	*to evaluate, to comment, to review*
değişim	*change*
demirbaş listesi	*inventory*
deneyim	*experience*
denge	*balance*
derinlemesine	*profoundly, deeply, thoroughly, in depth*
desteklemek	*to support*
dikkat etmek	*to pay attention, to watch out, to be careful*
dizmek	*to align, to line up*
dolaşmak	*to walk around, to wander, look around*
dostluk havası	*friendly atmosphere*
doyurucu	*satisfying, fulfilling, filling*
dönüm noktası	*turning point*
duyarlı olmak	*to be sensitive, to be responsive to*
duygusal	*emotional, sensitive*
düzenlemek	*to organize, to hold, to arrange*

E

eğitim	*education*
eklemek	*to add, to attach*
eleştiri	*criticism*
ellemek	*to touch, to play with*
emekli	*retired*
enerji kaynakları	*energy sources*
engellemek	*to hinder, to block, to obstruct, to prevent*
engelli	*disabled*
ertelemek	*to postpone, to delay, to put off*
eser	*work, work of art, piece*
etki	*effect, influence, impact*
etkinlik	*activity, event*
evrensel	*universal*

F

fark etmek	*to notice, to spot, to realize*
farkındalık	*awareness*
fatura	*bill, invoice, receipt*
faydalanmak	*to take advantage of, to make use of, to benefit from*
fırsat	*opportunity, chance*

G

gelişme	*development, advance, progress*
genişlik	*width*
gerçekçi	*realistic, down to earth*
gerçekleştirmek	*to realise, to bring about, to carry out, to execute*
geri dönüşüm	*recycling*
gıda	*food*
girişim	*attempt, initiative*
gönül rahatlığıyla	*with mind at peace, happily with inner peace*
gönüllü	*volunteer, voluntary, willful*
gülümsemek	*to smile*
günlük yaşantı	*daily life*
güvenlik görevlisi	*security staff, security guard*
güvenmek	*to trust*

H

haber vermek	*to inform, to report, to let someone know*
hayal etmek	*to dream, to imagine*
hayal kırıklığı	*disappointment, frustration*
hayatını kaybetmek	*to lose one's life, to die, to pass away*
hazırlamak	*to prepare*
hedef	*target, goal*
heyecanlanmak	*to get excited, to feel excited*
hızlandırmak	*to accelerate, to speed up*
hissetmek	*to feel*
hitap etmek	*to address*

I

ısınma	*warming, heating, heating up*

İ

iade etmek	*to return, to hand back*
icat etmek	*to invent*
ihraç etmek	*to export*
iletişim	*communication*
ilgilenmek	*to be interested in, to take care of, to deal with, to attend to*
imkan	*opportunity, possibility*
incelemek	*to examine, to investigate, to analyse, to observe*
israf	*waste*
istikrarlı	*stable, consistent, strong*
isyan etmek	*to revolt at, to rebel*
iş ilanı	*job advertisement*
işi çıkmak	*something coming up*

K

kalbi çarpmak	*one's heart beating with excitement*
kalıcı	*permanent*
kalite	*quality*
kamusal alan	*public sphere*
kanaatkar	*contented*
kapsam	*scope*
karar vermek	*to decide*
kat	*floor / flat in a building*
katkı	*contribution*
kavram	*concept*
kaynak	*source*
kesim	*a section of people/ society*
keşfetmek	*to discover*
keyifli	*blissful*
kısmak	*to reduce*
kısmen	*partly*
kıyı	*coast*
kibirli	*contemptuous*
kimlik	*identity*
kira sözleşmesi	*rental contract*
kişilik	*personality*
kopuk	*disconnected*
kuralcı	*sticking to the rules*
kurmak	*to set up*
kurumsallaşma	*institutionalization*
kutlama	*celebration*

M

mahalle *neighbourhood*
malzeme *material*
mesele *matter, issue*
mezuniyet *graduation*
midesi bozulmak *to have an upset stomach*
mimar *architect*
minnettar olmak *to be grateful, indebted*
muhafazakar *conservative*
muhtaç *needy*
müracaat formu *application form*
mutlaka *certainly*
müşteri hizmetleri *customer services*

N

nitelik *qualification*

O

olanak *means, opportunity*
olay örgüsü *plot*
oran *rate*
ortalama *average*
ortam *setting*
ortaya çıkmak *to emerge*
oturmak *reside, to live, to sit*

Ö

öksürmek *to cough*
ön yazı *covering letter*
önde gelen *prominent*
önem taşımak *have a place in*
öneri *suggestion*
önlem almak *to take precautions*
öz güven *self-confidence*
özgürlükçü *libertarian*

P

para kazanmak *to earn money*
parasız *free of charge*
paylaşmak *to share*
pazarlık etmek *to bargain*
Polonyalı *Polish*

R

rastlamak *to encounter, to come across*
rekabetçi *competitive*
ruh *soul*
ruh sağlığı *mental well-being*

S

saatlerce *for hours*
seçenek *alternative*
seçmek *to select*
seyretmek *to watch*
sıkılmak *to get bored*
sıkıntı çekmek *to suffer*
sipariş *order*
sohbet etmek *to chat*
sonlandırmak *to end*
sorgulayıcı *questioning, inquisitive*
sorumluluk *responsibility*
sunmak *to present*

Ş

şikâyet etmek *to complain*

T

tanımlamak	*to describe*
tarihçi	*historian*
tartışmak	*to discuss*
tasarruf	*savings*
tavsiye etmek	*to recommend*
tema/konu	*theme*
temsilci	*representative*
tercih etmek	*to prefer*
teslim etmek	*to hand over*
tespit etmek	*to determine*
teyit etmek	*to confirm*
tiryaki	*addict*
toplumsal	*societal, related to society*
tutum	*attitude*
tüketmek	*to consume*

U

uğramak	*stop by*
uğraşmak	*to strive*
ulaşmak	*to reach/obtain*
usta	*craftsman, skilled tradesman*
uyarmak	*to warn*
uygulamak	*to apply*
uykusu kaçmak	*to lose sleep*
uyumlu	*well-adjusted*
uzman	*expert*

Ü

üretmek	*to produce*
ürün	*product*

V

vakıf	*foundation*
vazgeçmek	*to decide not to (do something)*
vurgulamak	*emphasize*

Y

yansıtmak	*to reflect*
yaratıcı	*creative (person)*
yarı	*half*
yarısı	*half of*
yasal düzenleme	*legal arrangement*
yatırmak	*to deposit, to credit*
yavru	*young animal*
yerel	*local*
yetenek	*ability*
yetişmek	*to reach*
yetkili	*authorized (person)*
yurt	*student hostel (also traditional tent)*
yüklemek	*to load*
yüzleşmek	*to contend*

Z

zihinsel sağlık	*mental well-being*
zorluk çekmek	*to have difficulty*
zorunlu	*obligatory, compulsory*

COMPARING CEFR AND ACTFL LANGUAGE PROFICIENCY STANDARDS

This table shows an approximate comparison of the CEFR Global descriptors and ACTFL proficiency levels.* For both systems, language proficiency is emphasized over mastery of textbook grammar and spelling. Note that the ACTFL system divides the skills into receptive (reading and listening) and productive (speaking and writing). For more information please refer to www.actfl.org; www.coe.int; www.teachyourself.com.

CEFR	ACTFL	
	RECEPTIVE	PRODUCTIVE
C2 Can understand with ease virtually everything heard or read. Can summarize information from different spoken and written sources, reconstructing arguments and accounts in a coherent presentation. Can express him/herself spontaneously, very fluently and precisely, differentiating finer shades of meaning even in more complex situations.	Distinguished	Superior
C1 Can understand a wide range of demanding, longer texts and recognize implicit meaning. Can express him/herself fluently and spontaneously without much obvious searching for expressions. Can use language flexibly and effectively for social, academic and professional purposes. Can produce clear, well-structured, detailed text on complex subjects, showing controlled use of organizational patterns, connectors and cohesive devices.	Advanced High/ Superior	Advanced High
B2 Can understand the main ideas of complex text on both concrete and abstract topics, including technical discussions in his/her field of specialization. Can interact with a degree of fluency and spontaneity that makes regular interaction with native speakers quite possible without strain for either party. Can produce clear, detailed text on a wide range of subjects and explain a viewpoint on a topical issue giving the advantages and disadvantages of various options.	Advanced Mid	Advanced Low/ Advanced Mid
B1 Can understand the main points of clear standard input on familiar matters regularly encountered in work, school, leisure, etc. Can deal with most situations likely to arise whilst travelling in an area where the language is spoken. Can produce simple connected text on topics which are familiar or of personal interest. Can describe experiences and events, dreams, hopes and ambitions and briefly give reasons and explanations for opinions and plans.	Intermediate High/ Advanced Low	Intermediate Mid/ Intermediate High
A2 Can understand sentences and frequently used expressions related to areas of most immediate relevance (e.g. very basic personal and family information, shopping, local geography, employment). Can communicate in simple and routine tasks requiring a simple and direct exchange of information on familiar and routine matters. Can describe in simple terms aspects of his/her background, immediate environment and matters in areas of immediate need.	Intermediate Mid	Intermediate Low
A1 Can understand and use familiar everyday expressions and very basic phrases aimed at the satisfaction of needs of a concrete type. Can introduce him/herself and others and can ask and answer questions about personal details such as where he/she lives, people he/she knows and things he/she has. Can interact in a simple way provided the other person talks slowly and clearly and is prepared to help.	Novice High/ Intermediate Low	Novice High
0	Novice Low/ Novice Mid	Novice Low/ Novice Mid

*CEFR = Common European Framework of Reference for languages; ACTFL = American Council on the Teaching of Foreign Languages